A BAILARINA DA MORTE

LILIA MORITZ SCHWARCZ
E HELOISA MURGEL STARLING

A bailarina da morte

A gripe espanhola no Brasil

COMPANHIA DAS LETRAS

Grafia atualizada segundo o Acordo Ortográfico da Língua Portuguesa de 1990, que entrou em vigor no Brasil em 2009.

Capa
Victor Burton

Imagens de capa
Azulejos (fundo): Tashatuvango/ Shutterstock
Foto: Fundação Oswaldo Cruz
Ilustração: *Gazeta de Noticias*, 1918. Acervo Fundação Biblioteca Nacional — Brasil

Imagens de quarta capa
Acima: *Careta*, 1918. Acervo Fundação Biblioteca Nacional — Brasil
Abaixo: Fundação Oswaldo Cruz

Preparação
Márcia Copola

Checagem
Érico Melo

Pesquisa iconográfica
Projeto República: Núcleo de Pesquisa, Documentação e Memória UFMG
Sonia Balady

Índice remissivo
Luciano Marchiori

Revisão
Huendel Viana
Jane Pessoa
Angela das Neves

Dados Internacionais de Catalogação na Publicação (CIP)
(Câmara Brasileira do Livro, SP, Brasil)

Schwarcz, Lilia Moritz
A bailarina da morte : a gripe espanhola no Brasil / Lilia Moritz Schwarcz, Heloisa Murgel Starling. — 1ª ed. — São Paulo : Companhia das Letras, 2020.

Inclui bibliografia
ISBN 978-85-359-3391-8

1. Epidemias - Brasil - História 2. Gripe - História 3. História do Brasil I. Starling, Heloisa Murgel. II. Título.

20-44336 CDD-614.40981

Índice para catálogo sistemático:
1. Brasil : Epidemias : História 614.40981

Aline Graziele Benitez - Bibliotecária - CRB-1/3129

[2020]

EDITORA SCHWARCZ S.A.
Rua Bandeira Paulista, 702, cj. 32
04532-002 — São Paulo — SP
Telefone: (11) 3707-3500
www.companhiadasletras.com.br
www.blogdacompanhia.com.br
facebook.com/companhiadasletras
instagram.com/companhiadasletras
twitter.com/cialetras

Para Alice, Arthur, Maria Isabel (Zizi),
Virgínia e Francisco.
Porque o futuro mora aí ao lado.

Do Velho ao jovem

[...] *O que os livros escondem,*
as palavras ditas libertam.
E não há quem ponha
um ponto-final na história [...]

Conceição Evaristo

Sumário

Introdução

O mal que veio de longe

Ah, o horror de morrer!
E encontrar o mistério frente a frente
Sem poder evitá-lo, sem poder...
Fernando Pessoa

"Atchin!... Atchin!...": essa era a manchete irônica estampada no jornal *O Combate*, no início do mês de julho de 1918. A notícia referia-se a um estranho surto de gripe que havia paralisado o esforço de guerra na Alemanha. O moral da população andava baixo, e a doença atingia tanto a economia como a capacidade de mobilização da sociedade. Publicado em São Paulo, na forma de tabloide, o periódico fazia parte da imprensa de filiação anarquista e tinha um claro propósito: convencer o maior número possível de brasileiros de que a Grande Guerra, que se arrastava desde 1914 e continuava firme entrado o ano de 1918, era um embate insano. Além de compartilharem do antimilitarismo proclamado em alto e bom som pelos libertários de toda a Europa, os redatores de *O Combate* entendiam que o Império Alemão provocara o conflito para tornar-se uma potência mundial. Por isso mesmo, torciam para que o exército do kaiser fosse forçado a recuar depois de ter empurrado o mundo na direção do desastre, mas se recusavam a acreditar que uma velha e inofensiva gripe conseguiria sustar o esforço bélico na frente francesa.

Os anarquistas estavam certos na crítica radical a um confronto que, pela primeira vez na história, envolveria todos os continentes. A Grande Guerra foi uma luta bárbara pelo poder, na qual entrou em cena uma maneira nova de combater — a chamada "guerra moderna" —, que alterou para sempre as concepções tradicionais das operações militares, culminou na queda dos quatro grandes impérios globais — russo, alemão, austro-húngaro e otomano — e matou milhões de pessoas.

Essa nova maneira de guerrear se caracterizou pelo fim da primazia da baioneta e pelo uso, sem precedentes, da tecnologia para provocar a morte em larga escala. O matraquear da metralhadora estreou na linha de fogo com seiscentas descargas de tiros por minuto. O lança-chamas foi concebido a partir de um cilindro de nitrogênio comprimido capaz de disparar jatos de óleo inflamável, de longo alcance, enquanto o emprego de gases venenosos — o gás cloro e o gás mostarda — tornou-se uma espécie de arma invisível, pronta para sufocar numa névoa esverdeada ou para queimar e cegar o soldado inimigo, a grandes distâncias. É também nesse conflito que pela primeira vez se empregaram tanques com esteiras que funcionavam como fortalezas motorizadas prontas a resistir à barragem da artilharia inimiga, e que se combinavam à utilização de canhões, obuses, morteiros ou granadas, com potência para arremessar longe homens, árvores e rochas.

A guerra moderna criou seu próprio ritmo — e, dessa vez, a morte viria de todos os lados. Não se tratava somente de expandir o combate ou tornar inexpugnável uma fortificação. A associação da tecnologia com o movimento de tropas e armamentos em escala introduziu a lógica da "guerra total", na qual o civil e o soldado já não eram distinguíveis. Cidades inteiras desmoronaram debaixo de bombas lançadas por aviões — aliás, uma invenção recente — e pelas incursões aéreas dos zepelins, os enormes dirigíveis construídos na Alemanha, que atacavam de grande altitude e eram praticamente inacessíveis à artilharia defensiva de solo. A mesma lógica de destruição imperou no mar, onde a guerra submarina irrestrita sustentada pela frota alemã abatia com seus torpedos, e sem aviso, todos os navios de bandeira de países inimigos que encontrava — incluindo os mercantes e de passageiros. A Primeira Guerra levou para o front exércitos de massa e afundou os soldados em trincheiras — crateras dispostas em linha cheias de lodo e lama, varridas intermitentemente por metralhadoras, granadas e pelo fogo dos morteiros. Quando terminou, entre 20 milhões e 30 milhões de pessoas haviam morrido.

E de repente surgiu do nada outra "arma" que arrasou a sociedade alemã em apenas três meses: a gripe. *O Combate* logo precisou mudar o tom e o conteúdo das manchetes. Aquela era, mesmo, uma doença esquisita. Em mais ou menos noventa dias, iria infectar um quinto da população mundial e matar de 20 milhões a 50 milhões de pessoas, ultrapassando o resultado de quatro anos de guerra global ininterrupta. No mês de outubro de 1918, a gripe desembarcou em São Paulo, vinda do Rio de Janeiro ou de passageiros desembarcados no porto de Santos — e mais de 5 mil paulistanos morreram até o final de dezembro. Os jornalistas deixaram a incredulidade de lado e puseram-se a informar aos leitores que os casos estavam avançando depressa demais na cidade, e que se tratava de uma pandemia, ou seja, um tipo de epidemia sem controle e com expansão mundial. Chamava-se "Influenza Espanhola", avisou o jornal.

A caricatura faz um paralelo entre dois perigos: os submarinos alemães e a gripe espanhola, duas novas armas que andavam assassinando os soldados que participavam da Primeira Guerra Mundial. Careta, *5 de outubro de 1918.*

O alerta inicial veio da Espanha, o primeiro país a dar publicidade à virulência e à carnificina características da doença. Como não participava da guerra, não houve censura na imprensa local, ao contrário dos países diretamente implicados no conflito e que não queriam dar qualquer sinal de fraqueza. Por essa razão, a moléstia entrou para a história com o nome de "gripe espanhola". Mas recebeu diversas alcunhas. Designar uma doença com o nome do inimigo ou do estrangeiro é algo que se repete pelo menos desde a Idade Média, apesar de constituir um modo covarde de apontar o outro como culpado pelo mal e acusá-lo de semear o contágio. O procedimento foi reiterado durante a epidemia de 1918. Os soldados alemães, no campo de batalha, chamavam a peste de "febre de Flandres". Na Polônia, era a "gripe bolchevique", e na Pérsia, a "gripe inglesa". Em San Sebastián, perto da fronteira com a França, onde a moléstia começou seu ataque à Espanha, pondo em risco o turismo que sustentava a economia da região, levou o nome de "gripe francesa". E havia quem acreditasse, nos Estados Unidos — e também no Brasil —, que a gripe era uma arma química, inventada na Alemanha, fabricada pelo laboratório farmacêutico Bayer e espalhada por espiões que desembarcavam de madrugada dos submarinos alemães nos portos das cidades inimigas e destampavam cuidadosamente os tubos de ensaio repletos de germes.

Não foi só *O Combate* que precisou rever suas previsões acerca da letalidade da gripe. O mundo inteiro demorara a reconhecer a pandemia. Metidas no cataclismo de um conflito que podia até estar no fim mas já durava quatro anos, as potências ocidentais se achavam exaustas, e levaram tempo até encarar a gravidade da ameaça. A negligência custou caro: a gripe fez, em menos de cinco meses, um número de vítimas superior ao dos mortos na guerra. E ninguém atinava o que era aquilo. Em 1918, a comunidade científica pouco sabia acerca da estrutura e da forma de atuação de um vírus, muito menos sobre como surgira a nova cepa que deu origem àquele tipo de influenza — os cientistas desconfiavam, porém ainda não tinham certeza, de que existiam na natureza organismos menores que as bactérias. Os médicos tampouco conseguiam entender que a alta capacidade de mutação do vírus dificultava o reconhecimento pelo sistema imunológico da vítima e anulava a chance de imunidade por infecções anteriores.

Também não se sabia ao certo onde a espanhola havia começado. Talvez ela tivesse se originado em algum lugar nos Estados Unidos e chegado à Europa junto com os soldados que embarcaram no verão de 1918 para participarem da montagem do rolo compressor dos Aliados que levaria ao término da guerra. Mas uma coisa todo mundo descobriu depressa: a doença atacava rápido, contaminara as tropas em terra antes que precauções fossem tomadas, e se disseminou pelas populações civis em três grandes ondas. Uma delas, a segunda, altamente contagiosa, ocorreu entre agosto e dezembro daquele ano, e era mortífera. Seguia uma espécie de rota geográfica. Atingia inicialmente as zonas litorâneas, depois embarcava nos navios e descia para terra com os marinheiros — foi desse modo que alcançou a Índia, o Sudeste da Ásia, a China, a África, o Japão, a América do Sul.

No Brasil, a gripe espanhola chegou em algum momento do mês de setembro. Veio pelo mar e desembarcou na cidade do Recife, talvez por volta das oito horas da manhã do dia 9, quando o navio *Demerara*, procedente de Liverpool, atracou no cais externo do porto com alguns passageiros e tripulantes combalidos e outros contaminados. Não se tem notícia de quando o vírus subiu a bordo: se na escala anterior, em Lisboa, ou se o navio já zarpara infectado da Inglaterra. Seja como for, uma vez em solo, espalhou-se fácil e rápido, desde o Recife ao Rio de Janeiro, do litoral para o interior. O vírus percorria sempre o mesmo trajeto. Aportava, expandia-se por toda a cidade e desenhava a rota do contágio, através das ferrovias, esparramando-se pelo interior do país.

Do cais do Recife, a espanhola avançou por dois vetores, quase simultaneamente. O primeiro seguia em direção ao Norte. Embarcações a vapor, lanchas e barcaças subiam pelo litoral ou pelos rios sem saber que levavam a peste a bordo. Em outubro, a gripe chegou a São Luís e, no mesmo mês, desembarcou do vapor *Corcovado* em Natal. Logo atingiu Maceió e, no fim de outubro, a doença, que até então parecia restrita a alguns bairros da cidade, tinha se alastrado pelo estado de Alagoas. Em Aracaju, ela desceu do vapor *Itapacy* — seis pessoas a bordo estavam infectadas. Em novembro, o vírus saltou do vapor *Pará*, em Fortaleza. De lá se instalou em Teresina; permaneceu infectando o Piauí durante os três primeiros meses de 1919. A contaminação em Belém ocorreu ainda no início de outubro, quando o vapor *Ceará* ancorou ali com

129 passageiros, 42 dos quais "espanholados", como se dizia na época. Já Manaus enfrentou duas ondas de gripe. A primeira, mais branda, chegou no final de outubro pelo vapor *Bahia*; a segunda onda, também altamente contagiosa, investiu contra a cidade em fevereiro de 1919 e perdurou até março — foi preciso improvisar, em navios ancorados no porto, hospitais flutuantes para isolamento dos doentes. A partir de Manaus e subindo o rio Purus, a espanhola entrou pela Floresta Amazônica até alcançar a boca do Acre. Depois continuou seu caminho fluvial rumo ao Peru.

O segundo vetor seguiu para o Sudeste do país, em escolta ao *Demerara*. O vírus fez escala em Salvador e foi aportar no Rio de Janeiro. Enquanto o navio avançava em direção a Montevidéu e Buenos Aires, os trilhos das ferrovias espalharam a peste, a partir do Rio, para São Paulo e Belo Horizonte. Em outubro, a gripe desceu para o Sul, chegou a Curitiba e, no mesmo mês, atracou no porto de Rio Grande junto com o vapor *Itajubá*, que vinha do Rio de Janeiro. Em novembro, a espanhola desembarcou no Centro-Oeste, pela estação ferroviária de Corumbá, e de lá se dirigiu para Cuiabá. Logo depois, atravessou a fronteira estadual e atingiu a capital de Goiás, em janeiro de 1919. Foi tomando o Brasil todo, das capitais aos pequenos vilarejos.

O termo "gripe" talvez venha do francês *gripper*, que significa "parar de funcionar" — a pessoa está bem num dia, e no outro, de repente, sente calafrios, vêm a febre e as dores no corpo, a cabeça lateja, começa a tosse. A novidade, no caso da espanhola, era a letalidade. Nenhuma cidade brasileira previu o desastre ou se preparou para ele. Os tripulantes e passageiros do *Demerara* desceram na praça Mauá, na capital da República, sem que ninguém prestasse muita atenção, mas "já contaminados e contaminando", conta o escritor Pedro Nava. A doença irrompeu em setembro, e as autoridades demoraram a abrir os olhos. Tornou-se calamidade no meio de outubro. Era assustadora a rapidez com que a gripe ia da invasão ao apogeu;

em algumas horas. A vítima sofria com uma dor de cabeça lancinante seguida de sufocações; a morte sobrevinha em poucos dias. Descreve Nava em *Chão de ferro*, um de seus livros de memórias:

> Aterrava a velocidade do contágio e o número de pessoas que estavam sendo acometidas. O terrível já não era o número de causalidades — mas não haver quem fabricasse caixões, quem os levasse ao cemitério, quem abrisse covas e enterrasse os mortos. O espantoso já não era a quantidade de doentes mas o fato de estarem quase todos doentes e impossibilitados de ajudar, tratar, transportar comida, vender gêneros, aviar receitas, exercer, em suma, os misteres indispensáveis à vida coletiva — [...] quatro quintos dos cariocas no chão, na cama ou na enxerga dos hospitais.

Quando a gripe espanhola desembarcou no Brasil, a República estava instalada no país havia quase trinta anos. Fora a primeira grande mudança de regime político após a Independência. No fim do século XIX, a palavra "República" representava uma esperança de futuro para os brasileiros. Trazia a marca de um tempo novo e acelerado em que modernização era sinônimo de "civilização"; um dos conceitos marcantes desse contexto. Além disso, seu significado foi remodelado a partir do conteúdo produzido pelas doutrinas inéditas em voga na época — positivismo, evolucionismo, biologismo. Contudo, se as possibilidades de fundar a República no Brasil eram reais, os resultados continuavam aquém do desejado — e desse projeto republicano vê-se, ainda hoje, apenas um esboço de feitio precário. Mas podemos identificar seu traço perverso: a República proclamada em 1889 era uma forma de governo conservadora, excludente e sem nenhuma sensibilidade para a questão social.

Os vitoriosos de 15 de novembro construíram o mecanismo que garantiu voto apenas a quem eles julgavam poder confiar a preservação daquela sociedade. A Constituição de 1891 deixou boa parte da população brasileira do lado de fora da República: libertos e pobres — pela exigência de letramento, já que os analfabetos não poderiam votar —, além dos mendigos, praças de pré, membros de ordens religiosas, menores de 21 anos. E cabe lembrar que os constituintes nem tocaram na possibilidade de participação feminina: as mulheres foram excluídas antes, pela Lei Eleitoral.

O regime republicano não construiu uma política consistente na área de saúde, muito menos uma agenda de saúde pública permanente voltada para a população pobre, urbana e rural. A ação da União se limitava ao serviço de vigilância sanitária e ao controle das condições portuárias; além, claro, da adoção de providências emergenciais frente a surtos epidêmicos periodicamente incidentes no país. Os governos estaduais, por sua vez, criavam sua própria "Diretoria-Geral de Saúde Pública", encarregada da aplicação de medidas gerais de saúde e específicas para as doenças transmissíveis. A Diretoria era vinculada a uma secretaria, na maior parte dos casos à Secretaria do Interior, Justiça e Instrução Pública, e estava também encarregada de executar os serviços de Estatística Sanitária, Verificação de Óbitos e Medicina Legal. É certo que, em situações de grave crise sanitária ou calamidade, um governo estadual poderia requisitar intervenção federal, mas essa nunca foi uma prática bem-aceita pelas oligarquias locais, ciosas do seu próprio poder. Afinal, um pedido de tal natureza guardava significado político, e poderia ser entendido como uma fraqueza, tendo por consequência a interferência indevida — ou, ainda pior, permanente —, diante da autonomia dos estados garantida pela Constituição de 1891.

Inexistia uma ação nacional coordenada e permanente no campo da saúde pública para atender um país que entrou muito enfermo nas primeiras décadas do século XX. Em 1903, a expectativa de vida no Brasil era de 33 anos. Uma série de epidemias grassava em todo o território, chegando nos navios que aportavam nas cidades do litoral e seguindo pelo interior, ou desenvolvendo-se de maneira endêmica. Peste bubônica, tuberculose, varíola, tifo, cólera, malária e febre amarela faziam parte do cardápio de doenças que mais matavam no começo da Primeira República.

"O Brasil ainda é um imenso hospital", dizia o médico Miguel Pereira, em outubro de 1916; frase logo transformada em metáfora e numa espécie de epitáfio nacional. Nas estatísticas médicas, a lista de moléstias contagiosas que vitimavam a população brasileira apavorava. Determinadas epidemias eram consideradas "de fora" — como a do cólera, uma das maiores responsáveis pelos óbitos na época. Outras eram entendidas como "de dentro", entre elas a febre amarela, a varíola e a peste bubônica. Segundo os especialistas, agravava esse cenário o predomínio de habitações populares e provisórias chamadas choças. Feitas de barro, elas representavam o habitat natural para o inseto conhecido como "barbeiro", transmissor da doença de Chagas — cuja alcunha veio do biólogo, médico sanitarista e infectologista Carlos Chagas, que a descobrira recentemente —, além de favorecerem o impaludismo e inúmeras infecções intestinais. Na conta dos imigrantes europeus entrava o tracoma, uma infecção ocular perigosa e transmissível. Pelo fato de essas e outras epidemias macularem a já frágil reputação do país, uma série de reformas urbanas pretendeu erradicá-las, tendo sido, em algumas situações, bem-sucedida.

O interior do Brasil foi então percorrido por viagens científicas do Instituto Oswaldo Cruz, que levavam a saúde do litoral aos sertões. Entre 1907 e 1913, regiões do interior de São Paulo, de Minas, da Bahia, os vales do São Francisco e do Tocantins alcançando até a Amazônia, entraram na rota dessas expedições higienistas. Uma delas, chefiada pelos médicos Belisário Pena e Artur Neiva, palmilhou durante nove meses o estado de Goiás, rumando, em seguida, para o norte da Bahia, o sudoeste de Pernambuco e o sul do Piauí. O relatório, publicado em 1916, traz um diagnóstico contundente sobre o Brasil. É a doença — não o clima ou a raça — o principal problema do país, escreveram os médicos. O abandono a que a população fora relegada pela República seria o grande responsável pela miséria, pelo atraso e pelas moléstias endêmicas.

As viagens científicas tinham por objetivo conhecer e integrar o país. O projeto médico era parte, ademais, de um movimento nacionalista que considerava as assim chamadas "patologias da pátria" (as pestilências ou epidemias) como fatores emergenciais. Isso sem esquecer da lepra, da sífilis e da tuberculose, as que mais matavam no país. E, se essas "patologias do Brasil" atingiam a todos, os grandes alvos — para além dos sertanejos, caipiras, indígenas e populações do interior — foram os libertos, os habitantes pobres das cidades, os moradores dos cortiços e favelas, os imigrantes, os trabalhadores e os camponeses.

Rodrigues Alves, mais conhecido pelo revelador apelido de Soneca, era o presidente do país, entre 1902 e 1906. Desmentindo sua alcunha, e tratando de melhorar a imagem pública do Rio de Janeiro, decidiu atuar em duas frentes: o embelezamento da então capital federal — que tinha, no entanto, por contraparte a expulsão da pobreza para os arrabaldes da cidade — e o combate às epidemias, que grassavam como erva daninha no solo carioca. Boa parcela da população pobre morava em habitações coletivas sem as mínimas condições de higiene.

Da parte da República, a avaliação era a de que chegara a hora de priorizar a saúde da população. Para muitos higienistas, "sanear" significava também construir avenidas, alargar as ruas para melhor aproveitamento do sol e dos ventos, mudar os costumes, demolir o velho e insalubre casario. De uma maneira ou de outra, desde o último quartel do século XIX o tema da saúde vinha frequentando a agenda intelectual e política nacional, e gerava bastante preocupação. Viajantes, jornalistas, literatos, médicos e cientistas sociais andavam atentos à grande incidência de moléstias tropicais; fossem elas "enfermidades legadas" por ex-escravizados africanos e imigrantes, ou "doenças internas", que castigavam fazia tempo as cidades e o meio rural brasileiro.

Paradoxalmente, esse era também o contexto da belle époque, momento em que o caráter global da economia capitalista se consolidou, atingindo fronteiras intocadas e desconhecendo barreiras territoriais. Em meio a tal processo contínuo, surgiriam os veículos automotores, os transatlânticos, os aviões, o telefone, a iluminação elétrica, a ampla gama de utensílios domésticos, a fotografia, o cinema, a radiodifusão, os arranha-céus e seus elevadores, as escadas rolantes e os sistemas metroviários, os parques de diversões elétricas, as rodas-gigantes, as montanhas-russas, a anestesia, o medidor de pressão arterial, as técnicas de pasteurização e esterilização, os adubos artificiais, os vasos sanitários com descarga automática e o papel higiênico, o dentifrício, o sabão em pó, os refrigerantes gasosos, o fogão a gás, o aquecedor elétrico, o refrigerador e os sorvetes, as comidas enlatadas, as cervejas engarrafadas, a Coca-Cola, a Aspirina, o Sonrisal e a caixa registradora. Era o "mundo moderno" que irrompia e tinha pressa.

O certo é que, entre fins do século XIX e o começo do XX, após uma etapa de acentuada depressão econômica, equilibraram-se as economias dos principais países, gerando a expansão dos negócios nos Estados Unidos e na Europa Central. O resultado foi um clima de otimismo e euforia; sentimento de confiança absoluta no porvir que saía da esfera da economia para ganhar a cultura, os costumes e a moral. Na verdade, é difícil determinar o que foi causa e o que foi efeito nesse processo todo, mas no período que vai de 1890 até a Grande Guerra a certeza da prosperidade deu lugar a uma sociedade de "sonhos ilimitados". No Brasil, por sua vez, a percepção que inundou o Rio de Janeiro e algumas capitais do Brasil ficou conhecida como Regeneração. A sensação era a de que o surto que ocorria em outras partes do mundo desaguava no país, que também se abria ao progresso e à civilização; grandes palavras de ordem — com um toque de milagre — naquele momento.

Rodrigues Alves montou, então, uma "equipe de sonhos", à qual concedeu poderes ilimitados. Com o intuito de fazer da cidade uma vitrine para a captação dos interesses estrangeiros, concebeu-se um plano em três direções: a modernização do porto ficaria a cargo do engenheiro Lauro Müller, o saneamento da capital da República seria responsabilidade do médico sanitarista Oswaldo Cruz, e a reforma urbana seria atribuída ao engenheiro Pereira Passos, que conhecera de perto a reforma de Paris, empreendida pelo barão de Haussmann. Lima Barreto, escritor negro e crítico da euforia que tomara conta do país, em torno da ideia da modernidade, comentava ironicamente a velocidade da reforma: "De uma hora para a outra, a antiga cidade desapareceu e outra surgiu como se fosse obtida por uma mutação de teatro. Havia mesmo na coisa muito de cenografia".

Ícone dos novos tempos foi a "nova avenida Central" — atual avenida Rio Branco —, marco do projeto urbanístico para a cidade do Rio de Janeiro, que se transformava num verdadeiro cartão-postal, com suas fachadas art nouveau feitas de mármore e cristal, seus modernos lampiões elétricos, lojas de produtos importados e transeuntes vestidos à francesa. Marco paralelo foi a expulsão da população pobre que habitava os casarões da região central. Era a ditadura do bota-abaixo que demolia residências e disseminava as favelas, cortiços e hotéis baratos — as zungas —, onde famílias inteiras dormiam no chão. Isso para não falar da repressão às festas populares e procissões, obrigadas a enfrentar o mesmo processo de modernização.

Toda essa euforia caiu por terra em 1914, quando começou a Grande Guerra, colocando um ponto-final na imagem de concórdia, paz, unificação e liberdade que a tecnologia pretendia trazer e garantir. O efeito foi tão devastador que o historiador Eric Hobsbawm chegou a afirmar que o século XIX acabara não em 1900, e sim em 1914, ano em que começou a cruenta e sanguinária Primeira Guerra. Mas é possível incluir outro elemento nessa datação do intelectual inglês. O mundo seguia aguardando com receio o fim do embate quando surgiu a "influenza espanhola", ou mais simplesmente a "espanhola", ou ainda a "gripe bailarina".

Este livro pretende recuperar não apenas a história da espanhola no Brasil — a partir de algumas de suas capitais, tomadas aqui como representativas — e a narrativa das mortes que ela causou e enlutaram todo o país. Pretende também tratar da vida. De como os métodos de combate à nova doença — a qual desfigurava e matava suas vítimas em cerca de três dias — foram muito semelhantes aos que conhecemos em 2020, ano que amanheceu tomado pela pandemia da covid-19.

"Tráfego rareado, cidade vazia e meio morta, casas de diversão pouco cheias, conduções sempre fáceis [...]. É que no meio da população [...] insinuara-se [...] a Morte Cinzenta da pandemia que ia vexar a capital e soltar como cães a Fome e o Pânico que trabalhariam tão bem quanto a pestilência...", escreveu Pedro Nava nos anos 1970, lembrando de sua adolescência em 1918 como se estivesse em 2020. Depois de 102 anos, novamente um micro-organismo mostrou como somos vulneráveis a despeito dos imensos avanços da tecnologia. A "Morte Cinzenta" fez parar impérios que pareciam imunes a qualquer praga, e também grandes e pequenas nações, estados e cidades, tribos e aldeias. Veio mostrar ainda como não sabemos lidar com a morte, sobretudo aquela provocada pela "peste": quando ela chega, gera sempre um tumulto e um forte sentimento de negação; quando vai embora, deixa um misto de alívio combinado com muito temor, insegurança e receio.

Quem sabe o século XX não tenha acabado no ano 2000 mas ainda esteja para terminar; atrasado como estão todos os nossos compromissos. Bem-vindos, finalmente, ao século XXI.

1. A gripe espanhola: uma doença com muitos nomes

Real é aquilo que não dá para não ver, mesmo que seja invisível, como um vírus.

José Miguel Wisnik

Há quem diga que se pode avaliar a importância de uma doença pela quantidade de nomes que ela recebe. É o caso da gripe espanhola, que impingiu um verdadeiro flagelo mundial, de 1918 até o início de 1920. A moléstia foi chamada também de "bailarina" — porque dançava e se disseminava em larga escala, e porque o vírus deslizava com facilidade para o interior das células do hospedeiro e se alterava ao longo do tempo e nos vários lugares em que incidia —, de "gripe pneumônica", "peste pneumônica", "grande influenza", ou, simplesmente, de "espanhola". Foi ainda alcunhada, mais popularmente, de "praga", numa referência bíblica ao episódio em que Moisés teria conjurado uma série de maldições contra os egípcios. E não faltou quem a denominasse apenas de "peste", o nome que se dava desde a Antiguidade às doenças epidêmicas de origem desconhecida no momento de sua eclosão e que, nesses contextos dramáticos, viravam, de pronto, sinal de "fim do mundo", uma resposta divina aos descaminhos da humanidade.

O nome pelo qual a doença se tornou mais conhecida foi obra do acaso, ou melhor, da geopolítica internacional: o fato de a Espanha ter se mantido neutra durante a Primeira Guerra Mundial, o que permitiu que ali a imprensa noticiasse, sem disfarces ou meias-palavras, a chegada da estranha virose ao país. Ou seja, não havia "razão de Estado" para deixar de divulgar ou para amenizar a existência do surto de gripe que paralisara o esforço de guerra nas diversas nações envolvidas no conflito, em virtude de suas consequências econômicas e impactos na capacidade de mobilização da sociedade, ou mesmo por sua ação perniciosa nos campos de batalha, onde enfraquecia as tropas e abatia psicologicamente os soldados.

E assim, como até a designação popular das epidemias pode ser resultado do costume e do preconceito de uma época, quando a doença chegava a um país, era logo reconhecida como "gripe espanhola". O nome pegou em quase todos os lugares onde o vírus se manifestou, e colou-se à realidade. Mas o simples fato de nomear uma doença já significava um bom pedaço de caminho andado. No mínimo, revelava o reconhecimento social da existência da moléstia bem como o terror que ela trazia consigo. Sim, pois a primeira reação a uma doença pública, no passado e no presente, é a negação. É apenas quando as consequências de uma epidemia são inegáveis que ela vira um evento de saúde pública, da cultura de seu tempo e igualmente da política e da economia. É somente quando uma enfermidade devasta vizinhos, parentes, conhecidos e amigos que notamos a sua gravidade. Aliás, o descompasso entre a doença e o reconhecimento desta já fez surgir, e também tombar, muitos líderes, em contextos de crises políticas, econômicas e sanitárias. A história ainda tratou de elevar ou de relegar ao descrédito e ao esquecimento dirigentes que reagiram bem, ou mal, a estados de anomalia e emergência.

E a gripe espanhola, às vezes chamada de "a mãe de todas as pandemias" por conta da quantidade de mortes que acarretou e da extensão territorial que atingiu, foi uma exacerbação dessa história recorrente. Considerada, até hoje, uma das mais severas pandemias no percurso da humanidade, é provável que ela tenha sido causada por uma cepa extraordinariamente agressiva do vírus influenza A — o vírus da gripe — do subtipo H1N1. A influenza já tinha se propagado pelo mundo em outras ocasiões, sendo que a onda de 1889 a 1892 era a mais conhecida. No entanto, nos anos de 1918 a 1920 ela seria muito mais letal. Ninguém sabe dizer exatamente de onde veio, mas os vírus influenza não se originaram em seres humanos. Uma hipótese bem-aceita diz que ocorreu uma mutação a partir de alguma gripe de aves aquáticas e migratórias e esse vírus começou a nos atormentar há pelo menos 2 mil anos. Somos uma presa fácil para a gripe, mas, em geral, trata-se apenas de um resfriado incômodo e inócuo, que dura por volta de uma semana, e em seguida o enfermo se restabelece por completo. Mais cedo ou mais tarde, todo mundo contrai um resfriado ou uma gripe leve. O termo "influenza" tem a ver com isso: é "influência do frio", a gripe aparece quando chega o inverno, dizem os italianos.

Toda infecção pode ser considerada um ato de violência; uma invasão a que o corpo é forçado a reagir. Gripe é doença respiratória. O vírus desliza pelas vias respiratórias do animal ou da pessoa infectada em busca de um tipo de enzima que só existe nas células pulmonares. A forma de contágio também não costuma mudar. A gripe é transmitida de pessoa para pessoa: por meio de gotículas que se espalham pelo ar quando um doente fala, tosse ou espirra; ou, então, pelas mãos, quando uma pessoa infectada toca outra sã.

Quando o vírus entra pelas vias respiratórias, está atrás das células para se reproduzir, e pode trazer complicações graves à medida que penetra nos pulmões da vítima. Dispõe de dois tipos de proteínas para chegar nas células que contamina e delas sair. A hemaglutinina garante ao vírus invadir a célula; a neuraminidase permite que ele saia da célula infectada e vá contagiar novas células. Existem dezesseis tipos conhecidos de hemaglutinina e nove tipos diferentes de neuraminidase. As letras e os números do H1N1 se referem a proteínas existentes na superfície viral, justamente as hemaglutininas e as neuraminidases. Ou seja, ao mesmo tempo que permitem ao vírus se conectar com as células humanas, elas são reconhecidas de imediato pelo nosso sistema imune. Vem daí a classificação do vírus pela ciência: H1N1, por exemplo, o provável vilão que provocou a gripe espanhola.

A influenza guarda ainda uma característica distintiva, ao recombinar essas proteínas com as dos demais sistemas virais. Dito de outra maneira, se dois vírus da gripe diferentes infectam a mesma célula, eles podem dar origem a um vírus novo. Tal peculiaridade, aliada às mutações regulares que todo vírus sofre, explica as dificuldades que nossas defesas encontram diante de um agente gripal desconhecido.

A história não se restringe, porém, ao contato desses vírus com os seres humanos. Atualmente se sabe que as linhagens dos vírus influenza vieram das aves aquáticas silvestres. Um vírus aviário pode infectar um indivíduo, mas só consegue ser transmitido entre as pessoas se sofrer mutação. Ou, no caso de encontrar um intermediário — os porcos, por exemplo — e a partir daí infectar o homem. Isso significa, portanto, que vírus de aves podem se encontrar e se recombinar nas células do porco, gerando uma prole viral capaz de ser transmitida para (e entre) os homens. Também pode acontecer de um vírus típico de ave conseguir infectar diretamente um humano e, uma vez no hospedeiro, sofrer mutações e recombinações que o tornam contagioso e agressivo para nossa espécie.

Alguma dessas possibilidades deu origem ao vírus da espanhola, hoje reconhecida como uma forma de influenza especialmente agressiva, e que potencializava os sintomas de uma gripe comum. Isto é, de início se parecia com um resfriado, e as pessoas sentiam, também, muitas dores no corpo. Mas havia uma particularidade: as vítimas quando seriamente infectadas sangravam pelo nariz, pelos ouvidos, pela boca, pelos olhos, pela vagina (no caso das mulheres); por qualquer orifício do corpo. Segundo o relato de testemunhas, os doentes ficavam azuis com a falta de oxigênio. Caíam de cama pela manhã e, por vezes, logo à tarde estavam mortos.

Outra singularidade que continua a intrigar os especialistas em relação ao surto de 1918 é que, embora o ataque da influenza costume ser mais virulento em crianças e idosos, os quais possuem sistema imune mais frágil, naquele caso as principais vítimas foram os adultos jovens, de vinte a quarenta anos — tanto civis como os soldados no front —, e as grávidas. Uma hipótese é a de que justamente o fato de o organismo jovem ter uma imunidade mais eficaz, capaz de antecipar sua resposta ao ataque do vírus, teria acentuado as características da doença. Essa é a situação que hoje reconhecemos como "tempestade de citocinas": quando os pacientes são traídos por seu próprio sistema imunológico. Ademais, os soldados enfiados em trincheiras na frente de batalha encontravam-se em geral, e naquele quarto ano de guerra, particularmente enfraquecidos, traumatizados, famintos e, portanto, com sua imunidade baixa. O resultado foi uma verdadeira tempestade inflamatória, em que o vírus atacava de forma direta o sistema respiratório, penetrava cada vez mais profundamente nos pulmões e encurtava a vida das vítimas.

Dessa maneira, os efeitos acabaram sendo ainda piores em razão do contexto literalmente minado. A Primeira Guerra, além de matar milhões de pessoas, espalhou a fome pelo planeta. Na Europa, o embate militar paralisou a produção de alimentos, interrompeu o comércio, fez os preços subirem e deixou parte significativa da população — após quatro anos de guerra — exausta. Como as condições médicas, sanitárias e sociais haviam se deteriorado sensivelmente, ratos e baratas andavam pelas ruas das cidades devastadas com muito mais liberdade do que as pessoas, apavoradas com as consequências de uma crise prolongada como aquela. Estava criado o ambiente perfeito para as epidemias grassarem. Elas vieram de todos os lados: tifo, cólera, difteria, atacaram o continente europeu. E foi já no princípio do ano de 1918 que começaram a aparecer sinais de uma gripe de origem desconhecida que matava em poucos dias e de modo especialmente violento.

Como quase sempre ocorre, a primeira reação ao redor do mundo foi um suspeito silêncio — uma espécie de "negação" que costuma acompanhar uma crise na saúde pública com esse tamanho e proporção. Por um lado, as potências europeias, ocupadas com o desenlace da guerra, demoraram para encarar a grave ameaça que tinham pela frente. Por outro, a gripe não figurava na lista das doenças letais da época. E também as populações enveredaram por caminhos previsíveis. Afinal, é sempre mais fácil, ao menos de início, procurar obstinadamente não ver, para escapar ao enfrentamento do medo. A outra saída costumeira é apostar no milagre, ou num culpado iminente, ou até num bode expiatório.

Esse tipo de resposta humana diante de surtos ou epidemias é muito antigo. Várias doenças viraram, inclusive, metáforas negativas. A peste é uma imagem de pesadelo, que abarca no mínimo três grandes conjuntos imaginários. Ela é uma "praga" comparável às que atingiram o Egito — uma nuvem que se desloca do litoral para o interior e semeia morte no caminho. Também é uma punição divina — as flechas lançadas por Deus durante a peste negra para castigar a humanidade pecadora e que atingiam os homens nas axilas e na virilha, locais onde com mais frequência apareciam os bubões. E é necessariamente provocada pelo "outro", por força do contágio. Daí ser a imagem de um medo muito bem referido: o medo do outro. Por isso é o lugar onde se exprime esse medo, sob a forma do preconceito e da intolerância: afinal, quem traz a peste para a cidade? É preciso acusar e nomear. O velho, o homossexual, o vagabundo, o herético, o judeu, a mulher, o mendigo, o pobre, o drogado, o imigrante. E o inimigo: o mal de Flandres (para os alemães), o mal alemão (para os franceses), o mal das trincheiras (a guerra), o mal da Espanha (para vários países), ou a China, em nosso exemplo recente.

O termo "leproso", por exemplo, vem de um contexto em que a lepra tomou boa parte da população, e assim se criou o estigma. O bacilo *Mycobacterium leprae*, responsável pela doença conhecida popularmente como mal de lázaro, foi desde o século VI associado ao pecado, à desonra e ao castigo divino. Era vinculado, ainda, a doenças de pele e venéreas. E dessa maneira surgiu o preconceito contra a enfermidade, pois se supunha que seu portador era um "pecador". Apenas em 1873 o norueguês Gerhard Armauer Hansen identificou a bactéria — daí o nome "hanseníase" para a infecção —, e as crenças que envolviam o mal foram afastadas. Só o que não se afastou foi a conotação carregada pela palavra, a qual perdura, com uma derivação religiosa e social.

O mesmo aconteceu com a peste negra, que atingiu toda a Europa no século XIV. A doença também recebeu vários nomes, como "peste bubônica", "grande peste" ou simplesmente "*a* peste". Ratos hospedeiros da bactéria *Yersinia pestis* transmitiam a moléstia. Na realidade, o agente infeccioso era transportado por um tipo específico de rato que andava pelas cidades e viajava nos navios. Já o agente de transmissão era a pulga, que, por sua vez, vivia nos ratos e tinha a capacidade de passar o mal para um humano. Ou seja, picava o sujeito e, em seguida, pulava de um hospedeiro humano doente para outro são. A pandemia tomou, contudo, uma proporção jamais vista, por causa da falta de higiene, que se tornava estrutural com o crescimento urbano. Estima-se que de 75 milhões a 200 milhões de pessoas morreram na Eurásia, e a doença alcançou o pico na Europa entre os anos 1347 e 1351, matando um terço da sua população. Ainda assim, e com a ausência de informações científicas, a Igreja Católica divulgou a concepção de que a "praga" representava um castigo divino contra os judeus, que foram acusados de espalhar a peste envenenando poços e fontes — e chegaram a ser executados na França. Foram acusados, ainda, de envenenar nascentes para trazer a peste. Os rumores circulavam pela Europa, e judeus foram queimados em Stuttgart, Estrasburgo e Colônia, até antes da chegada da epidemia a esses lugares. A peste negra eclodiu num ambiente repleto de antissemitismo, permitindo o uso do racismo como explicação. O preconceito contra os judeus era imenso, os atos de fúria igualmente. Mais uma vez, parecia melhor jogar a culpa no colo do "outro".

Também o cólera, causado pelo *Vibrio cholerae* e conhecido desde a Antiguidade, que teve sua primeira epidemia localizada em 1817, gerou muito preconceito. Por conta dos sintomas que apresentava, entre eles grande alteração de humor, o sujeito colérico, até os dias de hoje, é aquele considerado particularmente nervoso. O pior é que esse sintoma não está relacionado com a doença em si. O vibrião do cólera é transmitido em geral por meio de água ou alimentos contaminados, mas pode estar presente nas moscas, roupas de cama ou no vestuário. O cólera teria surgido na Índia e se espalhado pelos demais países durante o século XIX. E não foram poucas as ações discriminativas, acusando indianos de não terem hábitos de higiene corretos, os quais, diga-se de passagem, europeus e americanos tampouco praticavam; entre 1846 e 1860, a epidemia se alastrou pela Europa. Londres era uma cidade com 2 milhões de habitantes que se afundavam na própria imundície. Em agosto de

1854, o cólera irrompeu com violência e se propagou pela Inglaterra num ritmo avassalador — vilarejos inteiros foram destruídos. Em Moscou e Paris, milhares de pessoas abandonaram suas cidades, tentando fugir do mal. E o termo viajou no tempo e no espaço; por exemplo, em 1985 o escritor Gabriel García Márquez escreveu um belo romance e o chamou de *O amor nos tempos do cólera*, justamente fazendo alusão a um doente do cólera mas que também vivia numa sociedade intolerante.

A tuberculose criou uma imensa reação discriminatória contra os indivíduos que a contraíam, os quais deveriam permanecer apartados do convívio social. "Tuberculoso" virou igualmente designação negativa: na gíria de inícios e meados do século XX, era uma pessoa tóxica, de "maus bofes", como também se costumava dizer. Entretanto, a moléstia tem registros que remontam aos primórdios da humanidade. Datam do Egito Antigo os primeiros relatos sobre a tísica — palavra de origem grega que significa "definhamento" e serviu para nomear a enfermidade desde pelo menos o século V a.C., quando Hipócrates a descreveu.

O combate se acelerou a partir de 1882, depois da identificação do bacilo de Koch, causador desse mal — aliás, foi o cientista Robert Koch quem descobriu também o vibrião do cólera, em 1883. E, se hoje a tuberculose é mais facilmente diagnosticada e curada, durante o século XIX, na Europa, nas Américas e em especial no Brasil, ela era a doença que mais matava. Calcula-se que a epidemia tenha contaminado 1 bilhão de pessoas, de 1850 a 1950. De uma forma geral, ela foi então vinculada às classes mais vulneráveis, e ocasionou enorme estigmatização social: admoestavam-se os pobres que tossiam nas ruas.

Ganhou, porém, uma aura romântica, sobretudo no século XIX, entre intelectuais e artistas. Adquiriu certo refinamento, como se representasse uma sensibilidade particular. Exprimia um sentimento mágico, nostálgico, condições de uma alma inefável e incômoda; essência do estado romântico, o qual valorizava tudo que remetia a uma experiência incomum. Esse foi o caso de Casimiro de Abreu, que em carta de 4 de outubro de 1858 declarava: "eu desejo uma doença grave, perigosa, longa mesmo, pois que já me cansa esta monotonia de boa saúde. Mas queria a tísica com todas as suas peripécias, queria ir definhando liricamente e soltando sempre os últimos cantos de vida". Poetas e escritores como Castro Alves, Álvares de Azevedo, Lord Byron, John Keats, Franz Kafka e tantos outros morreram jovens de "mal de peito", como se cumprissem uma profecia secular.

Os exemplos de grandes epidemias são muitos. A varíola foi uma doença que atormentou a humanidade por mais de 3 mil anos, e só em 1796 se criou sua vacina. O vírus do tifo se hospeda em piolhos, e sua transmissão se dá em aglomerados humanos com condições de higiene precárias. Na Inglaterra, chamava-se "febre das cadeias"; na Primeira Guerra, "febre das trincheiras". A febre amarela — cujo vírus causador é inoculado nos moradores de uma cidade por meio da picada do mosquito *Aedes aegypti* — matou milhões de pessoas no passado e prossegue assolando regiões da América do Sul e da África. Hoje em dia, a malária é considerada, pela Organização Mundial da Saúde (OMS), a pior doença tropical: numa ponta, o clima quente e chuvoso favorece a proliferação do mosquito *Anopheles*, cuja saliva (da fêmea infectada) é responsável pela transmissão do parasita plasmódio; na outra, destruímos o patrimônio natural, derrubamos as matas e entramos em contato com o mosquito.

O vírus da aids — doença causada pela infecção do vírus da Imunodeficiência Humana —, chamado HIV, é também encontrado no sistema imunológico dos chimpanzés e do macaco-verde, a despeito de estes não adoecerem. A aids foi identificada em 1981, nos Estados Unidos, disseminou-se na população mundial e rapidamente obteve a classificação de epidemia pela OMS. Intervenções humanas na natureza, cada vez mais agressivas, provocam o surgimento das chamadas zoonoses — doenças transmitidas de animais para humanos, ou de humanos para animais. É o que acontece com a estafilococose, por exemplo, que atinge tanto homens como animais; ou, ainda, da tuberculose em animais provocada por um bacilo de tipo humano — *Mycobacterium tuberculosis*.

São inúmeros os cenários de onde pode brotar o nome de uma epidemia. É o caso da zika, referência à floresta de Zika, localizada perto de Entebbe, em Uganda, onde o vírus foi isolado pela primeira vez, em 1947. Ou do vírus causador do ebola, responsável por um surto epidêmico na África em 2014 que, em questão de dias, dizimou entre 50% e 90% das pessoas infectadas — a doença surgiu próxima ao rio Ebola, na República Democrática do Congo. Esse foi também o exemplo da gripe espanhola, que transformou a Espanha de vítima em algoz.

Cada um desses males guarda sua história, sua especificidade e desenvolvimento. Só o que há de comum é a maneira como a humanidade reage a eles. Toda vez que não se pôde explicar o infortúnio, entender uma calamidade, apaziguar o medo diante de uma situação que não conseguimos compreender, a saída foi inventar um culpado. Mas uma coisa é lidar com a doença e buscar debelá-la, ainda mais quando ela assume taxas epidêmicas ou pandêmicas. Outra coisa é, por falta de informações científicas disponíveis (ou não), vincular uma enfermidade a um grupo, uma raça, um local, e passar a discriminá-los. Também não vale culpar animais, que são transmissores infectados, não os causadores da moléstia.

Sabemos, porém, que a humanidade é teimosa na hora de aprender com o passado. Normalmente opta por repetir comportamentos. É o que Susan Sontag chama de "doença como metáfora"; a maneira como o senso comum prefere se apegar a irracionalismos, afastar-se das descobertas científicas e castigar as vítimas com o peso de uma culpa injustificável. As formas de manifestação da doença como estigma, para Sontag, são muitas. O problema é que, contra a intolerância e a paranoia, o racismo e a xenofobia, não há vacina.

Houve ainda outra infeliz coincidência. Durante aquele período epidêmico, a medicina científica comemorava as grandes descobertas da bacteriologia, e a sociedade carregava no seu imaginário a utopia de que a humanidade estava livre para sempre das moléstias que a acometiam desde tempos remotos. A ciência fizera conquistas importantes em termos de saúde pública, e medidas sanitárias iam conseguindo debelar a febre tifoide, a febre amarela, a peste bubônica e o cólera. O certo é que no ano de 1918 a humanidade se considerava não só apoiada pela "ciência moderna" como totalmente redimida e liberta pelo saber médico. É possível dizer também que políticos e cientistas estavam tão absorvidos em seus avanços e méritos que lhes faltou tempo para prestar atenção na natureza.

No entanto, a realidade é feita de ambiguidades e, concomitantemente com o avanço científico e sanitário, havia a Grande

Médicos no Hospital n. 4 do Exército norte-americano. Fort Porter, Nova York, 19 de novembro de 1918.

Guerra. Milhares de soldados se achavam abrigados em trincheiras, acampados no meio de muita lama, cercados de piolhos e ratos, e correndo o risco de morrer vítimas de tiros e gases venenosos, lá mesmo onde estavam. E ainda os aguardava um novo inimigo. Segundo jornais da época, de repente tropas inteiras gripavam-se. Mas não era uma gripe qualquer. Começava com uma dor de cabeça lancinante, seguida de febre alta e intensa falta de ar. Em poucos dias, os doentes faleciam, com os pulmões afogados em líquidos; uma morte terrível.

Em carta encontrada numa maleta em Detroit e publicada no *British Medical Journal*, quase sessenta anos após o início da pandemia, um médico norte-americano descreve a doença com cuidado e medo. Afirma que ela se parecia com um tipo comum de gripe, mas os infectados

> desenvolvem rapidamente o tipo mais viscoso de pneumonia jamais visto. Duas horas após darem entrada [no hospital], têm manchas castanho-avermelhadas nas maçãs do rosto e algumas horas mais tarde pode-se começar a ver a cianose estendendo-se por toda a face a partir das orelhas, até que se torna difícil distinguir o homem negro do branco. A morte chega em poucas horas e acontece simplesmente como uma falta de ar, até que morrem sufocados. É horrível. Pode-se ficar olhando um, dois ou vinte homens morrerem, mas ver esses pobres-diabos sendo abatidos como moscas deixa qualquer um exasperado.

A carta é assinada por Roy. Sabemos somente que seu autor era médico e trabalhava no acampamento militar de Camp Devens, perto da cidade de Boston.

Os primeiros relatos, aqueles não censurados pelos governos dos países a que se referiam, eram perturbadores, e não se tinha certeza de onde vinha o inimigo invisível. Foi apenas ao longo do século XX e no princípio do XXI que novas pesquisas buscaram determinar o local de nascimento da peste. Existem duas teorias sugerindo que ela pode ter surgido na China ou nos Estados Unidos. Há quem arrisque, ainda, a hipótese de que teria começado na França ou no Vietnã.

Segundo o historiador John Barry, a teoria mais aceita é a de que a peste provavelmente surgiu nos Estados Unidos entre 28 de fevereiro e 2 de março de 1918, quando o hospital de um quartel, Camp Funston, situado dentro da grande base militar de Fort Riley, no Kansas, recebeu, no dia 4 de março, soldados infectados pela influenza. Seguindo o período normal de incubação da doença, em três semanas 110 casos que necessitavam de cuidados hospitalares já se espalhavam pelo estado. O inverno tinha sido particularmente intenso, e a influenza começou a ganhar espaço fértil no cotidiano da população local.

Mas o primeiro lugar onde o vírus foi identificado era muito longe dali. O vilarejo de Haskell County é uma região de criação

Hospital de emergência montado durante a pandemia de gripe espanhola em Camp Funston, Fort Riley, Kansas, 1918.

de gado, e na imaginação se aproxima muito da ideia do gênero de cinema conhecido como faroeste. Tratava-se também de uma terra de extremos, formada pela água abundante do rio Cimarron e por secas duradouras que faziam a terra rachar. No verão, o clima era quente demais, e, no inverno, um vento de quinze graus negativos parecia congelar qualquer alma viva.

No início de 1918 possivelmente o novo vírus da influenza deixou Haskell County e chegou ao quartel de Camp Funston. O primeiro paciente da base foi o soldado Albert Gitchell, que deu entrada na enfermaria do acampamento no dia 4 de março, com sintomas de gripe. Nas semanas seguintes, mais de onze soldados foram internados, todos apresentando os mesmos sintomas. Dali a doença se espalhou para outros acampamentos de tropas do Exército — 26 das 36 maiores bases militares nos Estados Unidos sofreram um surto de gripe.

Os médicos locais conheciam a influenza e a tratavam com frequência. Todavia, relatavam jamais terem visto uma manifestação clínica como aquela. Era enfermidade de progressão muito rápida, extremamente violenta e letal. A gripe espanhola assolou o mundo em três ondas: no começo e no fim de 1918, e depois, de forma mais leve, durante o ano de 1919 e início de 1920. Na primeira onda, de fevereiro e março, embora bastante contagiosa, era branda e, em geral, não causava mais que três dias de febre e mal-estar. Talvez por isso os norte-americanos não tenham identificado o surto como a origem da pandemia, que se patentearia logo na sequência. Nos Estados Unidos, uma média de trinta a quarenta cidades, usualmente contíguas a bases militares, foram afetadas. E em Camp Fuston a doença se revelou de fato severa.

Em fevereiro de 1918, a gripe apareceu na Espanha, chegando à cidade de San Sebastián, na fronteira com a França. Só entraria em Madri em abril, quando um terço da população adoeceu, incluindo o rei Afonso XIII. Em abril, o vírus surgiu na França e se espalhou entre os soldados na Frente Ocidental. Em maio, a doença atingiu a Inglaterra — e a frota inglesa permaneceu atracada durante quase um mês, consequência do grande número de militares infectados. Os alemães debitaram na conta da gripe o fracasso da ofensiva militar de junho — a arremetida planejada para forçar a rendição dos Aliados —, mas talvez haja algum exagero nisso. Afinal, as divisões alemãs que atacaram a oeste de Soissons, no norte da França, viram-se forçadas a interromper o avanço após quatro dias de batalha; por outro lado, na Frente do Piave, em cinco dias, a investida austríaca foi travada e repelida pelos italianos.

E, assim como chegara, a doença parecia ter ido embora. Para além das trincheiras da guerra, onde o ambiente era particularmente favorável para que a moléstia se desenvolvesse, no resto do mundo ela se afigurou bastante inofensiva. No início de maio de 1918, e em vários países, as escolas reabriram, trabalhadores voltaram aos seus empregos, teatros destravaram as portas e as pessoas começaram a sair de casa. Ao mesmo tempo, a guerra recuperou o lugar que durante quatro anos ocupara, monopolizando as atenções. Mas o alívio duraria pouco. O vírus não havia, de fato, desaparecido. Ele permanecia invisível para os olhos humanos, porém estava lá, se adaptando, sofrendo mutações e esperando a hora certa para retornar, revigorado. Especialistas mencionam a existência de três ondas diferentes. Aliás, pandemias em geral vêm em ondas, e essa não seria uma novidade na história de tais crises sanitárias.

Em agosto de 1918, a segunda onda da espanhola eclodiu nos Estados Unidos, em outra instalação militar, Camp Devens, próximo a Boston. Não se sabe ao certo se o vírus chegou ao acampamento trazido por soldados infectados e dali se alastrou para Boston, ou se ocorreu o contrário — o porto da cidade foi o foco inicial de transmissão. Em 7 de setembro, um grande grupo de marinheiros vindos de Boston desembarcou na Filadélfia. No final do mês a gripe explodiu na Europa, sendo espalhada pelas tropas norte-americanas que chegaram à França, mais particularmente Brest, na Bretanha.

A morte não era um elemento estranho naquele contexto; ao contrário, 5 milhões de soldados já tinham sucumbido na guerra, que combinou, em doses semelhantes, falta de bom senso com muita brutalidade. Existem paralelos entre essa guerra e a pandemia da espanhola, que começou a mostrar suas garras no início de 1918. Diferente de uma epidemia, a pandemia não respeita fronteiras fáceis. Uma epidemia ocorre em determinado lugar e ataca um número maior de indivíduos, sendo de difícil erradicação. Já pandemia é uma epidemia sem controle e com expansão mundial. A primeira triste coincidência foi que a guerra era tão global quanto uma pandemia. A segunda foi que, se os Estados Unidos entravam tardiamente no evento, não se davam conta de que a tripulação que se dirigia para o continente europeu carregava, junto com ela, uma arma tão perigosa quanto as metralhadoras que empunhava. A doença virou, portanto, metáfora e realidade.

A segunda onda da doença seria muito mais letal e alcançaria o mundo inteiro. Diversos historiadores da saúde afirmam que a segunda onda das pandemias é sempre mais violenta e fatal. No caso da gripe espanhola, ela retornou no fim de agosto e começo de setembro de 1918, e se assemelhou a uma nova grande guerra. Foi também a mais contagiosa e por isso levou aos maiores índices de mortalidade. A tese mais aceita é a de que a doença, que inicialmente fora espalhada pelas tropas norte-americanas enviadas à Europa, agora teria sido levada para o restante do globo pelo deslocamento de pessoas em viagens ou pelos sistemas de transporte internacional de mercadorias.

Parisienses marcham em defesa do uso de máscaras durante a epidemia de gripe espanhola, 1918.

Todos os continentes habitados foram afetados pela gripe espanhola durante a segunda onda, até os lugares mais longínquos; pouquíssimos locais escaparam ilesos, como áreas do norte da Islândia, a Austrália e algumas ilhas Samoa. O vírus era ainda mais violento quando atingia áreas isoladas e que tinham menor memória imunológica da influenza: cidades remotas da África, ilhas do Pacífico, partes do Alasca. Em Brevig, um vilarejo ao norte desse estado, com solo permanentemente gelado, acessível somente de trenó, a espanhola matou 72 esquimós numa população de oitenta. Em Teller, um povoado distante dez quilômetros de Brevig, apenas cinco adultos sobreviveram; além de 46 crianças, que ficaram órfãs. E, ainda em agosto, a doença retornou aos Estados Unidos, infectando milhares de pessoas, com uma taxa de letalidade de 6% a 8%.

Os sintomas eram aterradores. Além de sair sangue pelo nariz, ouvidos e olhos dos doentes, o delírio tomava conta das vítimas. Dizia-se que, em geral, ao menos duas pessoas de cada família iriam falecer. De tão frequentes e corriqueiras, as mortes não precisavam mais ser noticiadas pelos jornais para ganharem realidade; era possível observá-las no próprio movimento macabro das ruas, onde transeuntes carregavam corpos embrulhados, ambulâncias circulavam pelas ruas, pessoas caminhavam apressadas e com máscaras. Testemunhas contavam ter visto cadáveres totalmente escuros, como se tivessem sido carbonizados.

As vítimas apresentavam dor de cabeça e nas costas, diarreia e muitas vezes perda de olfato. Impressionava ver os doentes tossindo e cuspindo sangue, o qual escorria pelos corpos como se fosse uma praga bíblica. O estado de prostração levava a reações diversas, que iam da histeria à melancolia, da depressão aos vários casos de suicídio que ocorreram em 1918. Como vimos, grávidas e jovens adultos eram os que mais pereciam; nas cidades africanas, pessoas entre vinte e quarenta anos respondiam por 60% das mortes.

Mas, no fim daquele ano, novamente o furor da pandemia arrefeceu. No dia 11 de novembro, foi assinado, na floresta de Compiègne, o armistício entre os Aliados e a Alemanha com o fim das hostilidades. A Primeira Guerra tinha acabado. Trouxe de volta soldados cansados, feridos, aleijados, por vezes traumatizados e deprimidos. Conforme escreveu o filósofo e ensaísta Walter Benjamin, os que retornaram das trincheiras chegaram mudos, "em silêncio", incapazes de compartilhar a experiência que tinham vivido. Consta que o desfecho de 1918 não foi muito comemorado, tal a quantidade de indivíduos enfermos ou, como se dizia, "doentes dos nervos", por conta dos rescaldos da guerra e das notícias da pandemia, que estava quieta porém não definitivamente extinta. As pessoas também andavam descrentes, duvidando dos prognósticos otimistas de um novo mundo, livre da guerra e da peste.

E aqueles que desconfiaram dos tímidos fogos de artifício no fim do ano tinham razão. A terceira onda se iniciou em janeiro de 1919. Bem mais moderada, durou apenas até o mês de maio. Mas assustou populações já traumatizadas pela doença. O surto foi de fato diminuindo, até não se ouvir mais falar dele, em dezembro de 1920. "De repente, passou a gripe", escreveu Nelson Rodrigues. E completou: "Ninguém pensava nos mortos atirados nas valas, um por cima dos outros. Lá estavam, humilhados e ofendidos, numa promiscuidade abjeta. A peste deixara nos sobreviventes não o medo, não o espanto, não o ressentimento, mas o puro tédio da morte".

Na segunda metade de 1919, as pessoas pareciam "anestesiadas" pelo espetáculo da morte. A orgulhosa medicina da época não sabia explicar as causas da doença e muito menos controlá-la, já que a tecnologia ainda não permitia que os cientistas enxergassem o vírus no microscópio. Em meados de 1918, a comunidade científica conhecia pouco sobre a estrutura e a forma de atuação de um vírus. Ademais, o tratamento era com frequência feito à base de aspirina. No entanto, como a medicação é vasodilatadora e hemorrágica, o excesso de doses mostrava-se igualmente nocivo. A elevada e rápida letalidade do vírus desafiava as terapêuticas conhecidas e disponíveis então, alternando-se práticas científicas e populares de prevenção e cura.

Reconhecia-se a eficácia desinfetante do álcool ou do vinagre e as vantagens do uso de máscara, no sentido de reduzir o risco de contaminação. Mas, na ausência de respostas fáceis, e definitivas, o jeito era tentar o que quer que fosse. Antitérmicos, analgésicos, antissépticos, sangrias e purgativos disputavam espaços de tratamento e profilaxia com vacinas, homeopatia, águas fluidificadas, rezas, passes, banhos quentes, xaropes milagrosos e tantas outras tentativas que buscavam estabelecer algum tipo de trégua com a enfermidade. Para se proteger do contágio, valia de tudo. Entre os séculos XIV e XIX, acendiam-se fogueiras purificadoras nas encruzilhadas de uma cidade tomada pela peste. Na Itália, borrifava-se vinagre em moedas e cartas. Já os alemães saíam às ruas com máscaras em forma de cabeça de pássaro e bico forrado de plantas e raízes perfumadas e desinfetantes. Fazia parte do "jogo da peste e da vida", escreveu Albert Camus, em seu romance de 1947.

De toda maneira, o número excessivo de doentes levou ao colapso a ocupação das casas de saúde. Isso forçou a tomada de medidas emergenciais, como a improvisação de hospitais e de leitos para atender os pacientes. Alguns faleciam em agonia; outros tinham a vida sequestrada pelo delírio. Não se sabia ao certo, contudo, qual era o caminho da doença, nem sequer como se dava o contágio. Achava-se que ela se transmitia pelo nariz e pelas mãos, mas ignorava-se que, ao tocar em superfícies eventualmente contaminadas, era preciso higienizá-las logo depois. Calcula-se que a pandemia tenha atingido, direta ou indiretamente, cerca de 50% da população mundial e levado à morte de 20 milhões a 50 milhões de pessoas, 8% ou 10% delas eram jovens. O total de vítimas era maior que o da Primeira Guerra — a qual, como vimos, sacrificara de 20 a 30 milhões de pessoas, entre soldados e civis.

No próprio ano de 1918, algumas nações já elaboraram planos de recuperação econômica. Aliás, a atividade voltou a crescer mais rápido nos locais em que as autoridades municipais adotaram precauções para conter a expansão da epidemia. Em 43 cidades dos Estados Unidos, por exemplo, logo após o fim do primeiro surto de gripe espanhola, incluíram-se estratégias de distanciamento social, como o fechamento de escolas, teatros e igrejas, e a proibição de reuniões em massa. Além disso, foram aplicadas normas como uso obrigatório de máscara, medidas públicas de desinfecção e higiene, e o isolamento de pessoas infectadas de forma a tornar a gripe uma doença notificável. A adoção dessas políticas não foi, porém, uniforme em todo o país. Autoridades da Filadélfia, na Pensilvânia, só intercederam muito tarde, e até permitiram a realização de grandes reuniões públicas, como a Liberty Loans Parade (um desfile patriótico com o propósito de angariar fundos para os esforços militares norte-americanos). Como consequência, o estado teve um aumento considerável na mortalidade relacionada à gripe espanhola durante o outono do mesmo ano.

Toda doença conta uma história. Toda doença contagiosa é também um evento social. No começo, a peste é quase sempre recepcionada com grandes doses de "negação". Encarar a verdade incontornável da nossa precariedade nem sempre é fácil — e é isso que a epidemia nos coloca diante dos olhos. As pessoas de início procuram obstinadamente não ver para escapar ao enfrentamento da onda ascendente do perigo. É um modo de tranquilizarem a si próprias. O medo legítimo da peste leva a sociedade a enganar

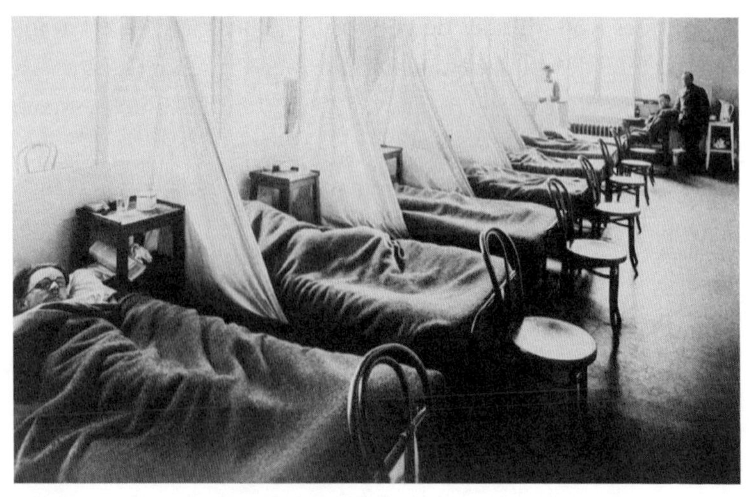

Gripário no acampamento militar norte-americano em Aix-les-Bains, França, durante a Primeira Guerra Mundial, em 1918.

a si mesma para retardar o máximo possível o momento em que a doença terá de ser confrontada. Por isso, e à sua maneira, se toda epidemia é um fato (muito) concreto, ela também leva a construções intelectuais, na busca de aceitar um "estado de anomia" que destoa da agradável normalidade de um corpo são. Quando a sociedade concorda em enxergar a enfermidade, significa que está ciente de uma situação amedrontadora. É chegada a hora, então, de enfrentar aquilo que a atemoriza, evitando ou resistindo.

Não é incomum, também, um aumento da consciência cívica e do sentimento de pertencimento social diante de desastres como esses. São episódios de "banalidade do bem", conforme definiu a ensaísta norte-americana Rebecca Solnit. Interessante lembrar, ainda, como basicamente não existem registros de revoltas sociais ou de saques durante tais crises pandêmicas, que, ao contrário das catástrofes abruptas, parecem ocorrer em câmera lenta.

Desfile da Liberty Loans Parade, na Filadélfia, cidade que não seguiu os protocolos de isolamento e sofreu com as consequências da espanhola, 28 de setembro de 1918.

É por essa razão que a espécie humana anda sempre atrás de vacinas e remédios. Como afirma o jornalista Thomas Hager: "talvez devêssemos renomear nossa espécie como *Homo pharmacum*, a espécie que fabrica e toma drogas. Somos o Povo do Comprimido". Tal busca da humanidade por balas mágicas, unguentos, infusões, xaropes milagrosos, poções e remédios que possam localizar com precisão as doenças do nosso corpo e assim destruí-las, sem causar nenhum dano à saúde, é a utopia de cem anos atrás e dos tempos de agora.

Essa corrida pelo melhor remédio nos levou a deixar de sermos vítimas desamparadas de epidemias, tornando-nos capazes de enfrentá-las. Mas nem tudo na história das pestes se parece com uma marcha triunfante rumo ao progresso e ao extermínio definitivo do seu agente causador. Acertos, enganos, pequenos e grandes acidentes fizeram parte desse percurso tortuoso, em que a humanidade ficou bastante marcada e condicionada por epidemias, com muitos fracassos e algumas vitórias.

A história da espanhola é, portanto, feita de descobertas, de enfrentamentos sanitários, e narra a saga da primeira pandemia da modernidade, a primeira grande colisão entre a natureza e a ciência moderna. Uma história de indivíduos que lutaram para encontrar a melhor vacina, o mais rápido possível, e daqueles que propuseram soluções mirabolantes ou apoiaram-se numa suposta intervenção divina. Os países também adotaram medidas diferentes: os Estados Unidos fecharam as suas fronteiras; autoridades chinesas declararam que se tratava de uma enfermidade estrangeira e se mostraram confiantes em que poderiam impedir o andamento da peste. Franceses cancelaram as viagens internacionais, e egípcios mataram todos os porcos que existiam no país. O Uruguai foi pego no susto. A doença chegou lá de navio e não deu muita chance para que as autoridades locais se organizassem. A embarcação, que fazia a linha do rio da Prata e pertencia à Companhia Transatlântica Espanhola, partiu desse porto no dia 4 de setembro e ancorou em Montevidéu no dia 23 do mesmo mês. Relatou-se o óbito de três passageiros, além do de outros três que chegaram a ser hospitalizados. A Argentina foi atingida em cheio: do total de 1 milhão de habitantes em Buenos Aires, aproximadamente 400 mil se infectaram, sendo contabilizados setecentos mortos, tudo num prazo de 25 dias. Já o Brasil, segundo o historiador John Barry, demorou em providenciar o isolamento social, e a população do Sudeste e do Sul arcou com as maiores taxas de mortalidade. Essa é uma velha, nova história.

A gripe espanhola recebeu nome errado, desafiou os prognósticos mais pessimistas, aqueles otimistas também, e mostrou como a humanidade é sempre pequena e vulnerável diante dos micro-organismos que não pode ver. Não há tecnologia ou utopia que vença o seu trajeto e destino.

A palavra "pandemia" se inicia pelo mesmo elemento grego que compõe o termo "pandemônio": *pan-*, que significa "tudo", "todos".

O escritor Lima Barreto foi internado duas vezes no Hospital Nacional de Alienados, na praia da Saudade, em Botafogo, no Rio de Janeiro: em 1914 e em 1918, o ano da gripe. Nas duas vezes sofria de crise alcoólica. Acreditava que a polícia iria prendê-lo por suas opiniões políticas, via insetos e monstros nas paredes, e definitivamente misturava ficção com realidade. Em 1914, tinha 33 anos, e o classificaram de louco. No diário e na foto tirada para seu registro no estabelecimento, chama atenção o nome da seção em que foi internado: Pandemônio.

Em "pandemônio", a *pan-* adicionou-se o termo grego *daimon*, que quer dizer "demônio". Tal neologismo foi criado pelo poeta inglês John Milton (1608-74), no seu *Paraíso perdido*, para designar o palácio de Satã. É também o nome da capital imaginária do Inferno, significando "tumulto, algazarra, confusão".

Lima Barreto não sofria de loucura ou alienação, segundo os termos da época. Estava "doente do racismo" vigente no Brasil, e descontava a crédito na bebida. Mas isso não importava diante da instituição em que fora internado. Tudo mais se parecia com um grande pandemônio.

Um pandemônio ou uma pandemia têm a capacidade de chamar por todos os demônios que vivem dentro de nós, fora de nós e entre nós. Toda pandemia carrega consigo, no seu curso mortal, muitos projetos e destinos.

E eis que no meio desses destinos encontrava-se um país chamado Brasil. Por aqui a doença também chegaria de navio.

2. A espanhola chega a bordo de um navio: salve-se quem puder

Ninguém é igual a ninguém.
Todo o ser humano é um estranho
[ímpar.
Carlos Drummond de Andrade

Assim como ocorreu em outros países, foi com estranheza e alguma reserva que os brasileiros acompanharam as notícias do desenvolvimento da gripe espanhola. É certo que, diariamente, e desde o final do mês de junho de 1918, os periódicos nacionais estampavam manchetes acerca das mortes e das medidas de isolamento adotadas nos Estados Unidos e na Europa. Mas os jornalistas o faziam, a princípio, de maneira fria, como se a distância servisse de impedimento para que a grande influenza aportasse em terras tropicais. Acreditava-se, ainda, que a vacina seria descoberta antes que ela chegasse. Determinados argumentos pareciam-se com os que hoje conhecemos: que o clima era quente, que a doença era mais bem ambientada no hemisfério

Norte e, quem sabe, que Deus era brasileiro e bloquearia a entrada do inimigo invisível.

De todo modo, as informações que o país recebia em meados de setembro de 1918 eram muito imprecisas. Os brasileiros a bordo do navio francês *La Plata* passavam por um momento difícil. Nem todos integravam as Forças Armadas, alguns ainda eram estudantes, mas o grupo fazia parte da Missão Médica Militar, um serviço de assistência de saúde que o Brasil enviara a Paris, em agosto daquele ano, para auxiliar no tratamento das vítimas de guerra, tanto civis como militares.

A Primeira Guerra produziu um número de feridos sem precedentes, e não havia número suficiente de profissionais da área da saúde para dar conta da situação. O Brasil declarou guerra à Alemanha em 26 de outubro de 1917. No mês seguinte, o envio da Missão Médica foi acertado, então, entre os Aliados e, cerca de um ano depois, o Hospital Militar Brasileiro funcionava a todo vapor num antigo convento de jesuítas, na Rue de Vaugirard, em Montparnasse — aliás, uma rua famosa; por ali andaram, em tempos antigos, os Três Mosqueteiros, de Alexandre Dumas, além de Jean Valjean, personagem de *Os miseráveis*, de Victor Hugo.

O Brasil não despacharia tropas para a Europa; mas enviou uma equipe de 153 especialistas e técnicos da saúde, entre médicos, enfermeiros, dentistas e farmacêuticos. A Missão Médica Militar embarcou no ancoradouro da praça Mauá, no Rio de Janeiro, em 18 de agosto de 1918. Na hora da partida, ninguém a bordo demonstrava receio; contudo, algum tipo de medo eles devem ter experimentado enquanto acenavam para a multidão que foi se despedir no cais. Atravessar o Atlântico era uma aventura calculada mas perigosa. A mancha da guerra estava espalhada pelo oceano, e as regras de combate tinham mudado. Navios alemães grandes e poderosos rondavam as rotas comerciais munidos de canhões projetados para disparar granadas explosivas — bem lançada, uma só

Hospital Militar Brasileiro em Paris, c. 1919. A morte espreitava os brasileiros que partiram para a guerra.

dessas granadas poderia fazer uma embarcação em pedaços. O *La Plata* navegava a noite inteira com todas as luzes apagadas, e a tripulação treinava diariamente as formas de baixar rápido os botes salva-vidas ao mar, para o caso de a embarcação ser atingida por um torpedo — fumar no convés depois que escurecesse, nem pensar, pois a brasa acesa indicava ao inimigo a posição do navio.

A primeira escala foi em Dakar, na África Francesa, hoje Senegal, onde embarcou um batalhão de soldados coloniais senegaleses que iriam contribuir com o esforço de guerra francês, na Europa. Mas entre Dakar e a escala seguinte, em Orã, na Argélia, então colônia francesa, os tripulantes descobriram um inimigo desconhecido a bordo. A gripe havia se instalado sorrateiramente no *La Plata*, e as notícias que começaram a chegar ao Rio de Janeiro, capital da República, eram alarmantes: a influenza estava produzindo vítimas fatais entre brasileiros e senegaleses, e 24 integrantes da Missão Médica deram entrada no hospital militar de Orã com diagnóstico idêntico — *grippe*. Pior: alocados nos porões do navio, sem ventilação adequada, os soldados senegaleses passaram a morrer como moscas. Os corpos eram jogados ao mar e o barco, lotado de médicos perplexos e atemorizados, tinha se tornado uma espécie de depósito flutuante de infectados. Foi a primeira investida da doença contra o Brasil.

A guerra teve início em julho de 1914, e o Brasil fez o que pôde para se manter neutro no conflito. Tinha motivo. Os militares brasileiros acompanhavam atentos, e meio fascinados, o novo modo de guerrear que vinha sendo testado na Europa. Embora alguns dentre eles andassem especialmente ansiosos para participar do teatro de operações, de maneira geral se reconhecia, a contragosto, que as Forças Armadas não estavam aparelhadas para ingressar na linha de frente europeia. Era preciso garantir a expansão física da instituição, que acontecia desde 1908 mas seria incrementada em 1917, com reformas capazes de aumentar o alcance do Exército por todo o país. No entanto, ainda assim, necessitava-se implantar um amplo projeto de modernização das FFAA, antes de se arriscar numa guerra como a que estava em andamento. As providências iam da preparação efetivamente militar e menos bacharelesca de oficiais e da reorganização de formas de treinamento da tropa, até a adoção de um conceito alargado de defesa. Aliás, um programa que só seria posto em prática nos anos 1920, e como consequência da guerra.

Para o Brasil, a neutralidade trazia vantagens. Afinal, a economia nacional dependia essencialmente das exportações de café, e nossos melhores compradores eram os europeus. Mesmo sendo França e Grã-Bretanha os mercados mais importantes, não valia a pena abrir mão dos demais. O presidente Venceslau Brás, eleito como um nome de consenso entre as elites paulistas e mineiras empenhadas em manter o controle do governo federal, e que assumira o poder em 1914, quando a guerra eclodira na Europa, driblou as pressões internas e internacionais e manteve o país neutro durante três anos. Só abandonou a posição quando os alemães recorreram à guerra submarina irrestrita e começaram a afundar embarcações brasileiras nas rotas comerciais do Atlântico e nas águas costeiras do país.

Por volta da meia-noite de 3 de abril de 1917, o navio mercante *Paraná* navegava próximo à costa da Normandia com todos os códigos de neutralidade à vista: completamente iluminado, bandeira içada e a palavra "Brasil" pintada no casco em letras garrafais. Estava carregado com 95 mil sacas de café e feijão destinadas ao porto francês de Le Havre, e foi atingido por um torpedo disparado por um submarino alemão — um dos temíveis *U-Boats*, projetados para lançar torpedos e instalar minas no litoral inimigo. Entre abril e outubro, os alemães afundaram cinco navios brasileiros e a indignação, no país, foi geral. A imprensa exigiu medidas enérgicas do governo; a oposição, com Rui Barbosa à frente, jogou lenha na fogueira, cobrando uma declaração de guerra; e a população enfurecida reagiu: em cidades como Porto Alegre e São Paulo, lojas, escolas, jornais e empresas de alemães ou de seus descendentes foram atacados e depredados.

Diante das notícias, Venceslau Brás ainda tentou uma represália que lhe permitisse segurar o ímpeto bélico da opinião pública. O decreto de 11 de abril de 1917 rompeu relações diplomáticas com a Alemanha e significou o fim da neutralidade brasileira; e, em 2 de junho, o presidente requisitou todos os navios mercantes alemães ancorados em nossos portos. Não adiantou grande coisa. No dia 18 de outubro, o navio *Macau*, de bandeira brasileira, foi interceptado e torpedeado próximo ao cabo Finisterra, um promontório na Espanha, e a paciência do presidente da República chegou ao fim. Em 26 de outubro, o Brasil declarou guerra ao Império Alemão, e se aliou à Inglaterra, França, Rússia — a Tríplice Entente — e aos Estados Unidos. E, se ainda não detinha tropas preparadas para o teatro de operações europeu, alguma contribuição com o esforço de guerra dos Aliados seria necessária por parte do país. A mais importante foi, seguramente, o já citado envio da Missão Médica Militar e a atuação ininterrupta do Hospital Militar Brasileiro, em Paris, até novembro de 1919.

O Brasil não poderia ficar só nisso. Naturalmente, abriu os portos para as nações aliadas. Ainda, o governo se veria logo compelido a contribuir na empreitada propriamente bélica, com os meios militares de que dispunha, e não hesitou muito em tomar duas decisões. Primeiro, resolveu enviar um grupo de aviadores da Marinha para treinamento seguido de participação em operações de guerra. Era um bom negócio para os dois lados: os Aliados precisavam de reforço numa atividade arriscada — a média de sobrevivência de um piloto de caça, a considerar os cálculos dos ingleses, não ultrapassava três semanas. O Brasil, por seu turno, que não contava com uma Força Aérea e criara a Escola de Aviação Naval em 1916, enxergou uma oportunidade de treinamento básico e avançado para formar pilotos militares. Os aviadores brasileiros foram incorporados aos esquadrões mistos norte-americanos e ingleses que realizavam patrulha antissubmarino no canal da Mancha e, em três meses, mostraram serviço: contabilizaram 9 mil horas de patrulha, atuaram na localização de 42 submarinos alemães e participaram dos ataques que culminaram com a destruição de três deles. Tampouco escaparam da espanhola — ao menos dois pilotos tiveram de ser internados às pressas, acometidos pelo vírus.

A outra decisão do governo brasileiro era mais ambiciosa. Em agosto de 1918, Venceslau Brás despachou uma missão naval para patrulhar e localizar submarinos alemães entre Fernando de Noronha e a ponta ocidental da África — de Dakar, capital do Senegal, a Freetown, capital de Serra Leoa. A Divisão Naval em Operações em Guerra (DNOG) tinha um efetivo de 1502 homens, operava em conjunto com a marinha de guerra inglesa, e foi constituída por navios novos mas obsoletos para a tecnologia naval exigida pela guerra no Atlântico. Dois cruzadores, quatro contratorpedeiros, um cargueiro de transporte e um rebocador. Todos movidos a vapor e com armamento de bordo insuficiente para combater submarinos. Eram necessárias escalas constantes para abastecimento de carvão, e as rotinas de manutenção ocorriam com uma frequência exasperante. Os integrantes da DNOG não perdoaram as más condições de funcionamento dos navios, apelidando o pior deles, o cargueiro de transporte *Belmonte*, de "Guiomar Novais". E explicavam: como a grande pianista brasileira da época, em todos os portos onde atracava o cargueiro fazia "consertos" grandiosos.

A Divisão Naval teve seu batismo de fogo ainda no mês de agosto. No dia 25, próximo a Dakar, a frota foi atacada por torpedos disparados por um submarino alemão. O contratorpedeiro *Rio Grande do Norte* abriu fogo com canhões e bombas de profundidade, e talvez tenha acertado o alvo — embora sem confirmação, a Marinha inglesa registrou o afundamento de um submarino inimigo. Mas a guerra era para valer, a tensão deve ter aumentado muito e, quando parte da frota zarpou com destino a Gibraltar, o ânimo a bordo tinha mudado. Sem sonar — que possibilita ao marinheiro ouvir a frequência do que se movimenta no fundo do mar — e confiando apenas no olho dos marinheiros de vigia, os contratorpedeiros despejaram farta munição num rastro que se movia rápido por trás dos navios, praticamente na superfície da água. Quando o sangue subiu, os brasileiros quase não acreditaram no que viram: o alvo atingido era um cardume de toninhas — animais de vida aquática parecidos com golfinhos. A Batalha das Toninhas, como o episódio ficou conhecido na época, deixou a tripulação consternada, e ainda mais assustada. Os submarinos alemães representavam sem sombra de dúvida um perigo enorme para a frota brasileira, sem armamento naval potente e sem instrumentos militares modernos. Não deve ter sido fácil para os integrantes da DNOG atuar na patrulha do Atlântico em tais condições.

O presidente do Brasil também andava açodado por uma série de problemas sociais internos, e a guerra era uma maneira, perigosa por certo, de desviar atenções. Um dos maiores foi a Guerra do Contestado, que ocorreu bem na fronteira entre os estados do Paraná e Santa Catarina, de 1912 a 1916, com repercussões até 1918. O estopim para o confronto foi a concessão de terras pelo governo para duas empresas: a Brazil Railway pretendia construir uma ferrovia cortando a região; a Southern Brazil Lumber & Colonization, instalar serrarias. Os moradores, em geral posseiros, foram expulsos das terras e reagiram. O Exército, auxiliado pela polícia de Santa Catarina, recebeu instruções para desocupar a área, os rebeldes não se renderam e a guerra teve início. Outro problema eram as muitas greves operárias que chegaram ao seu auge em 1917, na cidade de São Paulo. Devido ao processo de urbanização e de industrialização acelerado que animava o país — em parte motivado pelas novas demandas de fornecimento do mercado mundial, durante a Primeira Guerra —, o Brasil viu crescer o número de operários, muitos deles imigrantes portugueses, italianos e espanhóis, que não tinham, porém, seus direitos trabalhistas assegurados. Venceslau Brás já havia sancionado em 1916 o primeiro Código Civil. Foi um avanço no emaranhado de leis que atormentavam o cotidiano da população e regulou o campo dos direitos privados — família, posse, propriedade. Mas deixou de lado os trabalhadores e os direitos civis básicos.

As greves reagiam às péssimas condições de trabalho. Não havia tempo máximo de jornada diária, os salários eram muito baixos, e ainda mais reduzidos para o grande contingente feminino. Crianças trabalhavam nas fábricas de São Paulo a partir de cinco anos de idade, sendo que menores chegavam a constituir metade do número total de operários empregados. A situação se repetia no Rio de Janeiro e em cidades como Belo Horizonte e

Recife, que também ensaiavam erguer seu parque industrial. Com forte influência das ideias anarquistas, os operários brasileiros já vinham realizando greves desde o princípio do século. Todavia, em 1917, eclodiu em São Paulo uma greve geral que foi duramente reprimida. A repressão causou a morte de um operário, cujo enterro paralisou a cidade e a transformou num campo de batalha.

Mas outra batalha estava para começar, e essa vinha pelo oceano. Em 9 de agosto, a Divisão Naval aportou em Freetown, sua primeira escala para reabastecimento; provavelmente foi então que a gripe espanhola subiu a bordo. Em 6 de setembro, com a frota já fundeada em Dakar, o vírus atacou: setenta marinheiros da tripulação do cruzador *Bahia* apresentaram os sintomas quase ao mesmo tempo e, na manhã seguinte, havia duzentos infectados. No contratorpedeiro *Rio Grande do Norte*, 30% da tripulação caiu doente dali a um dia. Em 12 de setembro, a doença se manifestou no cruzador *Rio Grande do Sul*. No dia 17, atingiu o *Santa Catarina* e, no dia 18, o contratorpedeiro *Piauí*. Em apenas uma semana, entre 11 e 18 de setembro, cerca de cinquenta pessoas morreram a bordo — os cadáveres, enrolados em lona e amarrados em tábuas, eram depressa enterrados no cemitério de Dakar. A notícia demorou quinze dias para chegar ao Brasil. E impactou profundamente a opinião pública. Não faltaram votos de pesar e missas pela alma das vítimas. Em sinal de luto, festas foram adiadas, espetáculos postergados, e até o Dia dos Pais foi, temporariamente, suspenso. A população direcionou seus olhos e a imaginação para os militares brasileiros, torcendo pelo seu breve e imediato retorno. A Divisão Naval em Operações em Guerra só regressou ao Rio de Janeiro em 9 de junho de 1919, depois do fim da guerra. Mas o número de perdas na Divisão Naval foi alto: entre cem e duzentas vítimas.

No país todo, começaram a se disseminar o medo e a angústia diante do incerto. Era como esperar um inimigo invisível mas que sem dúvida atacaria. Até hoje não sabemos exatamente onde a espanhola se manifestou pela primeira vez no Brasil. O vírus seguia uma rota mais ou menos definida. Atingia primeiro as zonas litorâneas, depois embarcava nos navios, e descia a terra com a tripulação — foi desse modo que se deslocou dos Estados Unidos para a Europa, e mais tarde alcançou praticamente o mundo inteiro.

A viagem da gripe espanhola por três continentes aconteceu entre agosto e setembro de 1918. Seu provável porto de chegada foi o Recife, onde atracavam as embarcações que vinham da Europa e da África. Na manhã de 9 de setembro, fundeou no cais o navio inglês *Demerara*, procedente de Liverpool. A travessia pelo Atlântico não tinha sido tranquila. No dia seguinte à partida, em 16 de agosto, o *Demerara* foi atacado por submarinos alemães e o pânico se instalou a bordo: os passageiros corriam em busca de salva-vidas enquanto a tripulação desesperada tentava infundir maior potência aos motores. Deram sorte: um esquadrão norte-americano de patrulha garantiu proteção ao barco. Ninguém sabe com precisão onde a espanhola embarcou no *Demerara*, já que, antes de aportar no Recife, ele fez escala em Lisboa e navegou muito próximo à costa africana para evitar outro encontro com os alemães; mas pode ter zarpado infectado de Liverpool. Na chegada ao Recife, havia ao menos dois doentes na enfermaria, e o diagnóstico era de gripe comum. Possivelmente o número era maior. Seja como for, passageiros e tripulantes contaminados desceram no cais sem despertar maiores preocupações por parte das autoridades de saúde — aliás, um procedimento que se repetiria em outros portos brasileiros.

O *Demerara* fez ainda três escalas fatais, em Salvador, no Rio de Janeiro e em Santos, antes de seguir para Montevidéu. O Uruguai não se deu conta do terror que entrava no país com o transatlântico, o qual um mês depois — quando todos já andavam familiarizados com as más notícias — foi apelidado de Navio da Morte.

Demerara, *o Navio da Morte, parou em Recife, Salvador, Rio de Janeiro e Santos e foi deixando o rastro da espanhola.*

O transatlântico era de propriedade da Royal Mail, que fazia a rota Liverpool-Buenos Aires. Transportava passageiros, carga e malas postais. No relatório médico, constam cinco mortes por "doenças comuns" durante a travessia até o Recife. Mas, ao entrar na baía de Guanabara, em frente à ilha das Cobras, no Rio de Janeiro, o *Demerara* içou bandeira amarela — sinal de doença a bordo. O inspetor de saúde do porto, José Maria de Figueiredo Ramos, subiu no navio, examinou a maior parte dos passageiros, sobretudo os da terceira classe, e constatou que a embarcação estava contaminada, com dois enfermos em estado grave. O *Demerara* foi obrigado a retroceder para a área destinada aos navios com casos suspeitos de moléstia infecciosa. Contudo, cerca de duas horas depois, recebeu autorização para atracar no Armazém 18 do cais do porto, como previsto, e iniciar o desembarque. Trazia 450 toneladas de frutas e 220 malas postais com destino ao rio da Prata. Enquanto o barco ancorava, morreu Manuel Reis dos Santos, embarcado em

Lisboa. Em estado grave, desceu do navio e foi levado direto para o Hospital de São Sebastião um menino, António Barbosa, também proveniente de Lisboa. Ambos passageiros de terceira classe. O diagnóstico referia-se a quadros de "broncopneumonia gripal" e constatava que não existiam motivos, portanto, para interditar o transatlântico: a doença, embora grave, não era contagiosa.

Carlos Seidl, diretor-geral da Saúde Pública, na capital federal, deu duas informações oficiais em 27 de setembro. Uma, de que até aquela data não existiam casos suspeitos de grande influenza no Rio; é provável que estivesse mentindo. A outra era a de que realizara pessoalmente uma inspeção no *Demerara*, tendo conversado com o médico de bordo, e chegara à conclusão de que não havia nada de errado no navio. Afinal, e segundo os dados coletados por ele, apesar de terem falecido três pessoas entre Lisboa e Pernambuco e mais duas do Recife ao Rio de Janeiro, as causas das mortes foram definidas pelo médico de bordo como lesão cardíaca, angina e broncopneumonia. Apenas o óbito do espanhol Juan Cajal, maître do *Demerara*, foi registrado como decorrente da gripe espanhola.

Mas a situação iria se complicar, e muito. Na viagem em direção ao sul, duas semanas depois da escala em Salvador, podia-se ler no jornal *A Tarde* que existiam "cerca de setecentos enfermos nos quartéis, nos hospitais, em casas particulares e em todos os centros de aglomeração de operários" com a gripe espanhola. Ou seja, por onde passava, o *Demerara* deixava um rastro de contaminação e morte. Do Rio, a embarcação seguiu para Montevidéu, aonde chegaria com seis mortos e 22 infectados. Os jornais brasileiros avisaram sobre a condição do navio; no entanto, o diretor de Assistência Pública do Uruguai, Horacio González del Solar, achou exagero. Declarou à imprensa que os rumores eram inexatos e as mortes seriam resultado de "*complicaciones muy naturales en organismos predispuestos*". Só em Buenos Aires o *Demerara* foi finalmente desinfetado. Era tarde.

Infelizmente, essa não foi a única embarcação a espalhar a doença por estas plagas. Pelos portos brasileiros, passou ainda o vapor *Liger*, de bandeira francesa, que estivera no porto de Dakar, centro da disseminação da epidemia para os navios transatlânticos e de carga. O *Liger* atracou em Salvador, no Rio de Janeiro e em Santos.

Outros navios também arribaram em portos do Nordeste, e a espanhola não demorou a atingir várias cidades da região. No mesmo mês de setembro, marinheiros que prestaram serviço militar em Dakar, desembarcavam doentes no Recife. Em pouco mais de duas semanas, surgiram casos da gripe em outros municípios e cidades do Nordeste e em São Paulo.

Nesse meio-tempo, medidas de vigilância foram estendidas para toda a longa costa do Brasil. A urgência mudara de mão. Agora era preciso se antecipar à chegada do inimigo. Por exemplo, o lazareto da Ilha Grande, no Rio de Janeiro, começou a ser preparado para receber possíveis infectados.

No fim de setembro, alguns jornais brasileiros publicaram as determinações de Carlos Seidl, que apontou a necessidade de se agir imediatamente no sentido de evitar a propagação da epidemia. E o diretor-geral de Saúde Pública falou grosso; denominou a operação de "profilaxia indeterminada" e avisou: "Que sejam rigorosamente desinfetados todos os navios, quer estrangeiros, quer nacionais, de procedência suspeita, bem como cuidadosamente examinados todos os passageiros. Esse serviço fica a cargo dos inspetores de saúde do porto desta capital [federal]".

Era preciso despertar as autoridades do país para a premência de montar estratégias mais amplas de combate à doença. Segundo o inspetor sanitário da Diretoria-Geral de Saúde Pública, José Paranhos Fontenele, a censura imposta pelos meios militares acabou ocasionando contratempos à luta contra o mal e à compreensão dos acontecimentos por parte da população. Também criou dificuldades para o acompanhamento da marcha da epidemia. Somou-se a esse fator a total ausência de aparelhamento das instituições sanitárias federais.

O Serviço de Profilaxia do Porto do Rio de Janeiro foi a primeira seção da Diretoria de Saúde Pública a ser alvo das críticas da opinião pública; já em outubro do funesto ano de 1918. A seção não tinha, porém, condições práticas nem materiais para realizar a desinfecção de todos os navios que aportavam na capital federal. Na época, a aplicação de quarentenas em embarcações era considerada uma medida antipática, pois acarretava problemas políticos, econômicos e sociais.

Além do mais, nenhuma estratégia de combate à moléstia foi montada para socorrer a população. E eram muitas as deficiências vigentes nas estruturas sanitárias e de saúde nacionais, que ficaram ainda mais evidentes no período pandêmico, a começar pela administração sanitária, a qual, logo que a doença chegou, se revelou inepta. Depois dela, entraram em colapso as instituições de saúde. Mas isso não foi novidade. Já fazia parte do conhecimento público a precariedade com que estas funcionavam: faltava pessoal preparado, leitos e material hospitalar.

Assim, a peste invadiu o país, começando pelas áreas urbanas litorâneas. No fim de setembro, autoridades divulgavam informações sobre pessoas infectadas em cidades litorâneas em diversos pontos do Brasil, e em poucos dias a doença estava no interior. A marcha era ligeira; no final de outubro a espanhola já atingia quase todas as grandes cidades, e em novembro registros mostravam que ela alcançara o Rio Grande do Sul e a Amazônia, o litoral e o interior do país.

A doença desembarcou no Brasil durante a sua segunda onda; a mais letal. E a espanhola parecia ter pressa. O quadro sanitário alarmante começou a chamar atenção e figurar nas manchetes dos jornais estrangeiros. As grandes cidades, onde viviam milhares de pessoas, foram muito afetadas, o que levou os diversos governos a tomarem medidas extremas de prevenção. Proibiram-se as aglomerações, determinou-se o fechamento de fábricas, quartéis, escolas, bares, restaurantes, teatros, estádios e repartições públicas.

À medida que a gripe avançava, o número de mortes diárias atingia uma velocidade estonteante. Em algumas cidades, não havia caixões suficientes e os cemitérios não tinham capacidade para enterrar tantos corpos ao mesmo tempo. Faltavam também coveiros, pois muitos foram vitimados pela peste.

As mortes no Brasil, ao longo do período pandêmico, chegaram à triste marca de cerca de 35 mil vítimas. O Rio de Janeiro, maior núcleo urbano nacional, apresentou o número de óbitos mais elevado. Em dois meses, faleceram em torno de 12 700 pessoas, por volta de um terço do total registrado no país, para uma população de quase 1 milhão de habitantes. O momento crítico deu-se em meados de outubro, quando a Diretoria-Geral de Saúde Pública, por meio de seu titular, Carlos Seidl, admitiu a impossibilidade de a gripe ser controlada.

A revista Careta, *em 9 de outubro de 1918, brincava com a desinformação da população: os brasileiros estavam agrupados ou agripados?*

A cidade estava parada. Faltavam alimentos, remédios, leitos. A pedido do presidente da República, o médico sanitarista Carlos Chagas (1878-1934) liderou o combate à gripe espanhola, implantando 27 pontos de atendimento à população na capital federal. Assim como hoje, o estado de emergência sanitária já tinha a capacidade de transformar os bons profissionais da saúde em heróis, e esse foi o caso de Chagas — até então mais conhecido pela luta contra a malária e a tripanossomíase americana, afecção que acabou levando seu nome: doença de Chagas.

Em São Paulo, com uma população estimada em 470 mil habitantes, de outubro a dezembro foram registrados 5328 óbitos causados pela espanhola. Só no mês de outubro, morreram 1250 pessoas no Recife, cuja população era de 218 mil habitantes. Em Porto Alegre, onde se registraram 1316 óbitos para uma população de cerca de 140 mil habitantes, foi criado um cemitério especialmente para as vítimas da doença. Algumas capitais, por conta das medidas que tomaram — insistindo em manter as pessoas em quarentena, fechando o comércio, as escolas e proibindo as atividades culturais e religiosas —, apresentaram um percentual menor de vítimas fatais entre as grandes cidades. Em Salvador, numa população de aproximadamente 320 mil pessoas, 130 mil contraíram a gripe e 386 morreram. Em Belo Horizonte, onde a população girava em torno de 45 mil habitantes, a gripe infectou por volta de 15 mil. Os registros apontam um total de 282 mortes. Eles não são inteiramente confiáveis, é certo, mas a comparação é reveladora.

Embora a gripe espanhola tenha efetivamente atravessado toda a pirâmide social, sua aparência "democrática" precisa ser observada com muita desconfiança. A maioria das vítimas provinha das camadas populares e daqueles grupos chamados de "indigentes" pelas autoridades. A pandemia escancarou, uma vez mais, a perversa desigualdade social brasileira. Mocambos, casebres, palafitas, favelas, permaneciam invisíveis para os governantes. Condições insalubres, ausência de serviços básicos — água, esgoto, luz — e a falta de acesso à assistência hospitalar explicam o número maior de vítimas em meio à população carente.

O Brasil é um país com dimensões continentais, e são bastante diferentes as realidades dos estados da União, assim como foram várias as respostas locais. A doença matou muito, provocou medo, mas também gerou reações de auto-organização por parte da sociedade civil, alguma paranoia, muitos boatos, disputa política, episódios de altruísmo e até humor; numerosas piadas foram criadas para espantar o temor das pessoas. Não faltaram charges mostrando mulheres que, por desconhecerem a gripe, manifestavam ciúme das "terríveis espanholas", nem desenhos em que procuravam por inimigos em qualquer lugar da casa. O certo, porém, é que foram diversas as reações à peste que invadiu o país, o qual, de norte a sul, ficou "espanholado".

3. "Tanatomorbia": a doença que mata no Recife

Recife...
Rua da União...
A casa de meu avô...
Nunca pensei que ela acabasse!
Tudo lá parecia impregnado de eternidade

Recife...
Meu avô morto.
Recife morto, Recife bom, Recife brasileiro
[como a casa de meu avô.
Manuel Bandeira

Logo na segunda quinzena de outubro de 1918, o jornal *A Provincia* noticiou que as notificações de óbitos causados pela gripe espanhola no Recife, divulgadas pelo boletim da Diretoria de Higiene e Saúde Pública, não correspondiam ao número de mortos enterrados diariamente nos cemitérios da cidade. O jornal tinha imaginado um jeito sagaz de comprovar o que estava dizendo: todo dia despachava um punhado de repórteres para pesquisar a quantidade de enterros ocorridos no cemitério público de Santo Amaro — o maior e o mais tradicional de Pernambuco, criado em 1851 para sepultar vítimas do surto de febre amarela, que não podiam ser enterradas em igrejas, como era o costume. Em seguida, os jornalistas processavam os registros obtidos, comparando-os com a média diária do mesmo período verificada no ano anterior.

O levantamento de dados sobre os registros de óbitos teve início no dia 12 de outubro. À medida que os resultados foram aparecendo, ninguém mais duvidou da importância do que estava sendo descoberto, e os repórteres passaram a incluir na ronda diária os cemitérios localizados nos subúrbios: Barro, Várzea e Arraial. Juntaram as peças como num quebra-cabeça e, duas semanas depois, as pessoas abriram *A Provincia* para ler a respeito do assunto. Entre os meses de setembro e outubro de 1918, o número de mortes no Recife fora superior ao registrado em qualquer outra época da história da cidade. O jornal concluía que nunca, em Pernambuco, outra epidemia fizera tantas vítimas em tão curto espaço de tempo. Mas havia ainda mais. A ronda dos repórteres tinha descoberto um fato novo e desconcertante: a quantidade de enterros diários não batia com os números de óbitos divulgados pelo governo, denunciava *A Provincia*.

O diretor de Higiene, José Otávio de Freitas, acusou o golpe. Ele assumira o cargo havia pouco. Seu antecessor, Abelardo Baltar, morrera em 12 de outubro, de espanhola, causando um medo generalizado na cidade. Ia ser preciso esclarecer a razão pela qual os números oficiais não equivaliam aos apurados pela imprensa. Logo ele ensaiou uma resposta ao *Jornal Pequeno*, um matutino de grande circulação no Recife e politicamente afinado com o governo do estado: "Efetivamente, com o atestado expresso de influenza, são notificados apenas os óbitos que a Higiene denuncia. [...] Mas ao lado destes ainda persistem os atestados de moléstias indeterminadas". Sem alternativa melhor, Freitas foi em frente. Em entrevista ao *Jornal Pequeno*, confirmou que os médicos encarregados da saúde pública em Pernambuco não só estavam autorizados a atestar que um número expressivo de mortes diárias ocorridas na capital tinha causa "indeterminada", como registravam o motivo do óbito com o nome de "tanatomorbia".

A Thanatomorbia

Não tenha medo o leitor. E' apenas um neologismo pittoresco, inventado pela Hygiene official de Pernambuco; um euphemismo, para significar a ignorancia da sciencia pernambucana diante de certas doenças. Porque não se encontra em nenhum annuario estatistico de demographia sanitaria; nem no Larousse, providencia dos jornalistas; nem nos Tratados de Hygiene; nem no Armand Collin; nem no Diccionario de Littré, o indiscutivel tira-duvidas de todas as questões lexicas; nem nos "Grandes males e grandes remedios" do dr. Rengade, o magnifico Chernoviz portuguez, muito mais claro e mais pratico do que o francez.

E' uma invenção nossa, pernambucana, legitima pernambucana, da nossa industria medica.

"Tanatomorbia", que significa "doença que mata", foi o termo que as autoridades do Recife usaram para driblar as estatísticas da espanhola. A Provincia, *25 de outubro de 1918.*

Os médicos da Diretoria de Higiene inventaram uma doença que não obedecia a nenhum padrão científico, só existia em Pernambuco e não queria dizer coisa alguma. *Thánatos* é um elemento grego que significa "morte"; já o sentido de *morbus*, em latim, é "doença". "Tanatomorbia" não nomeava patologia nem enfermidade; era neologismo. Não se iluda quanto ao uso de um termo empolado, avisou *A Provincia*; no Recife, as pessoas estavam morrendo de uma "moléstia que determina a morte".

Otávio de Freitas era um médico afamado. Piauiense de nascimento, estudara na famosa Faculdade de Medicina da Bahia mas se formara no Rio de Janeiro, e acabou se estabelecendo no Recife. Assumiu a posição de diretor de Higiene quando a média de vida na cidade era de 31 anos. Como "prevenir" representava sua preocupação maior; Otávio era conhecido àquela altura por combater a comercialização de produtos deteriorados, fiscalizar matadouros e trabalhar no sentido de melhorar a precária rede de esgotos ali existente. Ainda no início do século XX, quando a peste bubônica assolou o Recife, ele se dedicou a evitar que a doença se transformasse numa epidemia. Nomeou um médico negro de grande popularidade, Vicente Gomes, para atuar junto às camadas mais carentes da população, levando-as à vacinação em massa.

Apesar desse currículo, a principal autoridade de saúde do estado estava contrariando o bom senso e a experiência médica e científica. Segundo Otávio de Freitas, tinha gente no Recife, em outubro de 1918, morrendo de "tanatomorbia", termo que vinha gravado no atestado de óbito daqueles que a Diretoria de Higiene simplesmente decidia classificar como "pessoas falecidas sem assistência médica ou pessoas enviadas ao necrotério sem atestado de facultativos". Faltou explicar por qual motivo morria-se tanto daquela nova doença no período mais dramático de disseminação da gripe espanhola na cidade. O diretor de Higiene também deixou de esclarecer o grau de letalidade da "tanatomorbia", que na capital de Pernambuco matava mais que a própria gripe espanhola. No dia 24 de outubro, por exemplo, foram apontadas, oficialmente, 74 mortes por "tanatomorbia" contra 24 por influenza. Na véspera, já tinha acontecido coisa parecida: quarenta mortes por "tanatomorbia" contra 31 por influenza — além do registro de que haviam ocorrido dois óbitos "sem indicação de moléstia".

Um registro de óbito atesta a realidade da morte. É a confirmação feita a um grupo de pessoas de que uma perda sucedeu de fato. Na vida de uma sociedade, atestar o óbito significa construir uma fonte de informação para planejar o futuro. As estatísticas de mortalidade são a melhor ferramenta que os médicos oferecem ao estado para que conheça as condições sanitárias da população. São essas estatísticas que permitem ao governante formular políticas públicas adequadas, visando a melhoria na situação de saúde de toda a comunidade. Os registros de óbito fornecem os dados essenciais; sem eles, há um apagão estatístico e o estado fica às escuras: não tem informações suficientes sobre a realidade da população para dimensionar suas necessidades, avaliar o resultado das ações de proteção e planejar as políticas de saúde.

Por isso, um registro de óbito precisa, antes de tudo, ser fidedigno: o médico deve examinar o corpo e evitar empregar termos vagos — por exemplo, "parada cardíaca" ou "falência de múltiplos órgãos" — ao documentar uma morte. É bem verdade que uma epidemia não se compara a uma doença qualquer. No seu desenrolar, nasce uma dor específica: a abolição da morte personalizada. Durante o período da peste, compreende-se facilmente de onde vem essa dor; o medo do contágio se instala na população e o importante para todos é livrar-se do cadáver o mais depressa possível. O anonimato não elimina, porém, a necessidade do registro fidedigno da morte. Ele revela a dimensão e a intensidade do mal, ajuda a encontrar suas causas, possibilita a reconstituição de um histórico do qual sairão logicamente os meios para enfrentar a doença.

Portanto, a invenção da "tanatomorbia", no Recife, não era só um modo diferente de dizer as coisas, tampouco uma afetação pernóstica de burocrata de província. A Diretoria de Higiene estava maquiando os registros de óbitos e apagando friamente o mapa da epidemia para atender a um propósito político. Criou uma doença de nome empolado e falsamente científico para embrulhar o número elevado de vítimas diárias de gripe espanhola na cidade. Não significava nada, mas combinava à perfeição com a estratégia adotada por um governo estadual que acreditava ser capaz de dominar a peste fingindo que ela não existia.

Quando a gripe espanhola desembarcou no Recife, em setembro de 1918, talvez por volta das oito horas da manhã do dia 9, no momento em que o navio *Demerara* atracou no cais externo do porto, o Nordeste ainda não tinha sido inventado pela República. A região que hoje conhecemos por Nordeste se separou do Norte a partir da década de 1920, e obteve sua certidão de nascimento em 1942, quando Getúlio Vargas criou a primeira divisão regional do Brasil: Norte, Nordeste, Centro-Oeste, Sul e Leste. Em 1918, o Recife era considerado a principal sede comercial e financeira do Norte. Estava conectado com os grandes polos econômicos da Europa e dos Estados Unidos, além de ser passagem obrigatória dos vapores que percorriam o litoral brasileiro e onde primeiro atracavam as embarcações transatlânticas.

Mas com um pormenor. O porto do Recife não dispunha de estrutura para receber navios de calado profundo. A água era rasa, o canal estreito, a embarcação poderia encalhar nos bancos de areia, e a prudência recomendava fundear no Lamarão, um ancoradouro externo, no alto-mar, fora da linha dos arrecifes. A emenda, no entanto, saiu pior do que o soneto: os navios eram devastados pelas ondas. Era "menos perigoso transpor o oceano desde

Bordéus até o Lamarão do que do Lamarão à cidade do Recife", vociferou o presidente da província de Sergipe entre 1859 e 1860, e conselheiro do Império, Manuel da Cunha Galvão, ainda na segunda metade do século XIX.

Cunha Galvão era engenheiro e sabia do que estava reclamando, mas 58 anos depois seguia tudo igual. A chegada ao porto do Recife continuava traiçoeira, o ancoradouro externo funcionava de modo precário, e o desembarque acontecia em condições ainda piores. Passar da escada do navio para botes, jangadas, lanchas e escaleres que balançavam perigosamente em alto-mar era um procedimento temerário. Não sabemos se o conselheiro chegou a experimentar a alternativa inventada pelas companhias de navegação para tentar evitar que os passageiros e os estivadores que desciam as cargas dos porões dos navios para os armazéns em terra caíssem no mar durante a baldeação. Era preciso entrar num grande cesto, colocado pelos marinheiros no convés, onde cabiam entre seis e oito pessoas; em seguida, um guindaste suspendia o cesto e o manobrava até depositá-lo no piso de bordo de uma alvarenga — uma espécie de barco sem propulsão, com formato de plataforma de madeira, que se encarregava do transbordo.

As condições do mar tornavam o desembarque mais imprevisível e, claro, havia constantes reivindicações de que se fizesse algo para melhorá-lo. Em 1918, o porto enfim estava em obras, mas o *Demerara* baixou carga e passageiros ainda pelo sistema de cesto. Algumas pessoas desembarcaram contaminadas, se recolheram em casas particulares e, provavelmente desse modo, a gripe espanhola entrou pela primeira vez na cidade.

No final do mês de setembro foi a vez de o vapor *Piauhy* descer tripulantes infectados procedentes da Europa. Numa nota, o *Jornal Pequeno* informou que o vapor *Corcovado*, vindo da Europa e da África, tinha chegado a Macau, no Rio Grande do Norte, com vários tripulantes infectados. Uma vez naquele porto, dois deles foram transferidos para o vapor *Piauhy*, da mesma companhia de navegação, que aportou no Recife no dia 24. Ambos foram desembarcados pela saúde dos portos e conduzidos ao Hospital de Santa Águeda, na área urbana, onde receberam o diagnóstico de "gripe intestinal". Isso levou a Diretoria de Higiene a questionar a entrada dos doentes na cidade. Acharam melhor enviá-los para o lazareto de Tamandaré, um hospital de isolamento no litoral sul de Pernambuco, que servia para viajantes suspeitos de ter moléstias contagiosas fazerem quarentena. Já a Inspetoria não concordou, dizendo que seguiam as normas vigentes e que a Santa Casa, a qual administrava o Hospital de Santa Águeda, era obrigada a aceitar os doentes que chegavam. Enquanto a Diretoria e a Inspetoria trocavam notas, a gripe se espalhou no Recife.

Entre a chegada do *Demerara* na manhã de 9 de setembro e o desembarque dos marinheiros do *Piauhy* no dia 24, o vírus se irradiou, infectando primeiro os trabalhadores do porto. Havia uma intimidade entre o porto e a cidade, e uma consequente dispersão das atividades de estivadores, barqueiros, fiscais de alfândega, carregadores de armazéns e "práticos", os incumbidos de manobrar os barcos e realizar o trabalho de ancoragem e amarração.

Do cais, a espanhola seguiu para o bairro do Recife, uma estreita faixa de terra espremida entre o mar e os rios Capibaribe e Beberibe — a zona portuária de onde a cidade se originou. No século XVI, a capital era Olinda, e ali só existia um ancoradouro para embarque de pau-brasil e açúcar. Em torno dele, foram sendo erguidos armazéns e depósitos para abrigar os produtos que seriam enviados à Europa, além de moradias para os trabalhadores; a região passou a ser conhecida pelo nome de Arrecife dos Navios. Foi preciso acontecer uma revolta entre 1710 e 1712, a Guerra dos Mascates, para o Recife ser elevado à condição de vila, dotado de autonomia e separado de Olinda.

Entre 1911 e 1912, em nome do embelezamento, casebres e alguns monumentos importantes para a história do Recife foram postos abaixo.

Em 1918, toda a zona portuária se achava em obras. A elite pernambucana sonhava com uma modernidade cosmopolita, estava de olho no que acontecia no Rio de Janeiro, onde o engenheiro Pereira Passos procurou fazer da capital da República uma vitrine para captação dos interesses estrangeiros e apostou numa acelerada transformação do espaço da cidade em nome do progresso, da industrialização e da assim chamada civilização.

O projeto de urbanização que vinha embutido nesse programa modernizador botou o bairro do Recife abaixo. Profissionais especializados, como os engenheiros ingleses Michell Whitley e Douglas Fox, foram contratados para dar início à reforma da cidade. Criou-se, ainda, a Comissão de Saneamento do Recife, com a direção do engenheiro Francisco Saturnino Rodrigues de Brito. A elite pernambucana tinha encontrado um modo de expulsar dos bairros centrais a pobreza e as atividades ligadas ao mundo do trabalho. Antes que alguém pudesse entender a confusão, começaram a demolir o casario antigo, um aglomerado de sobrados magros, como se dizia na época, que cresciam espichados por conta do arruamento estreito e, em geral, serviam de moradias coletivas para trabalhadores do porto. No processo de embelezamento da área urbana portuária, aconteceram a derrubada de marcos históricos — a igreja do Corpo Santo, os velhos Arco de Santo Antônio e Arco da Conceição — e o desmanche das ruas estreitas e tortas, como a da Cadeia, a do Comércio e a dos Judeus, que viviam abarrotadas de gente, além de congestionadas pelo trânsito de carroças e tropas de burros vindas do interior do estado.

Tudo destruído com a avidez característica de quem vê um bom negócio pela frente. O projeto urbanístico abriu espaço à implantação de avenidas largas, arborizadas, com jeito de bulevar e capazes de abrigar os prédios adequados ao principal centro comercial e financeiro do Norte do país; aliás, um centro tão dinâmico quanto o Rio de Janeiro, gabavam-se os pernambucanos. Já era tempo de substituir os velhos meios de locomoção da cidade: com o fim das atividades da Ferro-Carril e da Brazilian Street, o bonde elétrico virou senhor absoluto do transporte de massa no Recife. E, se essas alterações atendiam, teoricamente, a todos os grupos sociais, na prática antigos moradores eram marginalizados pelo processo "civilizatório". Tratava-se de um urbanismo de exclusão e com alvo definido.

A zona portuária precisava de uma cara nova e moderna, de preferência espetada de bancos, firmas de exportação e importação, seguradoras e companhias de navegação. A valorização da área foi imediata. Mas em setembro de 1918, quando a espanhola desceu ao bairro do Recife, a reforma urbana estava a pleno vapor — só iria terminar dali a cinco anos. No meio dos escombros do material demolido e da poeira que subia do entulho, o lugar era um caldeirão fervendo de gente, onde se acotovelavam viajantes, banqueiros, trabalhadores do porto, marinheiros, comerciantes, homens de negócios. O caminho estava aberto para o vírus. Bastava seguir em frente pelo bairro de Santo Antônio, então o centro administrativo e cultural do Recife.

O governo custou a dar o alerta, e os jornais não perdoaram. Só no dia 9 de outubro reconheceu que a gripe tinha se instalado na cidade e tomou as primeiras providências com a publicação de uma nota oficial da Diretoria de Higiene. Claro que todo mundo, ou quase, sabia da existência de uma gripe nova e esquisita rodando pela Europa e na costa africana; mas ela atacava muito longe. Ninguém imaginava que aquilo era uma epidemia, que logo chegaria ao Brasil e que, àquela altura, o vírus já circulava no Recife.

É bem verdade que os tripulantes doentes a bordo do vapor *Piauhy* foram rapidamente encaminhados a um lazareto e tratados pelos médicos ligados à Inspetoria de Higiene do estado, onde eram atendidos apenas pacientes com sintomas comuns à gripe. Contudo, o diagnóstico foi tranquilizador: os enfermos não apresentavam nenhum traço de anormalidade. "São casos comuns de gripe, como aqui e por toda parte ocorrem em certas épocas,

Construção de armazéns durante as obras do porto no bairro do Recife, 1914.

geralmente de forma toracoabdominal", insistiu o então diretor de Higiene, Abelardo Baltar, em entrevista ao *Diario de Pernambuco*, em 30 de setembro. "Os casos de 'influenza' ocorridos a bordo do *Piauhy* nada revelam de extraordinário." E arrematou: "tratando-se de uma moléstia contagiosa que sempre o foi [gripe] — e não somente agora porque tivesse grassado aqui ou ali com intensidade mais ou menos notável, é claro que aconselhamos ao público as cautelas comuns que a gripe impõe por toda parte".

Baltar era um jovem médico de 34 anos, e continuava insistindo que o Hospital de Santa Águeda não tinha condições de receber doentes que necessitassem ficar isolados. Enviou, inclusive, um comunicado ao inspetor federal do porto do Recife, que, revoltado com a medida, ameaçou abandonar os infectados no cais. O inspetor mandou um telegrama para Seidl, que dirigia a saúde na capital da República, dizendo que Baltar não permitia que os enfermos entrassem na cidade. Lembrava ainda que o hospital recebia isenção de impostos da União e que, por isso, o governo federal teria poder para passar por cima das determinações das autoridades estaduais. Seidl chegou a enviar telegrama ao inspetor, afirmando que era preciso redobrar as medidas de higiene nas embarcações e a inspeção dos navios de passageiros, especialmente na terceira classe, mas que os doentes deveriam ser recolhidos ao hospital local. Dizia também que, se Baltar se mantivesse irredutível, a saída seria ordenar que os navios rumassem direto para a Bahia, sem parar no Recife. Diante do impasse, Baltar cedeu.

Passados doze dias, 470 pessoas morreram vítimas da gripe espanhola, entre elas o próprio Abelardo Baltar. Até o caos se instalar no Recife, porém, a estratégia das autoridades foi esperar para ver o que acontecia, agindo como se em Pernambuco se estivesse no melhor dos mundos. A cidade não iria se livrar do vírus, mas certamente teve a chance de dar mais atenção ao perigo. A chegada do vapor *Piauhy* serviu de teste; com o problema nas mãos, o diretor de Higiene tentou tomar algumas precauções. Atravessou a praça da República na direção da sede do governo estadual e, indiferente ao entra e sai do Palácio do Campo das Princesas, subiu pela escadaria principal até o primeiro andar. Reuniu-se com Manuel Borba, o presidente do estado — como eram chamados os governadores durante a Primeira República —, e com o secretariado. Propôs adotar uma medida drástica: decretar quarentena no porto para todas as embarcações vindas da Europa, dos Estados Unidos e da África.

Podia não ser uma providência inteiramente satisfatória, todavia reduziria as chances de contágio. Mas o governo não queria nem ouvir falar em quarentena, e por isso a medida foi deixada de lado. Seria um desastre para a economia, alegaram os participantes da reunião; teria impacto direto nas exportações do açúcar e do algodão, os principais produtos do estado, que já enfrentavam um cenário de crise, e no processamento do grosso das atividades de exportação e importação de mercadorias. Ninguém ali pretendia pagar a conta do prejuízo causado por mais uma epidemia de gripe, uma doença que não tinha nada de extraordinário e aparecia periodicamente na cidade.

Uma medida como aquela iria jogar o governo aos leões e provocar pânico na sociedade, pressionou o grupo de secretários. O diretor de Higiene recuou — a gripe era, de fato, uma enfermidade conhecida e praticamente nenhuma autoridade em lugar algum previu o desastre. Aquela foi a primeira grande oportunidade de enfrentar a epidemia, mas a ocasião não foi aproveitada. Inflexível, Manuel Borba decidiu por uma visão suave da questão. Além de minimizar a gravidade da doença numa cidade despreparada, desviou os olhos da população do problema, que iria aparecer para todos e se tornar real: mandou inspecionar os passageiros dos navios aportados, sobretudo na terceira classe, e determinou que eventuais infectados fossem encaminhados para o lazareto de Tamandaré. A reunião aprovou tudo e empurrou a conta para a Diretoria de Higiene.

O lazareto de Tamandaré situava-se a cerca de oitenta quilômetros do Recife e tinha sido desativado, mas Manuel Borba pretendia jogar o vírus para debaixo do tapete. Era político com experiência — com passagens pelo Legislativo antes de se eleger presidente de Pernambuco, em 1915. Ele fez os cálculos da política estadual e brecou as medidas de prevenção. A sucessão se aproximava, com eleições marcadas para o ano seguinte, 1919; os usineiros andavam insatisfeitos com a redução do valor pago pelo açúcar e provavelmente tentariam intervir. O controle político de Pernambuco estava balançando, e Borba precisava de fôlego em curtíssimo prazo para se equilibrar no meio da disputa de poder entre facções da oligarquia local.

Não ia criar uma crise por causa de uma gripe numa conjuntura agitada. Desde 1911, a poderosa oligarquia de Pernambuco partira-se em duas lascas. Numa, mandava o Partido Republicano, liderado por Francisco Rosa e Silva, o maior oligarca do Norte, com fumos de aristocrata, que, de Paris ou do Rio de Janeiro, comandava a política no estado, pelo menos desde 1890, quando fora eleito pela primeira vez deputado federal. Rosa entendia de política nacional; tinha sido vice-presidente de Campos Sales e senador com vários mandatos, desde 1903. Também era proprietário do jornal mais importante do estado, *Diario de Pernambuco* — "sem Rosa ninguém se elege, contra Rosa ninguém governa", diziam os pernambucanos à boca pequena. Na outra lasca, abrigava-se a dissidência de usineiros que se organizou no Partido Republicano Conservador (PRC) e cresceu a partir da vitória de Hermes da Fonseca na Presidência da República, em 1910.

Tanto tempo de mando levou Rosa e Silva a se descuidar. Ele minimizou a possibilidade de se formarem eixos alternativos ao poder estadual fortalecidos por grupos emergentes no interior da oligarquia local. "Somos caranguejos do mesmo balaio", dizia despreocupado. No atacado, não deixava de ter razão: o predomínio da economia agroexportadora carregava para a política os interesses desses grupos, e a engenharia institucional que sustentava a Primeira República era resultado de um arranjo entre oligarquias. Mas, no varejo, a cada eleição presidencial as alianças precisavam ser recompostas. Como estas eram sempre datadas, valiam para um mandato e requeriam renegociação periódica.

Em 1910 ocorrera a primeira eleição efetivamente disputada na República. A batalha eleitoral entre Rui Barbosa e Hermes da Fonseca trouxe de volta o Exército como ator político relevante e exigiu que o candidato vitorioso abrisse o leque de alianças, sobretudo nos estados de maior peso político: Rio Grande do Sul, Bahia, Rio de Janeiro e Pernambuco. Hermes da Fonseca adotou uma estratégia de ingerência nas unidades da federação e criou a "política das salvações" com o objetivo de fortificar as oligarquias emergentes. Significava empregar a intervenção militar para redistribuir o poder entre as elites locais; só escaparam os estados que não passaram por eleições ou que conseguiram num arranjo interno impedir a disputa eleitoral. A criação do Partido Republicano Conservador, por sua vez, servia para abrigar as facções oposicionistas nos estados, integrar esses grupos na esfera nacional e tonificá-los para encarar com chances de sucesso as disputas locais.

Um ano depois, em 1911, o caldo entornou em Pernambuco. Um grupo de usineiros fora do poder se aliou aos militares, lançou a candidatura do general Dantas Barreto, então ministro da Guerra, ao governo estadual, com o propósito de desbancar a facção oligárquica hegemônica no estado. Rosa e Silva acreditava que o poder seria dele para sempre, e demorou a entender que por fim tinha concorrente. Quando decidiu sair ele próprio candidato ao governo, a campanha oposicionista já havia arrebatado o estado.

A eleição embolou. A oposição acusou o adversário de fraude e violência no dia da votação, ocorridas, sobretudo, no interior. Fraudes imperavam na Primeira República e aconteciam em todas as fases do processo eleitoral, do alistamento de eleitores até o reconhecimento dos eleitos. O resultado das urnas dependia menos da vontade do eleitor e muito da manipulação praticada pelos grupos oligárquicos — na cidade de Triunfo, por exemplo, quase no limite com o estado da Paraíba, Dantas Barreto só teria conseguido um único voto. Ainda assim, o resultado final foi apertado: Rosa e Silva se elegeu com 21613 votos contra 19385 dados à oposição.

A abertura das urnas também produziu efeito nas ruas. Começou a circular pelo Recife a notícia de que o jornal de Rosa e Silva — *Diario de Pernambuco* — iria anunciar sua vitória. Não deu outra: uma multidão enfurecida cercou o prédio e ameaçou incendiar tudo, com os jornalistas lá dentro. Dantas Barreto se recusou a aceitar a derrota, seus partidários denunciavam o descaramento de Rosa e Silva em fraudar a eleição. A notícia de que a oligarquia em Pernambuco estava pintada para a guerra chegou ao Rio de Janeiro, e o presidente Hermes da Fonseca resolveu usar a receita das "salvações" e intervir na marra. Despachou tropa federal, empossou Dantas Barreto como governador eleito e mandou os deputados estaduais referendarem a vitória do general; o Congresso Legislativo de Pernambuco tinha 45 parlamentares, dos quais trinta fugiram e quinze ratificaram a posse.

O clima de disputa entre as facções oligárquicas perdurou pelos anos seguintes. O poder havia mudado de mão, mas o ressentimento dos derrotados aumentou. Em 1918, Manuel Borba duelava com uma oposição aguerrida. Sucessor e aliado de Dantas Barreto, ele rompeu com o antecessor no meio do mandato, e precisava dar um jeito de conter o estrago para não ser atropelado pelas eleições que ocorreriam em 1919. Pior: a crise que se abatia no setor agrícola reduzia os valores pagos pelo açúcar e pelo algodão, e enchia os subúrbios do Recife com a migração vinda principalmente da zona canavieira. Com a circulação da gripe pela capital do estado, o ambiente engrossava ainda mais; a saúde custa caro, não oferece retorno imediato às oligarquias, e Manuel Borba apostou que a espanhola poderia ser abafada até ir embora e ser esquecida.

O vírus é que não ajudou. No início de outubro, começou a ficar impossível ignorar o risco e a letalidade da doença. A Diretoria de Higiene decidiu ter chegado a hora de contar à população que o mal estava se espalhando, mas fez um anúncio quase cauteloso:

> A epidemia que ora salteia é evidentemente a gripe ou Influenza. Não a gripe no sentido de defluxo ou constipação, mas a gripe verdadeira [...]. Os médicos têm instrução para fornecer aos miseráveis, além de receitas, os medicamentos necessários. [...] Quanto a medidas e conselhos ao público para evitar a contaminação, a Diretoria de Higiene até hoje se absteve de publicar qualquer aviso nesse sentido, certa de antemão, da ineficácia e no caso não há medida especial a lembrar. Temos apenas a recomendar ao público que se acautele do contato com os doentes. É também de bom alvitre que não frequentem lugares de grandes ajuntamentos, máxime em recintos fechados [...].

A velocidade do contágio empurrava a Diretoria de Higiene a agir. Os jornais passaram a publicar a escala diária de médicos, farmácias e postos de saúde tal como determinado pelas autoridades sanitárias, mas a doença se propagava e não se parecia quase nada com o que habitualmente era considerado uma gripe. A sucessão de tropeços foi inevitável. Farmácias não abriam por falta de funcionários, o número de casos crescia, não havia médicos em quantidade suficiente, os hospitais já estavam sem estrutura para o volume de atendimentos ou internações. Sabia-se pouco sobre a espanhola; as respostas dos médicos eram insuficientes naquele momento: eles receitavam quinino e aspirina.

Os profissionais de saúde estavam perplexos e atarantados, e a população sentia-se anormalmente insegura. O cotidiano fora reduzido a medo e confusão, e, quando a espanhola levou o pânico para dentro das casas, as pessoas perceberam-se vulneráveis e se dispuseram a experimentar todo tipo de chá e remédio caseiro, mezinha ou beberagem. Tinha de existir uma maneira de deter a doença e ver a vida voltar ao normal. Receitas medicamentosas conhecidas ou imaginárias encheram os periódicos: infusão de tília, tintura de angélica ou eucalipto, xarope de alcaçuz ou de tolu, chá de flores de laranja, chá de enxofre com casca de limão e tintura de briônia, chá de sabugueiro, água laxativa vienense, magnésia fluida, benzoato de sódio. Um leitor do jornal *A Provincia* recomendava às autoridades que proibissem a venda de frutas, em especial abacaxis, e disparassem bombas para o céu de modo a provocar chuva — "o ar rarefeito deve-se corromper", explicou. E muita gente começou a acender fogueiras pelas esquinas do Recife para queimar enxofre e alcatrão: acreditavam ser esse o modo de purificar o ar sujo e contaminado pelas emanações pútridas que provinham do solo. Era uma prática antiga. Em seu livro *Um diário do ano da peste*, o escritor Daniel Defoe faz alusão às grandes fogueiras acesas em Londres, em 1665 e 1666, durante a peste bubônica que exterminou entre 75 mil e 100 mil londrinos.

A expansão da epidemia se intensificou a partir da metade do mês de outubro. Com um número de doentes sem precedentes na história da cidade, a Diretoria de Higiene deu início à assepsia dos prédios públicos — o mercado de São José e os armazéns do cais do porto passaram por desinfecção com creolina no dia 17; no dia 19, foi a vez dos Correios e do Quartel de Cavalaria do Exército. A prefeitura se pôs a realizar limpeza noturna nas ruas e praças da área central, e foram impostas algumas medidas mais rígidas, como a proibição de visitas aos cemitérios.

Mas o Recife parou por conta própria. O comércio começou a fechar porque os empregados caíam doentes; o movimento nas ruas, cinemas e cafés diminuiu abruptamente; nas estações de trem da Central, do Brum e das Cinco Pontas rareavam passageiros. Uma a uma, as escolas suspenderam as aulas: Ginásio Oswaldo Cruz, Ginásio do Recife, Instituto Carneiro Leão, a Faculdade de Direito e, por último, a Escola de Farmácia. Já o Colégio Salesiano, alinhado ao governo, foi alvo de boatos: diziam que tinha sido muito atacado pela moléstia. Rapidamente, o diretor respondeu que não havia nenhum infectado na escola, que ela só fora fechada "atendendo à solicitação dos poderes competentes". A Liga de Futebol cancelou o campeonato, cessaram as corridas aos sábados no Jockey Club, e suspenderam-se os ensaios da Charanga do Recife, a principal sociedade musical e recreativa da cidade e herdeira dos clubes carnavalescos que existiam no bairro do Recife no século XIX — Xaxadores, Canequinhas Japonesas, Marujos do Ocidente e Toureiros de Santo Antônio.

Por volta do dia 12 de outubro, *A Provincia* convidou seus leitores a observarem outra cidade. Os jornalistas percorriam as ruas à noite e descreviam o Recife quase morto: a passagem dos carros fúnebres levando corpos ao necrotério; janelas e portas hermeticamente fechadas na maior parte das residências. Aqui e ali alguém tossia com insistência e não havia ninguém que o escutasse. Na rua do Imperador, no centro comercial, chamava atenção o bater incessante dos martelos na Casa Agra, uma funerária sobrecarregada de trabalho. A evocação, feita pelo jornal, da cidade sitiada pela espanhola lembra os efeitos descritos em outros tempos e lugares pelos inúmeros cronistas da peste. Reapareceram o silêncio opressivo e a falta de comunicação entre os moradores bloqueados em suas casas. Também renasceu a atmosfera de desconfiança, que se instalou por toda parte, já que até os próximos se afastam uns dos outros por medo do contágio. Naquele fatídico outubro de 1918, tudo, no Recife, estava fechado e interditado, relatou *A Provincia*.

Uma epidemia expõe todo mundo à doença e escancara as desigualdades de uma sociedade. No Recife não foi diferente. A espanhola atingiu com especial dureza a população pobre, sem esgoto, sem água encanada. O projeto de urbanização e modernização da cidade, que tinha criado uma Comissão de Saneamento em 1909, e inaugurara o serviço de esgoto e água encanada para a área central ainda em 1915, revelou a distância crescente entre o mundo político e as ruas: estava prevista a canalização de esgotos para 16 mil casas; em 1919, com o projeto parcialmente concluído, apenas 3 mil a haviam recebido.

Com a crise nos preços do açúcar, o problema se alargou. Cresceu a migração da zona canavieira para a capital e o Recife inchou com a proliferação dos mocambos. A palavra "mocambo" significa "esconderijo": casebre de barro batido a sopapo e pau a pique. Os mocambos urbanos equilibravam-se nas encostas das áreas pantanosas — os mangues. No lodaçal dos mangues proliferam ostras, siris, unhas-de-velha, lambretas, mexilhões e caranguejos; quando muda a maré, aparecem bagres e linguados. Era nessa mistura ainda incerta de terra e água que a população miserável, em geral imigrante tangida pela seca ou pela crise do açúcar, encontrava alimento e se instalava. O mocambo é a casa dos habitantes dos mangues — os "homens caranguejos", metáfora criada cinquenta anos depois por Josué de Castro.

A epidemia avançou, altamente contagiosa, nos alagados do Capibaribe; ao mesmo tempo, precipitou-se pelos bairros paupérrimos de Afogados, Encruzilhada, Pina, Santo Amaro, Torres, Iputinga e Remédios. Como os bondes pararam de circular, quem morava na periferia e necessitava buscar atendimento tinha de se deslocar até a área central da cidade. Alguns não conseguiam voltar para casa; ficavam pelas calçadas, na rua da Aurora, rua Nova, ou no Quartel de Santo Antônio, até serem socorridos pela assistência e levados a um hospital ou ao necrotério. A espanhola também não poupou os velhos sobrados abandonados que os trabalhadores do porto transformavam em moradias coletivas. No início de outubro, um estivador conhecido pelo apelido de Maceió morreu da gripe e permaneceu insepulto dentro de casa. Maceió morava, com dez companheiros, num cortiço na travessa do Carmo, uma viela no centro da cidade. Sem dinheiro para o enterro, precisaram apelar para a Diretoria de Higiene, que levou três dias para recolher o cadáver. Pela manhã, nos subúrbios, não era incomum ver corpos sendo conduzidos ao cemitério sobre uma tábua — não tinham nem rede nem caixão.

Em novembro, tão brutal como chegou, a espanhola partiu. O general Joaquim Inácio Batista Cardoso, então comandante da Região Militar, no Recife, não teve dúvida: baixou uma ordem do dia declarando extinta a epidemia. E endereçou o comunicado ao presidente do estado, Manuel Borba: "Podendo considerar-se extinta a epidemia que, por algum tempo, perturbou a vida normal do pujante estado cujos gloriosos destinos acham-se entregues à vossa reconhecida competência". Já os jornais provocavam: "para que não digam que é mentira". A peste deixou um rastro de morte e devastação no Recife. Numa população estimada em 220 mil habitantes, 122 mil foram infectados. Os registros indicam que, só no mês de outubro, 2 mil pessoas morreram.

Até hoje, ninguém sabe com precisão quantas vítimas a gripe espanhola fez na cidade. Contudo, ela deixou, também, um alerta a respeito do que não deve ser feito. Afinal, na disputa política entre as facções da oligarquia pernambucana, o vírus se sagrou vencedor.

4. Escala em Salvador de Todos os Santos

Quem é ateu
E viu milagres como eu
Sabe que os deuses sem Deus
Não cessam de brotar
Nem cansam de esperar
Caetano Veloso

Num sobrado imponente de três pavimentos debruçado sobre a rua, o Palácio Arquiepiscopal, na área central de Salvador, d. Jerônimo Tomé da Silva, arcebispo primaz do Brasil, devia estar perplexo. O mês de outubro chegara ao fim e ele nunca tinha visto nada parecido com aquilo; a gripe varria a cidade e deixava uma fileira de mortos. A espanhola entrou na capital da Bahia, provavelmente, em 11 de setembro, quando o navio *Demerara* fez escala no porto antes de seguir viagem para o Rio de Janeiro. A embarcação foi examinada pela Inspetoria de Higiene, seu comandante confirmou as desinfecções com creolina que foram realizadas a bordo desde a partida do Recife, e ninguém em terra pareceu particularmente alarmado. Os passageiros desembarcaram sem problemas. Contudo, ao menos dois deles haviam se infectado, e morreram um após o outro no curto espaço de dois dias. Menos de um mês depois, Salvador estava sendo dizimada pela doença.

Por volta do dia 27 de outubro, d. Jerônimo resolveu nomear em voz alta a palavra que andavam sussurrando nas ruas. Determinou que os sacerdotes em todas as igrejas da cidade conduzissem uma celebração religiosa especial intitulada "Missa recordare contra pestem". Diante de um perigo tão terrível quanto o da peste, seria preciso erguer uma barreira protetora. O arcebispo então levantou seu escudo com os recursos de que dispunha. A missa que ele escolheu é um rito católico muito antigo. Foi composto pelo papa Clemente VI, no século XIV, com intenção específica de proteger os fiéis contra a ferocidade da peste negra — a pandemia que saiu da Ásia e devastou a Europa, entre 1347 e 1351, matando cerca de um terço da população.

A peste negra foi implacável e tornou-se parte integrante da imaginação do Ocidente; esse é o nome que se usa ainda hoje para evocar o cortejo de horrores e devastações que seguem de perto a explosão de uma epidemia. "Recordare contra pestem" é uma missa votiva especialmente composta para a cessação da peste — seu ofício ocorre em ocasiões excepcionais e fora do curso ordinário da liturgia. Ao celebrante credita-se poder suficiente no final do ato para conceder indulgência aos vivos e absolvição às vítimas da doença que vieram a morrer sem oportunidade de confissão. A peste é um mal recorrente, e o texto da missa passou a ser copiado extensivamente nos livros católicos de orações a partir do século XV; nos missais modernos, foi incorporado com o título "Pro vitanda mortalitate vel tempore pestilentiae".

Com "Recordare contra pestem", Clemente VI pretendia realizar um esforço de mediação entre a comunidade de fiéis que experimentam uma situação-limite e a instância do sagrado. No decorrer do ato litúrgico, o papa intenta revelar a origem da peste, refletir sobre suas consequências e ligar os fiéis aos principais elos católicos de proteção contra a doença. Durante a missa, o celebrante faz duas grandes invocações a Deus. Na primeira, pede que relembre Sua promessa e proíba os anjos de destruírem a humanidade para que o mundo não fique desolado e as almas não se percam. Na segunda, roga que tenha misericórdia do Seu povo, uma vez que, ao envolver-se nesse ritual, cada participante confirma a firme disposição de se arrepender dos próprios pecados. No fim da celebração, os fiéis recebem a indulgência papal e voltam para casa protegidos — "não estavam mais em perigo de serem chamados pela morte instantânea", reza a última parte da liturgia.

Uma cerimônia católica com o propósito de construir um elo de comunicação entre a comunidade de devotos e o sagrado precisa ser longa para expor adequadamente a intenção de arrependimento e expiação; a "Missa recordare contra pestem" é cantada nas igrejas por cinco dias consecutivos. Os participantes devem levar círios ou velas para iluminar o caminho, afastando a ofensiva da praga que se abate como as trevas da noite nas casas contaminadas. Clemente VI deixou prescrita a inclusão de complementos rituais e, em Salvador, d. Jerônimo acrescentou o arremate que desejava ao término da celebração: a recitação do terço, a ladainha de Nossa Senhora, o hino "Pange lingua", composto por são Tomás de Aquino, e, por último, um Cântico de Misericórdia.

Ainda assim, a iniciativa não lhe pareceu suficiente. No fim de outubro, o arcebispo também recomendou à irmandade responsável pela administração da igreja do Senhor do Bonfim a descida do altar-mor da imagem do Cristo crucificado. Em pinho de riga e medindo 1,06 m de altura, a escultura tinha chegado à Bahia no século XVIII. Veio trazida de Portugal a bordo da nau *Setúbal*, em sinal de agradecimento — a invocação ao Bom Jesus, durante uma tempestade, teria livrado do naufrágio e da morte o capitão do barco, Teodósio Rodrigues de Faria, um português envolvido no tráfico de escravizados africanos, e sua tripulação.

Instalada em Salvador, numa igreja construída no alto de um morro sobre o aglomerado urbano na Cidade Baixa — a Colina Sagrada, como o lugar ficou conhecido —, a representação do Senhor do Bonfim tornou-se alvo de intensa devoção popular. O culto só fez crescer e, a partir do século XIX, a população passou a apelar à intercessão do Cristo agonizante também nos momentos de calamidade pública, em especial aqueles relacionados às epidemias. Em 1855, a imagem saiu pela primeira vez pelas ruas em procissão, para ouvir a súplica de uma cidade inteira diante do flagelo imposto pelo vibrião do cólera. Durante a gripe espanhola, contudo, o arcebispo não considerou ser necessário ao Senhor do Bonfim deixar sua igreja. A imagem foi postada no centro da nave, ao alcance do fervor dos fiéis que, em romaria, beijavam os pés do Cristo agonizante invocando proteção contra a doença.

Uma epidemia é um mal misterioso, a população estava inquieta e a ciência médica não dispunha de respostas imediatas, mas a religião poderia providenciar os meios de ajuda para as pessoas suportarem o tempo difícil que viviam. A solução era particularmente acertada numa cidade e estado marcados por uma religiosidade tão misturada e disseminada, na qual se acomodam rituais do catolicismo tradicional àqueles dos cultos de matriz africana.

Na igreja da Ordem Terceira do Carmo, d. Jerônimo já havia recomendado descer do nicho, no alto do corredor lateral, a figura em cedro de são Roque, reverenciado como o santo a quem se dirigem os católicos acometidos pela peste; "tu serás na peste o protetor", é a divisa ostentada por são Roque. Os santos antipestilentos — são Roque, que no catolicismo sincrético da Bahia corresponde ao orixá Omulu das doenças e curas, e são Sebastião, também conhecido como Oxóssi, que vive da caça e de andar nas matas — são intercessores qualificados para abrandar a justiça divina. Em face do Senhor do Bonfim, porém, podia-se ir mais longe: a intermediação com o sagrado se tornou acessível a todos. O arcebispo criou as condições para sua comunidade de devotos estender os braços e rogar diretamente ao Todo-Poderoso.

O mês de outubro foi especialmente sombrio para a população de Salvador. Mas o governo da Bahia insistia em rejeitar a doença que d. Jerônimo anunciou, sem meias-palavras, como sendo a peste. Aquilo era gripe, "influenza benigna", que aparecia todo ano, e era sem dúvida transmissível — talvez a propagação fosse mais abrangente do que o habitual, concediam as autoridades em declarações aos jornais. Àquela altura, a concessão já era um avanço. Enquanto foi possível, o presidente do estado, Antônio Ferrão Muniz de Aragão, negou com veemência a probabilidade de existir uma epidemia de gripe na capital baiana. Tudo invenção de oposicionistas antipatriotas e sem escrúpulos que estavam dispostos a qualquer coisa para desmoralizar a Bahia e desacreditar as autoridades, reforçou, irritado, no final de setembro, ao jornal *Diario de Noticias*, o deputado federal Arlindo Leoni, aliado de primeira hora do governo, enquanto o vírus se espalhava ferozmente pela cidade.

Por trás da estudada indiferença demonstrada por Muniz de Aragão e pelos políticos da situação, o que estava em cena era o tipo de resposta que as autoridades pretendiam oferecer à emergência epidêmica. A chegada da espanhola a Salvador escancarava os bastidores da longa crise em que o estado se achava mergulhado, e a gripe não poderia ter sido mais reveladora. Expôs o modo de governar e a desfaçatez da oligarquia local, os pontos fracos da administração pública, as fissuras abertas e os arranjos políticos que tinham sido montados. Muniz de Aragão negou a epidemia porque se sentiu ameaçado. E porque percebeu desde cedo que o governo também seria contagiado pela peste.

Salvador foi planejada para ser "como coração no meio do corpo", na definição famosa de frei Vicente do Salvador, um franciscano do século XVII que se tornou nosso primeiro historiador — uma cidade concebida para operar, ao mesmo tempo, como embarcadouro, fortaleza e centro de governo. Em 1918, os problemas de Muniz de Aragão com a espanhola começavam precisamente no porto de Salvador, a porta de entrada dos germes que desembarcavam com regularidade, trazidos por navios estrangeiros. Também era pelo porto que as doenças seguiam adiante pela baía de Todos os Santos e se espalhavam levadas pelas embarcações a vapor que efetuavam a cabotagem baiana e a navegação para o Recôncavo.

Para as autoridades estaduais, negar a notícia de que a capital da Bahia fora alcançada pela espanhola era um jeito de blindar o porto. A economia do estado mantinha-se basicamente agromercantil e os negócios, ao menos em Salvador, não andavam nada bem. Fazia um bom tempo que a cidade do Recife comandava as operações financeiras e comerciais do Norte, e essa liderança puxou Salvador para fora do centro nervoso da economia regional. Ademais, o crescimento da lavoura cacaueira no sul do estado deslocou as operações de compra e venda do cacau para o eixo Ilhéus-Itabuna, e isso aconteceu na mesma velocidade em que o produto assumiu posição de destaque da pauta de exportação da Bahia. Para completar a falta de sorte, as vendas internacionais de fumo sofreram forte retração no período, consequência direta da Primeira Guerra e das restrições de comércio com a Alemanha.

A conjuntura era de crise econômica e a possibilidade de Salvador ser classificado como "porto sujo" seria um deus nos acuda. Impedidos de atracar, os navios precisariam descarregar mercadorias ao largo da baía de Todos os Santos; os custos iriam aumentar e sucederiam prejuízos incalculáveis, agouravam as autoridades. Salvador corria o risco de tornar-se "porto a ser evitado" e, nesse caso, também existia o perigo de ver reduzido ao mínimo o serviço de transporte de cargas e passageiros do Lloyd Brasileiro, a companhia de navegação transoceânica de propriedade da União, que explorava as principais linhas marítimas tanto para a região do rio da Prata como para a Europa e a América do Norte.

Fingir que uma epidemia não existe significa empurrar a economia à custa da população em risco. Em 1918, na capital da Bahia, a situação era grave. A gripe espanhola se abateu sobre uma cidade cujos habitantes sofriam com escassez de gêneros de primeira necessidade, rendimentos baixos, aumento dos aluguéis e do preço das passagens de bonde. A partir do mês de julho, a especulação cresceu, a farinha de trigo sumiu do mercado e, por consequência, o preço do pão disparou. O que hoje chamamos "cesta básica", o conjunto de alimentos considerados essenciais para subsistência de uma família, estava pela hora da morte, confirmava, alarmado, o jornal *A Tarde* de 13 de setembro: "Apiedai-vos do povo, já na iminência da fome! Pão, bacalhau, charque e açúcar. Urge baixar-lhes os preços proibitivos para a pobreza. A crise alimentícia torna-se intolerável". Não era a única provação entre os mais pobres. Os censos realizados entre 1912 e 1920 registram um declínio populacional na cidade, que não se refletiu em ampliação da oferta de imóveis. Ao contrário: faltavam moradias e o valor dos aluguéis bateu nas nuvens.

Além da especulação, da alta de preços e da escassez de gêneros, havia a perda de renda e trabalho. A Bahia promoveu uma industrialização nas franjas da economia agromercantil e apostou suas fichas na indústria têxtil. Na capital, o setor resolveu os problemas criados pela Primeira Guerra, como o aumento de custos de produção, a elevação no preço das matérias-primas, sobretudo o algodão e o carvão, e a retenção de estoques, com redução de dias e horas de trabalho, compressão de salários, contrato por empreitada. Em outras manufaturas, como chapéus, velas, charutos de calçados, os trabalhadores gastavam os dias sobressaltados com a ameaça da perda de emprego. O ramo dos chapeleiros, por exemplo, estava estagnado e, para piorar ainda mais a situação, em abril de 1918, a principal fábrica do ramo na Bahia, Companhia Chapelaria Norte Industrial, foi destruída num incêndio — de uma só vez, quinhentos operários ficaram sem trabalho.

Salários baixos, emprego incerto, custo de vida alto, não atingiam apenas as camadas mais pobres da população ou os operários. A crise alcançou comerciários, trabalhadores do porto, funcionários públicos. A essa altura, o governo temia reações. Afinal, manifestações populares aconteciam, em Salvador, em conjunturas de luta contra a carestia, pelo menos desde 1911, quando o rábula Cosme de Farias organizou o Comitê Popular contra a Carestia de Vida, e comandou comício e passeata na cidade exigindo providências imediatas das autoridades. Em 1917, com o agravamento da crise, a população retomou as mobilizações, voltou às ruas, cercou o Palácio do Governo e um manifestante foi morto, à bala, pela polícia.

Nos primeiros meses de 1918, as greves tiveram início. Após quase três anos sem receber salários regulares da intendência de Salvador — o equivalente à prefeitura da cidade —, os professores suspenderam as aulas e fecharam as escolas primárias. Reuniões foram convocadas, e os grevistas obtiveram o apoio dos docentes do Ginásio da Bahia, da Escola Normal e do Liceu de Artes e Ofícios. No dia 12 de março, dezenas de professores estavam protestando nas ruas no centro da capital baiana. A passeata bateu de frente com praças da cavalaria, a polícia carregou sobre a multidão, aconteceram correrias e perseguições, mas a greve prosseguiu até o princípio do segundo semestre, quando o governo de Muniz de Aragão, emparedado, atendeu às reivindicações e transferiu o pagamento dos professores das escolas primárias para o estado.

Em setembro de 1918, quando a espanhola estava às portas da cidade, chegou o momento de operários cruzarem os braços. Os trabalhadores da indústria têxtil entraram em greve, na Fábrica Nossa Senhora da Conceição, de propriedade da poderosa

Companhia União Fabril da Bahia. A empresa possuía seis unidades e empregava 1500 operários. Existiam, em Salvador, em torno de quinze sindicatos atuantes da categoria, além de outras formas de organização autônoma de trabalhadores, por exemplo, a Sociedade União dos Operários Estivadores, a Sociedade União Defensora dos Sapateiros, o Centro Automobilístico do Estado da Bahia, a Sociedade União dos Carregadores das Docas e Trapiches. Àquela altura do ano, as autoridades baianas esperavam tudo menos normalidade. E se a gripe fosse o gatilho para que a greve se alastrasse ou mesmo provocasse desordem social?

O governo temia o comportamento da população, sobretudo dos mais pobres, porque a crise não era só econômica. A chegada da gripe espanhola potencializou o risco sanitário, vale dizer, aumentou o perigo de danos ou agravos à saúde das pessoas.

A cidade de Salvador foi construída em dois níveis de terreno ligados por ladeiras, ruelas inclinadas e elevadores hidráulicos, como o Parafuso, na Conceição, renomeado, em 1896, Elevador Lacerda, em funcionamento até hoje, ou o Balança, no Taboão, cujas cabines operavam por contrapeso, à semelhança desse instrumento de medidas, e servia para transporte de passageiros e carga. A ligação entre os níveis topográficos era feita também por ascensores urbanos, como o Plano Inclinado Isabel, com duas cabines de passageiros e herdeiro direto dos guindastes que deslizavam sobre pontes de madeira, invenção engenhosa dos jesuítas para içar mercadorias do porto até o Colégio de Jesus. A construção teve início em 1887 e o nome Isabel foi homenagem àquela que era então considerada sucessora "natural" do trono imperial brasileiro. Com a instalação da República, em 1889, o então diretor da Companhia Circular de Carris da Bahia, Manuel Francisco Gonçalves, decidiu ajeitar a história a seu favor: apagou a referência à princesa e rebatizou o ascensor urbano de Plano Inclinado Gonçalves — seu nome lá está até hoje.

Mercado Modelo, com o Elevador Lacerda ao fundo, Salvador, c. *1912-19.*

Salvador talvez seja a primeira cidade planejada no Brasil, mas faltava saneamento. A comprida e tortuosa faixa litorânea que formava a Ribeira ou Cidade Baixa, cravejada de armazéns, mercados, casas comerciais, oficinas e serviços portuários, era uma região atravessada por vastas extensões de alagadiços e áreas de mangues. Na cumeada dos morros, a Cidade Alta estava repleta de igrejas, edifícios administrativos, grandes sobrados senhoriais, além de vales profundos e mal drenados — como estrias no tecido urbano. Nos dois níveis topográficos, o problema se repetia. Salvador ergueu casas e abriu ruas num solo que misturava entulho e aterro, alagava-se facilmente com as chuvas, e de onde era difícil escoar a água, ambiente ideal para a proliferação dos mosquitos, em especial nos meses de verão. Nas ladeiras, becos e ruelas, os velhos sobrados serviam de casa de cômodos e abrigavam inúmeras famílias que sublocavam o espaço e se amontoavam pelos aposentos — inclusive nos porões, sótãos e águas-furtadas.

A cidade inteira era um grande foco de epidemias. Na Sé, na área central, multiplicavam-se os sobrados insalubres e abarrotados de gente, as ruas e becos continuavam sem pavimentação, e a limpeza urbana só acontecia em dia de chuva. Em bairros como Piedade, Tororó ou Barris, não havia água canalizada nem saneamento — os moradores recorriam às fossas. Insetos disputavam as margens mal drenadas do Dique do Tororó, o único manancial de água natural da cidade, e por ali procriavam nuvens de mosquitos, o inseto voador com melhores condições de albergar e multiplicar diferentes tipos de vírus, bem como executar sua transmissão de animal para animal e para o homem.

Por fim, em Salvador faltava água potável. "Água! Água! A cidade está outra vez sem ela!!!", denunciou com abundância exclamativa *O Imparcial* de 6 de setembro de 1918. Água limpa é medida elementar de saúde pública, sobretudo quando se enfrenta uma epidemia como a gripe espanhola, doença que se previne com a higienização das mãos. Mas tinha gente brincando de avestruz, na capital da Bahia, naquela época: "Nestes perigosos tempos de epidemia, quando a transmissão do micróbio da 'influenza espanhola' anda à espreita do cidadão incauto, é preciso tomar muito cuidado com o aperto de mão", informava o *Diario de Noticias* de 26 de outubro.

A matéria prosseguia, com o redator decidido a dar ao leitor uma lição completa de prevenção sanitária: "Um médico [...] ontem disse-nos que pelo contato das mãos é que muita gente por aí anda 'espanholada'... e não só 'espanholada' como vítima, também, de outras moléstias". E concluía: "Numa época em que procuramos pôr em prática as medidas profiláticas possíveis é preciso não esquecer o aperto de mão, esse perigoso transmissor de moléstias [...]. Cuidado com o aperto de mão!". Faltou explicar ao leitor de que maneira seria possível combinar as medidas profiláticas propostas pelo jornal com a realidade vivida por boa parte da população. Afinal, sem dispor de um sistema de fornecimento de água de qualidade suficiente para higiene e consumo, as pessoas se abasteciam nos chafarizes e fontes públicas. Ou com aguadeiros que vendiam água em domicílio e nas ruas.

Não é difícil, portanto, entender as condições que transformaram Salvador em presa fácil das pragas epidêmicas durante as primeiras décadas do século XX — febre amarela, disenteria, febre tifoide, difteria, tuberculose, malária. Em maio de 1918, contudo, a notícia da devastação social produzida na cidade pelas duas crises superpostas — econômica e sanitária — finalmente repercutiu no Rio de Janeiro. Da tribuna do Senado, o baiano Rui Barbosa, conhecido como um grande orador, caprichou no discurso e disparou um petardo contra a administração do seu estado. A capital da Bahia vivia em situação lastimável, denunciou: faltava água, luz, escolas, os professores estavam sem salário, a população doente, e a carestia imperava. Rui Barbosa era senador da República e

Panorama de Salvador, na Bahia, em 1913.

fazia oposição feroz ao grupo que governava a Bahia desde a campanha presidencial de 1910, quando terminou sendo derrotado pelo militar Hermes da Fonseca, inclusive em Salvador.

Seu principal oponente no Senado, José Joaquim Seabra, sentiu o perigo e reagiu. Seabra foi um político polêmico e temido, comandava com mão de ferro o projeto de poder do grupo instalado no governo do estado e estava furioso. Subiu à tribuna, no dia 3 de junho, disposto a bater boca com Rui Barbosa. Chamou o adversário, diversas vezes, para a briga, e garantiu que nem ele nem seu grupo político tinham responsabilidade alguma no assunto — a conta deveria ser creditada aos "desmandos" de intendentes passados, declarou aos brados. O discurso do senador Seabra era um prodígio de indeterminação, mas ele precisou reconhecer que o exercício da governança, no mínimo, andava sofrível em Salvador: "Na Bahia, senhores, há, em matéria de administração, duas situações distintas: a situação do município é precária, foi de desmandos, foi levada e arrastada a esse estado por faltas sucessivas e por erros acumulados", justificou.

Seabra governou a Bahia entre 1912 e 1916, e escolheu a dedo o sucessor, Muniz de Aragão, cuja única função, diziam à boca pequena, em Salvador, era guardar o lugar para ele voltar, na eleição seguinte, ao Palacete das Mercês. E foi exatamente o que aconteceu, em 1919. Seabra se lançou candidato ao governo estadual e derrotou, na disputa, o juiz Paulo Fontes, apoiado por Rui Barbosa. O projeto de saneamento e reforma urbana da capital era obra do seu primeiro mandato no governo do estado. Seabra ambicionava recriar, na Bahia, a partir de 1912, o plano concebido durante a presidência de Rodrigues Alves para modernização do Rio de Janeiro — e esse teria sido o momento certo para livrar Salvador de sua reputação pestilenta. Ele acompanhou de perto as transformações urbanísticas e sanitárias implantadas no Rio por Pereira Passos e Oswaldo Cruz, concebeu um plano arrojado para reinventar a cidade, mas saneamento não parecia estar entre suas prioridades. Seu projeto pretendia outra coisa: recuperar o protagonismo econômico, financeiro e político da cidade, em especial no Norte; reinserir o porto de forma vantajosa nos circuitos do comércio internacional; e alcançar para a capital do estado da Bahia as alturas da grande vitrine moderna instalada na capital federal.

O projeto foi batizado de "urbanismo demolidor". O carro-chefe do engenheiro Arlindo Fragoso, encarregado por Seabra de refazer Salvador, era botar abaixo uma fartura de quarteirões e vias tão estreitas quanto tortuosas, sobretudo no bairro da Sé. Derrubou velhos sobrados coloniais, particularmente nas ruas da Misericórdia, Rosário, Chile, São Bento, São Pedro, para a abertura de bulevares e avenidas. A sequência de demolições, por sua vez, expulsava a população pobre que habitava os casarões, e essa foi a estratégia concebida para higienizar e ordenar o espaço urbano.

Era um plano de obras elaborado dentro de um novo padrão de racionalidade, elegância e estética importado da Europa que trazia para as elites baianas a sensação de que Salvador enfim entrava em harmonia com o ritmo do progresso e da modernidade. Fragoso abriu avenidas largas e, sempre que possível, meticulosamente retas, com jardins nos canteiros centrais, arborização urbana, calçadas pavimentadas com mosaicos — o caso da avenida Sete de Setembro e da avenida Oceânica. Também alargou a conexão entre as ruas da Misericórdia e Chile para abrigar bancos e casas comerciais, criou um eixo de valorização imobiliária na sequência entre a avenida Sete de Setembro e o Corredor da Vitória, reformou o porto, aterrou parte da Cidade Baixa para aumentar a área comercial, destapou vias de circulação e viabilizou novos fluxos viários, tanto no rumo sul, a partir da Sete de Setembro, como em direção aos bairros da Zona Norte.

Contudo, a reforma urbana ficou pela metade. Os recursos financeiros se esgotaram e Seabra ainda tentou em vão negociar financiamento direto com grupos estrangeiros, alternativa que a Constituição de 1891 facultava aos estados. Não deu certo. A população pobre foi duramente afetada por uma reforma inconclusa, na qual faltou investimento prioritário em obras de saneamento, e a cidade continuou desassistida: sem estrutura sanitária adequada, com sistema de esgoto ineficiente e desabastecimento de água. Prensada entre as alterações profundas nas funções e nos espaços vivenciados na região central e a mudança forçada para as áreas periféricas, muita gente se ajeitou como pôde, inclusive nos inúmeros sobrados que escaparam da demolição e se transformaram em cortiços. E, sem medidas de prevenção às doenças, os germes continuavam à espreita. Em março de 1918, eclodiu um surto de febre amarela; em setembro, como vimos, chegou a hora de Salvador ser invadida pela espanhola.

Muniz de Aragão conseguiu negar a gripe até o momento em que não foi mais possível fingir que a epidemia não existia. As pessoas viam a doença e se sentiam vulneráveis, a cidade começava a parar por conta própria e de forma desordenada, os jornais gritavam que estava tudo errado e era preciso tomar cuidado com o contágio. Em fins de setembro, *A Tarde* deu o aviso: a postura do governo da Bahia era de indiferença, a Diretoria-Geral de Saúde Pública estava paralisada, e tudo isso acontecia "diante da percentagem assombrosa de enfermos na capital". Em 5 de outubro, o *Diario da Bahia* perdeu a paciência: as autoridades baianas, Muniz de Aragão e Seabra à frente, eram os "próceres da mentira", disparou. Cinco dias antes, *A Tarde* retomara a artilharia: "A fábrica Stella não trabalhou hoje. A maioria dos operários adoeceu de 'influenza' [...]; Na Escola de Aprendizes-Marinheiros [...] caíram enfermos 35 aprendizes [...]; No 11º Regimento do Exército, foram notificados cerca de trezentos casos [...]; De carregadores a estivadores, a percentagem é assombrosa de enfermos. E não há epidemia na Bahia...!", estampou na primeira página.

Diante do tiroteio, ficou difícil para o governo sustentar a negativa pura e simples dos fatos. O discurso das autoridades precisou mudar de tom e incluir uma explicação: a epidemia existia, claro, mas era benigna e não havia motivo algum para perder a tranquilidade em face de um mal de menor importância. Chamada aos brios, a Diretoria-Geral de Saúde Pública anunciou solenemente: ainda em setembro, fora nomeada uma comissão médica. Seus membros, professores conhecidos da Faculdade de Medicina da Bahia, famosa em todo o Brasil, tinham prestígio junto a uma clientela particular que atendiam em consultório, e examinaram em torno de quinhentos doentes — numa cidade que contava com quase 300 mil habitantes.

As conclusões foram publicadas num relatório fartamente divulgado pela imprensa. Segundo os integrantes da comissão médica, não existia, em Salvador, doença assustadora pela "novidade ou pelos efeitos, mas sim [...] gripe ou influenza [...] periodicamente observada na Bahia, com a sua costumada benignidade". A novidade era só a inesperada velocidade com que a gripe se espalhava: estava por toda parte, e circulava "num raio mórbido de alcance muito maior". Na sequência, prosseguiu o relatório, seria necessário considerar os dois principais fatores que inflaram a rapidez da disseminação da espanhola na cidade. No primeiro, as condições meteorológicas propalaram a moléstia. Mesmo assim, o prognóstico era tranquilizador: a letalidade estava sob controle, já que o clima da Bahia não era propício às "calamitosas façanhas do diplobacilo de Pfeiffer", o nome da bactéria fina, em formato de bastão, com capacidade de matar, que o bacteriologista alemão Richard Pfeiffer encontrou nos brônquios de pacientes de influenza, e isolou, em 1892; acreditou ter descoberto a causa da gripe, mas estava enganado.

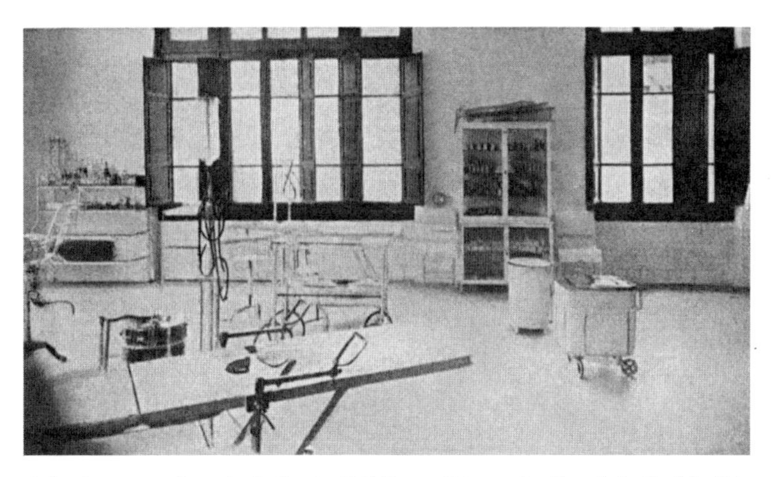

Sala de operações, Assistência Pública e Diretoria-Geral de Saúde Pública, Bahia Illustrada, *dezembro de 1918.*

Na verdade, os médicos baianos conjecturavam sobre as origens da doença. E não especulavam sozinhos; ninguém, no país ou fora dele, sabia exatamente de onde vinha e o que era aquilo. Alguns suspeitavam de um surto de tifo ou cólera — por conta dos sintomas, diziam. Outros discordavam e chamavam de gripe, mas reconheciam que não se parecia com nenhuma manifestação já verificada. Um terceiro grupo apostava no mosquito: era a "febre dos três dias", decretavam, embora a enfermidade durasse uma semana ou mais e pudesse evoluir para um tipo de pneumonia pouco visto até então. Pelo sim, pelo não, em 7 de novembro *O Democrata* publicou um aviso da Diretoria-Geral de Saúde Pública da Bahia, de página inteira e letras garrafais, aos baianos: "Evitai e temei as moscas. Elas podem propagar várias doenças. Combatei as moscas por todos os meios". Não iria vencer a espanhola, porém sem dúvida o aviso poderia contribuir no combate à dengue e à febre amarela que vitimavam com espantosa frequência os moradores da cidade.

Os médicos da Diretoria-Geral de Saúde Pública buscavam pelo diagnóstico, desconheciam um modo para cortar a epidemia pela raiz, mas sabiam que a doença era contagiosa e se espalhava depressa. Ações drásticas poderiam frear sua propagação, contudo eles reasseguravam que não haveria perigo. Recomendaram providências que julgavam razoáveis para conter e debelar a moléstia: molhar constantemente as ruas de Salvador para evitar a poeira de ar contaminado e de insetos; proceder à desinfecção sistemática de espaços de convívio social, como casas de diversão, teatros, cinemas, mercados, quartéis, escolas, bem como transportes públicos — elevadores hidráulicos, bondes, as cabines dos planos inclinados.

A comissão médica também apontou, em seu relatório, um segundo fator responsável pela rapidez com que a gripe se alastrava em Salvador. Os focos da doença eram as habitações coletivas e superlotadas. Evidentemente, os cômodos apinhados de gente, úmidos e sem ventilação, cozinhas saturadas de gordura e fuligem, falta de água potável e instalações sanitárias precárias criam situações em que um único indivíduo contagia várias pessoas. Mas ninguém mora em cortiços por acaso; e as autoridades sanitárias sabiam que, em qualquer lugar onde as pessoas se misturassem, iriam passar o vírus de umas para as outras, inclusive em hospitais — no Hospital de Isolamento de Monte Serrat, por exemplo, enfermeiros, médicos e internos foram contaminados pela gripe, relatou *O Imparcial* de 15 de outubro.

Estava sendo feito um esforço de associação entre a doença e a população pobre e mestiça que não era novidade no Brasil, muito menos entre os alunos e professores da Faculdade de Medicina da Bahia. Inaugurada em 1815 como uma das peças no projeto de fundação de três academias médico-cirúrgicas que se espalhariam pelos vários cantos do território nacional — Rio de Janeiro, Salvador e São Luís do Maranhão, a única que não chegou a ser criada —, nela a questão da higiene pública gerou poucas pesquisas e teses. A partir da década de 1880, porém, uma produção mais propriamente local começou a surgir, dando especial atenção ao estabelecimento de vínculos inusitados entre doenças e raças, entendidas como fatores condicionantes para a propagação de diferentes moléstias: da criminalidade aos problemas físicos, da epilepsia à loucura. A associação entre doença contagiosa e mestiçagem, liderada por Raimundo Nina Rodrigues, que liderou essa que ficou conhecida como Escola Tropicalista, fortaleceu os estudos de medicina legal entre doutores da escola baiana que analisavam a degeneração mediante a miscigenação — tanto para identificar a figura do criminoso (antes mesmo que cometesse o crime, conforme explicava a antropologia criminal de Cesare Lombroso), como para defender a instalação de manicômios judiciários.

Tal associação fortaleceu também a convicção médica de que a massa mestiça da população biologicamente enfraquecida e despreparada se tornava vítima crônica de doenças oportunistas. Gonçalo Muniz Sodré de Aragão, o titular da Secretaria do Interior, Justiça e Instrução da Bahia, à qual a Diretoria-Geral de Saúde Pública estava vinculada, era um dos médicos a defender o argumento de que a mortalidade ocorria em pessoas debilitadas ou acometidas por outras enfermidades e, nesse caso, não havia muito a fazer: "só depois de feita a natural seleção, com a eliminação dos mais fracos e sobrevivência dos mais resistentes, é que voltam os fatos ao normal e se restabelece o novo equilíbrio", declarou.

No Rio de Janeiro, outro médico, Carlos Seidl, diretor-geral da Saúde Pública do governo Venceslau Brás, simplesmente achava impraticável o isolamento. Ele estava convencido de que tentar impedir que uma doença como a gripe espanhola invadisse uma região ou uma cidade era "um sonho, uma utopia científica", afirmou aos jornais, na capital federal. A imprensa, em Salvador, repercutiu. O isolamento seria eficaz, mas não seria possível executá-lo, explicava Seidl. O problema existia, não tinha solução, e apenas cabia "preservar limitados [alguns] agrupamentos humanos como enfermarias, prisões, colégios, etc.", concluiu.

A população pobre foi a mais afetada pela doença: empregados do comércio, operários, funcionários do serviço de transporte público, trabalhadores do porto, artesãos, desempregados, ambulantes, indigentes. A gripe infectou a todos: donas de casa, quituteiras que apregoavam seus produtos em tabuleiros nas ruas, lavadeiras, empregadas domésticas, prostitutas, feirantes, bordadeiras; o índice de contaminação foi particularmente elevado entre portuários, nas prisões e nas repartições públicas. A declaração de Seidl, porém, era tudo que o governo de Muniz de Aragão precisava ouvir. Descartado o isolamento, as medidas implantadas seriam defensivas e ofereciam, no máximo, uma proteção relativa, deixando que a sorte e a desigualdade social decidissem sobre quem seriam as vítimas da espanhola na cidade.

A partir do final de outubro, as autoridades sanitárias passaram a atender a qualquer pedido de desinfecção de locais públicos e a fornecer medicamentos às pessoas reconhecidamente pobres. Salvador foi dividida em seis zonas sanitárias, com um médico designado para cada uma delas. Quem estivesse doente, contudo, não deveria procurar pessoalmente o médico, mas solicitar visita a domicílio apresentando a requisição fornecida em papel timbrado do serviço de assistência pública nas farmácias cadastradas. O governo reforçou a vacinação — contra varíola. "Há quem afirme ter observado que as pessoas recentemente vacinadas contra a varíola têm uma certa imunidade para a gripe epidêmica", publicou o *Diario da Bahia*, anunciando a medida recomendada pela Diretoria-Geral de Saúde Pública.

O diretor de Saúde Pública, Alberto Muylaert, se encarregou pessoalmente de promover pelos jornais uma campanha de "conselhos à população". Insistiu que as recomendações precisavam ser seguidas à risca. "Lavar as mãos e o rosto com bastante sabão, o maior número de vezes possível"; "Gargarejar e lavar as fossas nasais diversas vezes ao dia, com água oxigenada diluída"; "Não escarrar no chão, quer em sua casa, quer nos bondes e trens, nem consentir que outros o façam"; "Não usar escarradeiras secas"; "Lavar, imediatamente, tudo que tenha servido aos 'gripados', e expor ao sol o que não for possível lavar". Se as pessoas acatassem de forma rigorosa os conselhos, evitavam contrair a gripe e a epidemia seria contida com sucesso, alertava o diretor: "O maior cuidado é pouco, e não sabemos quando haverá complicações. Nem todos os casos são benignos".

Muylaert falou do remédio, não explicou a doença, e as autoridades seguiam comprometidas com a estratégia de minimizar a ameaça provocada por ela. Já Muniz de Aragão ficou devendo um diagnóstico realista sobre a epidemia que eclodiu durante seu governo. Na mensagem apresentada à Assembleia Legislativa do Estado da Bahia, em 1919, no final do mandato, ele registrou que "as excelentes condições sanitárias" de Salvador não se mantiveram em 1918 devido ao "reaparecimento da febre amarela" e à "irrupção da epidemia de influenza, que na mesma época assolou o mundo inteiro". Também assegurou o sucesso das providências adotadas em sua administração para confinar a moléstia, que, aliás, teria se manifestado de forma inusitadamente branda na cidade: "não pode deixar de consolar-nos o fato de ter sido a Bahia um dos lugares do mundo em que a epidemia de influenza foi mais benigna, menos mortífera e menos extensa". E apresentou os números: "de 27 de setembro, começo da epidemia, a 30 de novembro, foram, pelas estatísticas sanitárias, registradas nesta capital, em toda a sua zona, urbana e suburbana, 338 óbitos por gripe [...] no correr do mês de dezembro foram ainda registrados 33 óbitos atribuídos à influenza, a mor parte, porém, nos distritos suburbanos".

É difícil acreditar num relato sobre a excelência sanitária de Salvador, quando se conhecem as condições de vida da população, em 1918. Ou sobre a baixa letalidade da segunda onda da gripe espanhola, entre os meses de setembro e dezembro, quando o vírus alcançou o Brasil e não se mostrou de forma benigna em nenhum lugar do mundo. Muniz de Aragão estava recorrendo ao malabarismo político para apresentar as estatísticas sanitárias de seu governo, e maquiou dados. Na época, inexistia a obrigatoriedade de registro para casos de gripe — a notificação compulsória só se tornou uma prática mais tarde, aliás, como consequência da espanhola. Por outro lado, o vírus provocava uma resposta inflamatória muito forte do corpo da vítima, e talvez isso ajude a explicar por que cresceram significativamente no mesmo período os atestados de óbito por doenças como "bronquite gripal", "broncopneumonia gripal", "pneumonia gripal", "gripe intestinal", "meningite gripal", "rinolaringite gripal", "gripe no curso de afecções orgânicas". E, diante dos hospitais superlotados, muita gente se tratou — e morreu — em casa, sem entrar na estatística oficial.

Tampouco se atestava óbito de quem vivia na cidade de Salvador em condições de completa miséria, mendigando pelas calçadas, na ladeira do Taboão, na entrada do Elevador Lacerda, ou nos pontos de bonde. O Serviço Médico Legal apenas removia o cadáver e providenciava o enterro. Ainda assim, é possível verificar, nas estatísticas produzidas pelo próprio governo, um aumento no número de mortes de indigentes: 1074 em 1918, 803 em 1917. Além disso, nos dias 20 e 25 de outubro, os jornais *O Imparcial* e *A Tarde* saíram às ruas com denúncias sobre as irregularidades nos registros de sepultamento — havia mais de um cadáver numa única cova, e corpos permaneciam insepultos por falta de coveiros.

A mensagem de Muniz de Aragão não resistia a um exame do noticiário sobre o cotidiano de Salvador. A gripe espanhola quase não provocou impacto no dia a dia das pessoas, o governador gabou-se: "Na quadra epidêmica de que trato, pequenas foram, em verdade, as alterações sobrevindas à vida particular e social, não houve suspensão nem paralisação de nenhum serviço, comércio, fábricas, repartições públicas, etc., tudo continuou a funcionar, com leves e passageiros embaraços, apenas, aqui e acolá". O autoelogio, contudo, não parece condizer com a realidade. Salvador começou a adoecer em setembro. No mês seguinte, as fábricas foram paralisando sucessivamente por conta dos operários gripados; as companhias de transporte público Linha Circular e Trilhos Centrais, já com cerca de duzentos motorneiros e trabalhadores doentes, tiveram que reduzir o número de bondes em circulação; a contaminação nos Correios atingiu 86% dos funcionários, em especial a equipe de carteiros.

Foi somente depois do agravamento da epidemia, em outubro, que Muniz de Aragão se viu forçado a adotar medidas mais agressivas para tentar conter a propagação do vírus. Emitiu um decreto para que fossem suspensas as festas públicas, como o Festival do Instituto de Música da Bahia e o desfile militar de 15 de novembro. Ato seguinte interrompeu as aulas em escolas municipais e estaduais — no Ginásio da Bahia, na Escola Normal, no Educandário dos Perdões. Os internatos escolares estavam infectados: no Colégio do Sagrado Coração de Jesus, 76% das pessoas adoeceram; no Colégio da Providência, havia 86% gripados entre professores, alunos e funcionários. No fim do mês, a situação piorou ainda mais, e o governo ordenou o policiamento nos cemitérios. Era necessária urgência no sepultamento dos corpos, estava proibido o acompanhamento de enterros por parte de amigos e familiares do morto, e suspensa a tradicional visita aos cemitérios no Dia de Finados. Faltavam carros funerários para remoção de cadáveres e, em bairros populares, como Massaranduba, Barbalho, Baixa de Quintas ou Lapinha, os moradores assistiram à passagem, pelas ruas, de corpos estendidos sobre uma tábua, amarrados com arame e cordas, a caminho do necrotério.

O governo da Bahia aguardava pela hora em que a epidemia evaporasse, aos poucos. A Diretoria-Geral de Saúde Pública, por sua vez, continuava a minimizar o perigo de um ataque em escala como da espanhola. E os jornais insistiam que a peste chegara à cidade. Não parecia sobrar muito para uma pessoa comum fazer, além de lavar as mãos, sentir-se vulnerável e começar a se isolar por conta própria. No entanto, a solidão aumentava o pânico. E fazia crescer a percepção da fragilidade que cada um experimentava, cuidando apenas de si. É o momento em que o indivíduo descobre que a morte pode vir de qualquer lugar, a qualquer instante, e entende a impossibilidade de obter ajuda ou confiar nas respostas fornecidas pelas autoridades políticas e sanitárias. Pode ser que essa combinação de fatores ajude a explicar por que a população numa cidade nas condições de Salvador procurou construir seus próprios caminhos alternativos e autônomos de proteção, e buscou encontrar saídas fora dos sistemas tradicionais da política e da medicina.

As respostas são plurais, mas na capital da Bahia a religiosidade popular exerceu um papel central na construção de uma reação nada convencional à epidemia. Forneceu espaços de sociabilidade alternativos para a população pobre e mestiça enfrentar sua situação de vulnerabilidade e os meios de assistência médica e espiritual para as pessoas tentarem intervir no fluxo da epidemia e escapar da morte. Uma das funcionalidades da religião é essa, diz o sociólogo Max Weber. Em qualquer de suas modalidades, ela consegue providenciar um significado para determinado contexto e oferecer meios para que os fiéis consigam resistir a ele — de modo a superá-lo ou transcendê-lo.

Para enfrentar a peste, a mística católica concebeu uma terapêutica que tinha nos santos protetores — e no Senhor do Bonfim

— os intercessores dos homens junto a Deus. Contudo, por mais forte que seja a devoção do fiel ou sua familiaridade com os santos, essa é uma religião voltada para a salvação da alma, em outro mundo — no além. Modalidades religiosas com raízes profundas, na Bahia, como o candomblé, ou de devoção relativamente recente, como o espiritismo e a umbanda, são muito distintas, mas compartilham a mesma ênfase em fornecer recursos devocionais para sustentação da vida, neste mundo. Por essa razão, e cada uma ao seu modo, são religiões que desenvolvem práticas de cura. No espiritismo, as experiências mediúnicas; no candomblé e na umbanda, o fiel se comunica com os ancestrais e as divindades para compartilharem níveis diferentes de uma mesma experiência, e essas experiências são capazes de afastar, entre outros, os riscos que podem atingir seu corpo físico.

Na Bahia, espiritismo e candomblé se transformaram em alvo de perseguição sistemática, inclusive durante a gripe espanhola. De várias maneiras, as duas modalidades religiosas compartilhavam os mesmos inimigos. A Igreja Católica abominava o catolicismo popular que levava os baianos a transitarem por crenças diversas, e combateu com especial atenção o sincretismo peculiar entre as formas de religiosidade de matriz afro-brasileira e o catolicismo tradicional. Já para os médicos, tratava-se de uma disputa por hegemonia. O discurso médico encontrava em si mesmo, e só em si, a área de saber para distinguir a doença e tratar do doente. Disseminar práticas de cura não autorizadas pela ciência institucionalizada nos cursos médicos — como as consultas a terreiros, mães de santo, feiticeiros, ifás e adivinhos, que muitas vezes atuavam nas vizinhanças — era ilegal. Não por coincidência, candomblé e espiritismo estavam tipificados como crimes contra a saúde pública pelo Código Penal de 1890. As sessões espíritas ou os cultos do candomblé incluem fazer passes, prescrever receitas ou fabricar drogas para fins curativos, e vinha daí a acusação de feitiçaria que servia de justificativa para a repressão policial. Rituais de cura eram considerados pelos médicos como ameaça à saúde. Acusavam eles, em suas teses e artigos, que no candomblé, por exemplo, as oferendas — uma ferramenta de interação do fiel com o panteão de orixás — seriam focos de proliferação de doenças; nos centros espíritas, a mediunidade acionaria com frequência o gatilho que provocava surtos de demência e de degeneração mental.

E havia enorme preconceito — social e racial. A reelaboração das heranças africanas que recriaram o candomblé no Brasil sofreu com a violência do tráfico, da escravidão e da perseguição que a elite baiana impôs a uma religiosidade identificada com a população pobre, negra e mestiça. O espiritismo tinha mais respeitabilidade. Espíritas estão presentes, em Salvador, desde 1865, quando o jornalista Luís Olímpio Teles de Meneses fundou o primeiro centro espírita do Brasil, o Grupo Familiar do Espiritismo, e quatro anos depois lançou o primeiro jornal voltado para a difusão das suas ideias, intitulado *O Écho d'Alêm-Tumulo*. A prática de uma religiosidade mediúnica, originária da matriz francesa, concebida por Allan Kardec, que procurava incorporar a ciência em benefício de uma forma de espiritualidade, ganhou adeptos entre pessoas brancas e letradas, provenientes das camadas médias urbanas, e foi mais bem tolerada na cidade, em que pesasse a ira da Igreja Católica.

Já as formas de religiosidade que fizeram do espiritualismo kardecista um importante instrumento de reapropriação das religiões afro-brasileiras cultivadas pelos setores populares sofreram perseguição sistemática. Centros espíritas que se utilizavam da mediunidade para práticas de cura e recorriam ao "transe" para tratamento contra doenças eram desqualificados pelas autoridades como sendo o "baixo-espiritismo", lugares onde se propagavam "superstições perigosas" voltadas para a exploração da credulidade do povo. Não por acaso, a umbanda inquietava tanto.

O ÉCHO D'ALÊM-TUMULO

MONITOR

D'O SPIRITISMO 'N-O BRAZIL.

ANNO I N.º 1 JULHO, 1869

INTRODUCÇÃO.

I. Maravilhôso é o phenomeno d'a manifestação d'os Spiritos: e por toda a parte eil-o que surge e vulgarisa-se!

Conhecido dêsde a mais remota antiguidade, se-o-vê hoje, em pleno seculo XIX, renovado, e, pel-a primeira vez, observado n-a America Septentrional, 'n-os Estados-Unidos, onde produziu-se por movimentos insolitos de objectos diversos, por barulhos, por pancadas e por embates sobremodo extraordinarios!

D'a America, porêm, passa, rapidamente, á Europa, e ahi, principalmente 'n-a França, após um curto periodo de annos, sahe elle d'o dominio d'a curiosidade, e entra 'n-o vasto campo d'a sciencia.

Nóvas idéas, emanadas então de milhares de communicações, obtidas d'as revelações d'os spiritos, que se-manifestam, quer espontaneamente, quer por evocação, dão logar á confecção de uma doutrina, eminentemente philosophica, a qual 'n-o volver de poucos annos tem circulado por toda a terra, e penetrado todas as nações, formando em todas ellas proselytos em numero tão consideravel, que, hoje, contam-se por milhões.

Nenhum homem concebeu a idéa d'o Spiritismo: nenhum homem, portanto, é seo author.

Si os Spiritos se não tivessem manifestado, espontaneamente, certo que não haveria Spiritismo: logo é elle uma questão de facto, e não de opinião; e contra o qual não pódem, por certo, prevalecer as denegações d'a incredulidade.

A rapidez de sua propagação próva, exhuberantemente, que se-tracta de uma grande verdade, que, necessariamente, ha de triumphar de todas as opposições, e de todos os sarcasmos hu-

1

Primeiro número do jornal O Écho D'Alêm-Tumulo, *julho de 1869.*

A mistura dos ritos de ancestralidade africanos e indígenas com valores cristãos e espiritualismo kardecista deu origem a uma religião de filiação popular duramente combatida — não era considerada religião, e sim feitiçaria. Nas revistas médicas, como a tradicional e prestigiosa *Gazeta Medica da Bahia*, o combate aos assim chamados, e com muito preconceito, "feiticeiros" ou "curandeiros" era tônica constante. Nas suas páginas, apenas os acadêmicos da Faculdade de Medicina faziam ciência e tudo mais não passava de misticismo ou crença infundada.

Todavia, a oportunidade de pertencer a esse grande universo religioso foi essencial quando a população baiana começou a se sentir vulnerável diante do contágio furioso produzido pelo vírus da espanhola. O desamparo surgiu da presença da doença, mas nasceu também da incerteza em relação às autoridades que minimizavam a epidemia e a um cotidiano que se desestruturava sob o impacto da gripe. As religiões forneceram mecanismos de suporte para as pessoas enfrentarem a difícil experiência de viver no contexto de uma epidemia. Inseriam os fiéis em redes de sociabilidade que, por sua vez, estavam fundadas em fortes laços de solidariedade — protegiam os desassistidos, municiavam os crentes de doses substanciais de ânimo e coragem legitimada no âmbito do sagrado. Levantaram, assim, escudos de proteção. O arcebispo primaz do Brasil fez celebrar o ritual da missa "Recordare contra pestem" para defender as pessoas da morte instantânea causada pela peste. Os babalorixás ou as ialorixás, por sua vez, envolviam o pescoço do devoto com uma torcida de algodão como amuleto — na simbologia de um terreiro de candomblé, o algodão protege das intempéries provocadas pela relação do homem com a natureza.

As religiões também ofereceram uma terapêutica à população de Salvador. Naquela situação grave, elas punham em destaque o trato com o corpo, entendido, no candomblé, na umbanda, ou entre os espíritas, como sede do sagrado e cujos resultados, para o catolicismo, incidiriam sobre a alma. A rica farmacopeia do candomblé, de folhas, raízes e ervas, forneceu fórmulas médicas para algum alívio do doente: gengibre para a garganta; agrião e casca de angico para a tosse; o lambedor, uma espécie de pasta grossa feita de banana-são-tomé e capim-santo, para o pulmão. Também boldo, arnica da horta, alecrim, folhas e ramos de palmeiras, folhas de laranjeira, hortelã, erva-cidreira, louro, rama de leite, manacá, malva-branca, saião branco, folha-da-costa, rosa-branca, manjerona, são ervas de orixás, e sobretudo de Oxalá.

Os médicos acusavam de feitiçaria. Mas não existiam respostas para a espanhola, eles não eram os únicos na cidade a se perguntar como a doença acontecia, e o conhecimento científico começa, afinal, com essa pergunta. No século XVII, o poeta Gregório de Matos dizia que tal conhecimento importa a todos e a maneira como alguém responde a essa pergunta interessa tanto quanto a própria pergunta: "Que de quilombos que tenho/ com mestres superlativos,/ nos quais se ensinam de noite/ os calundus, e feitiços". "Calundu" é uma palavra usada para designar atividades religiosas originárias da matriz afro-brasileira com funções terapêuticas e proféticas — são capazes, ao mesmo tempo, de curar e de adivinhar o que o futuro reserva. Talvez seja a resposta que a população de Salvador tanto procurava para enfrentar o vírus da gripe espanhola. Buscavam por uma ciência encantada.

5. A espanhola invadiu a capital federal do Brasil

É que no meio da população [...] insinuara-se [...] a Morte Cinzenta da pandemia que ia vexar a capital e soltar como cães a Fome e o Pânico que trabalhariam tão bem quanto a pestilência.

Pedro Nava

Em setembro de 1918, quando a peste chegou ao Brasil, a cidade do Rio de Janeiro acumulava todos os atributos necessários para cumprir seu papel de capital do país. Para os parâmetros da época, era uma cidade muito populosa, contando com 910 710 habitantes, dos quais 697 543 moravam na zona urbana e 213 167 nos subúrbios e na área rural. Também ostentava uma imagem cosmopolita, com suas avenidas largas e iluminadas, e bulevares especialmente desenhados para a prática do ver e ser visto.

No entanto, a representação de uma urbe pacífica e burguesa disfarçava uma série de conflitos que andavam frescos na memória da capital federal. No ano anterior, uma sucessão de greves operárias, diretamente motivadas pelo aumento da carestia entre 1910 e 1913, acabou com a calma local. O mercado financeiro europeu cortou recursos e, como a economia brasileira era por demais dependente do setor externo e faltavam divisas, o resultado levou à redução nas exportações dos principais produtos comercializados, como café e borracha. Gerou também desemprego, carestia, baixa remuneração e o prolongamento da jornada de trabalho. Todos esses elementos ajudam a explicar a força do movimento que tomou conta da cidade naquele contexto: a Greve Geral de 1917 reuniu de 50 mil a 70 mil operários e ocasionou o crescimento de associações de classe.

O ano de 1918 continuou agitado. Em julho, o desabamento do Hotel Nova York, no centro do Rio, levou dezenas de operários à morte, causando grande comoção. Em agosto eclodiu uma greve da Companhia Cantareira das barcas entre Rio de Janeiro e Niterói. Por outro lado, notícias esparsas acerca da Revolução Russa tiveram impacto imediato em várias capitais brasileiras e agitaram os ânimos dos cariocas. Tanto que em novembro do fatídico ano ocorreria um levante anarquista dirigido pela Federação Operária do Rio de Janeiro, quando se decretou estado de sítio na cidade.

No entanto, parecia alterar-se pouco a rotina das elites que residiam na capital, como se vivessem numa cidade dividida, e a aristocracia política e da terra seguiu usufruindo do cartão-postal em que o Rio de Janeiro se convertera. Uma rotina que, é bom que se repita, não era para todos. Desde o começo do século XX, a capital presenciara um intenso período de transformações, durante o qual o prefeito Pereira Passos, que atuou de 1902 a 1906, se esmerou em planejar uma nova imagem para ela, que desse ao Brasil uma representação mais moderna, e fugisse da associação com o Império e da triste marca de o país ter sido o último a abolir a escravidão mercantil no Ocidente. O prefeito, que se inspirara na Reforma

Haussmann, empreendida em Paris entre 1853 e 1870, passou a construir praças e avenidas — como a avenida Central (hoje Rio Branco), a avenida Beira-Mar e a avenida Maracanã —, além de criar novas estruturas de saneamento básico na região central. O cartão-postal do Rio ganharia, então, os edifícios que não demorariam a se transformar em ícones da cidade: o Theatro Municipal, o Museu Nacional de Belas Artes e a Biblioteca Nacional.

Incentivado pelo presidente da República, Rodrigues Alves, que levantou os recursos necessários, em 1903 o prefeito Pereira Passos pôde dar início às obras de envergadura que tinham grande pretensão, uma vez que visavam não só modificar radicalmente a infraestrutura do centro, como realizar a "higienização" da cidade e modernizar a zona portuária. A Reforma Pereira Passos buscou ainda adaptar a capital para a melhor circulação de automóveis, invenção que logo se tornou um dos símbolos diletos da modernidade. Foi nesse período, igualmente, que o Rio de Janeiro viu a chegada da energia elétrica e a reorganização do espaço urbano, com a proibição, por exemplo, da atuação de ambulantes.

No entanto, e como escreve o filósofo Walter Benjamin, "não existe um documento da cultura que não seja ao mesmo tempo um documento da barbárie". O movimento que buscou, nos termos da época, "limpar" e "regenerar" a sociedade carioca, também expulsou a população mais pobre de suas moradas e propiciou a criação das muitas favelas que circundam até hoje a cidade. A destruição dos cortiços e a elevação vertiginosa dos preços obrigaram boa parcela das populações mais carentes e de baixa renda a mudar para as periferias ou subir os morros — sobretudo a população negra, que por lá construiria outras formas de sociabilidade. Se nos cortiços os moradores sofriam com a falta de higiene, que estimulava a proliferação de doenças, a situação ficaria ainda pior nas novas vizinhanças, que não contavam nem com saneamento básico nem com atenção da parte do governo.

A desgraça que abateu sobre a divisão brasileira de guerra

Quem são os mortos

As providencias sanitarias para evitar que a peste irrompa no Rio

OS NOSSOS PATRICIOS VICTIMAS DA TERRIVEL MOLESTIA: 1º tenente Eugenio Muniz Freire, combatente; segundo tenentes engenheiros machinistas Raul de Mattos Costa e Cesar Seabra Muniz; sub-official Alvaro Luiz Fernandes, 2º tenente engenheiro-machinista Oldemar [illegible]mos e capitão-tenente medico Dr. Pedro Monteiro Godim Junior

O jornal A Noite, *no dia 23 de setembro de 1918, anunciou os nomes dos membros da Missão Médica Militar e o mal que se abateu sobre eles.*

O certo é que o Rio de Janeiro de 1918 não estava pronto para a chegada de um inimigo invisível a olho nu porém demasiado perigoso. De fato, nunca se está preparado para uma epidemia, mas no caso a euforia local não combinava com a tempestade que se montava em alto-mar. As informações sobre uma "doença espanhola" que andava atacando as tropas em guerra na Europa só começaram a ganhar concretude, e mesmo destaque, na imprensa carioca quando os integrantes da Missão Médica Militar, que se encontravam a caminho de Dakar, a bordo do navio *La Plata*, foram adoecendo, um a um, de um mal considerado "muito misterioso".

As notícias iniciais das mortes dos brasileiros no exterior chegaram à capital por um cabograma enviado pelo chefe da Missão, José Nabuco de Gouveia, no dia 26 de setembro, e o "súbito mal" logo recebeu o nome de Peste de Dakar, ligando a moléstia a um local específico. O alerta não teve a capacidade, todavia, de despertar as autoridades da cidade para a urgência de mobilizar estratégias de combate à peste; não nesse primeiro momento.

Na opinião de José Paranhos Fontenele, então inspetor sanitário da Diretoria-Geral de Saúde Pública, a censura vigente nos meios militares, que procuravam negar a seriedade da gripe, atrasou as medidas de combate, além de ter impedido que a população dimensionasse com rapidez a marcha dos acontecimentos. Ademais, as instituições sanitárias federais não se achavam aparelhadas ou bem equipadas; ao contrário, andavam muito emaranhadas à complicada burocracia estatal, que costumava emperrar resoluções e atitudes dos políticos responsáveis pela saúde.

O mesmo poderia ser dito do Serviço de Profilaxia do Porto, que fazia parte da Diretoria de Saúde Pública. Como já sabemos, a seção não possuía recursos para realizar a desinfecção da totalidade das embarcações que aportavam na cidade, medida altamente necessária numa situação de crise epidêmica. Também não se aplicou uma política de quarentena nos navios, então avaliada como uma medida "antipática", e que poderia acarretar problemas políticos, econômicos e sociais — nacionais e internacionais.

E, como pandemia não pede licença, foi exatamente por aí, pelos portos, que a espanhola entrou na capital. Ela chegou no dia 15 de setembro, quando atracou o navio *Demerara*, que, como vimos, já infectara Recife e Salvador. Desceram no Rio 367 passageiros acometidos pela doença, em vários estágios: alguns apresentavam um leve resfriado; outros sentiam grande leseira e dor no corpo; e outros já necessitavam de cuidados urgentes. A gripe entrou na cidade, portanto, por intermédio daquelas pessoas que ao sair do navio invadiram a praça Mauá e socializaram com a população local, assim contaminando os cariocas, que rapidamente começaram a adoecer.

A velocidade do contágio evidenciou ainda mais a falta de estratégias para o combate preventivo da moléstia, bem como as deficiências nos equipamentos sanitários e de saúde do estado. A carência de uma estrutura básica para socorrer a população foi o primeiro dos muitos problemas estruturais que a epidemia desmascarou. O jornal *A Noite* de 21 de outubro de 1918 conta que uma testemunha lembrou que o inspetor sanitário do porto do Rio de

Janeiro, Jaime Silvado, fora acusado de favorecer a entrada da gripe, ao aceitar a atracação do *Demerara*. E acrescentou: "como positivista não acredita em micróbios". Havia uma luta entre ciências e saberes, e, sem dúvida, conceitos como pandemia, epidemia e micróbios não faziam parte do conhecimento daqueles senhores.

O certo é que a situação das repartições de saúde do Rio era lamentável, e o mais conhecido dos seus hospitais, o São Francisco Xavier, enfrentava grande precariedade; faltavam especialistas, equipamentos e todo tipo de material básico para o combate efetivo à doença.

O dr. José Mendonça, em sessão da Academia Nacional de Medicina, comparava os hospitais da capital federal a uma "gata borralheira", para a qual ninguém dava muita bola, tamanha a insuficiência e o descaso no atendimento à população. Assistência pública também não entrava no vocabulário local: se a pessoa se sentisse mal num lugar público, dependeria da boa vontade de um transeunte, ou teria que aguentar a vergonha de entrar num camburão da brigada policial, ou ainda tomar carona num rabecão. A chegada da epidemia só deixaria mais patente o desmazelo das autoridades em relação às instituições de saúde cariocas, e o próprio *Boletim da Prefeitura do Distrito Federal* do ano de 1918 reconheceria o "estado lamentável das ambulâncias e do aparelhamento clínico em geral".

E ao governo pareceu melhor diminuir perante a opinião pública o caráter de urgência e o poder de letalidade da espanhola. Foi isso que ocorreu até início de outubro, e os habitantes da cidade vivenciaram a completa negação da realidade.

Mas a partir de meados de outubro o recurso da negação tornou-se, a cada dia, mais conflitante com a realidade dos cariocas. Pandemias sempre invadem o cotidiano da população, e com tal rapidez que por vezes, de uma semana para outra, as pessoas encontram dificuldade para lembrar como era o seu dia a dia duas semanas antes. Foi o que aconteceu com o jornal *O Paiz*, por exemplo, que começara a publicar uma seção especial intitulada "A 'Influenza Hespanhola'". A coluna foi comendo cada vez mais espaços do jornal e passou a funcionar como uma seção de serviço público, que oferecia "conselhos práticos" aos leitores: explicava como prevenir a epidemia mantendo as mãos limpas e usando todo tipo de desinfetante, pedia que fossem evitadas aglomerações e ensinava a utilizar máscaras. *O Paiz* continuava com sua coluna especial cujo objetivo era desmontar fake news! Ela já existia, mas até então se dedicava aos esportes. Espécie de embrião das agências de checagem que hoje conhecemos, chamava-se "Boatos Falsos", e sempre terminava com a frase "Não sei mentir...". Apesar de guardar um quê de gozação, e divulgar qualquer gênero de notícia, nesse momento a seção passou a se concentrar em desmentir casos não comprovados de gripe espanhola. Ativo, o periódico também denunciava farmácias que aumentavam os preços dos

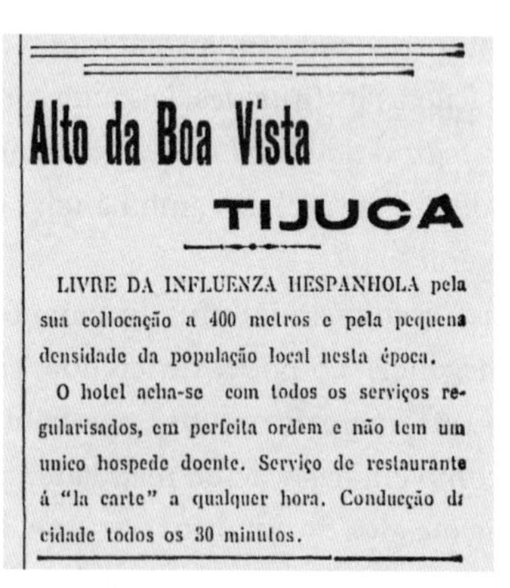

Não faltaram hotéis que abusaram da ingenuidade dos clientes prometendo proteção contra a doença. A Noite, *19 de outubro de 1918.*

medicamentos ou hotéis que aproveitavam a situação para alugar quartos por valores mais altos.

Enquanto isso, a velocidade da transmissão tornava-se inacreditável: o período de incubação era curto, de um a três dias; o número de pessoas infectadas, muito elevado; e a moléstia apresentava alto grau de letalidade. Os sintomas variavam, mais atrapalhando que ajudando na confirmação do contágio: zoeira nos ouvidos, surdez, cefaleia, hipertermia simples, eram os mais relatados. Mas esse era só o começo. Surgiam, então, as diarreias, os vômitos sanguíneos, as hemorragias, fase em que era comum ocorrerem perturbações nos nervos cardíacos e infecções que alcançavam intestinos, pulmões e meninges, levando a vítima a uma série de sufocações, a dores lancinantes, ao letargo, ao coma, à uremia, à síncope e por fim à morte, em algumas horas ou poucos dias. Testemunhas lembram que, em virtude da falta de oxigenação, o rosto das vítimas ficava roxo ou azulado e os pés escuros; era a cianose, quando o óbito se dava em curto prazo, usualmente por insuficiência respiratória aguda. Os pulmões se enchiam de um líquido avermelhado e em três dias os pacientes faleciam, muitas vezes de parada respiratória. As vítimas preferenciais eram as crianças com menos de cinco anos e os jovens entre vinte e quarenta. Também os mais idosos, acima de setenta anos, eram considerados bastante vulneráveis à doença, que ficou conhecida popularmente, ainda, pelo nome maldoso de "limpa-velhos".

Por causa dos diferentes sintomas da enfermidade, especialistas debatiam muito, porém chegavam a poucas conclusões acerca do tratamento que deveria ser priorizado. A comunidade médica basicamente dividiu-se, e a indecisão depressa levou a cidade à beira do colapso. Faltavam leitos, remédios, médicos, hospitais para tratar os doentes mais graves, e até comida. Para piorar o que já era trágico, por conta da escassez o preço de remédios e alimentos virara alvo de especulação.

Deixando claro como a pandemia até podia parecer democrática na hora da contaminação mas não era nada democrática na hora da morte, o diretor da Seção de Estatística Demógrafo-Sanitária da Diretoria-Geral de Saúde Pública, Sampaio Viana, explicava que os socorros, além de insuficientes, restringiam-se à população que habitava os centros urbanos, enquanto os subúrbios, morros e outras localidades periféricas sofriam imensa carência no atendimento mais básico.

Embalada pelo ritmo fúnebre da pandemia, o Rio de Janeiro, pouco a pouco, foi virando uma fileira de cadáveres insepultos, jogados pelas avenidas da outrora orgulhosa cidade reformada por Pereira Passos. Com a falta de coveiros, muitos deles também doentes, e com a carência de caixões, a capital da República passou a viver um grande luto coletivo. Não havia mais família que pudesse deixar de lastimar óbitos. Existem, inclusive, relatos de famílias inteiras que feneceram e de outras cujos membros estavam todos acamados. Causava profunda comoção a morte de crianças, como a do menino Mauro Soares, que levou o colégio em que ele estudava a suspender as aulas.

Os jornais passaram a desempenhar, então, um papel cívico, alertando os cariocas para que evitassem trens, bondes e ônibus, e aconselhando-os a caminhar. A Associação dos Empregados do Comércio do Rio de Janeiro solicitou que as lojas abrissem às oito horas da manhã e fechassem às cinco da tarde, a fim de evitar "os maus efeitos que [...] exerce o sereno". A The Leopoldina Railway Company suspendeu até segunda ordem o funcionamento das linhas para o interior nas estações da Praia Formosa e Niterói. *A Noite* publicava no dia 17 de outubro uma nota explicando que, "devido ao estado anormal da cidade", seria adiada "sine die a exposição de caricaturas mundanas". Periódicos pediam também que as pessoas não cuspissem, tossissem ou espirrassem na rua! Além do mais, obedecendo às medidas adotadas pelas autoridades

A morte do alumno Mauro Soares

Foram suspensas as aulas do Collegio, até segunda ordem

Falleceu de "grippe pneumonica", ás 2 1/2 da madrugada, o alumno do Collegio Militar Mauro Soares, sobrinho do deputado federal Dr. Claudio Soares e do major medico Dr. Ivo Soares. Tendo adoecido na quinta-feira á tarde, á noite de sexta-feira, 11, muito aggravou-se o seu estado, vindo

O alumno Mauro Soares

A morte do menino Mauro Soares comoveu os cariocas e fez com que as escolas finalmente fechassem suas portas. A Noite, *13 de outubro de 1918.*

sanitárias, restaurantes, bares, teatros, cinemas, escolas, fábricas, associações e bordéis interromperam suas atividades.

O movimento nos portos se tornou quase nulo; as ruas ficaram vazias; as telefonistas adoeceram, não sendo possível fazer ligações; os presidiários foram soltos, pois faltavam policiais; poucos bondes circulavam, já que os próprios condutores haviam sido contaminados; as atrações culturais foram canceladas; e as igrejas, mesmo com a religiosidade em alta por conta da insegurança trazida pela pandemia, restringiram seu horário de funcionamento, causando grandes aglomerações.

No capítulo II de seu livro *Chão de ferro*, intitulado "Rua Major Ávila", o escritor e médico mineiro Pedro Nava narra com olhos de menino os traumas da chegada da gripe espanhola e suas desastrosas consequências na cidade:

> A 22 chegam telegramas contando as desgraças da Missão Médica [...] Nesse dia o Nestico chegou em casa com um monte de boatos que pouco impressionaram. Entretanto o demônio já estava em nosso meio, ainda não percebido pelo povo como a desgraça coletiva que ia ser [...]. A doença irrompeu aqui em setembro, pois em fins desse mês e princípios de outubro, as providências das autoridades abriram os olhos do povo e este se explicou certas anomalias que vinham sendo observadas na vida urbana; tráfego rareado, cidade vazia e meio morta, casas de diversão pouco cheias, conduções sempre fáceis, as regatas, as partidas de water-polo e futebol quase sem assistentes, as corridas do Derby e do Jockey com os aficionados reduzidos ao terço. É que no meio da população [...] insinuara-se [...] a Morte Cinzenta da pandemia que ia vexar a capital e soltar como cães a Fome e o Pânico que trabalhariam tão bem quanto a pestilência...

Diante da "Morte Cinzenta", as pessoas passaram a pendurar panos escuros nas janelas, varandas e portas das suas casas, para sinalizar aos fiscais da saúde que ali havia indivíduos doentes a serem alimentados e medicados e para indicar aos coveiros que viessem recolher defuntos. O desabastecimento se agravou, uma vez que ninguém podia trabalhar nos serviços básicos, como padarias, mercearias, açougues e farmácias. A Casa Colombo, obrigada a fechar as portas, publicou uma nota avisando que deixaria seus funcionários na mão. Para tanto, bastava que empregados e operários se dirigissem ao escritório da firma com "qualquer pedido de socorro pecuniário". A Sul América fez propaganda dizendo que "neste momento é, mais do que nunca, necessário que cada chefe de família tenha a sua vida segura na Sul América". Era também difícil achar ingredientes para a milagrosa canja que, diziam, "curava" todos os males. Ovos custavam então o mesmo que as próprias galinhas, e por um único pão cobrava-se o valor outrora equivalente ao de uma cesta de pães. O limão, muito usado nas infusões, dobrou de preço. E a cidade passou fome.

A lista de mortes ia ficando imensa; cheia de nomes de pessoas anônimas e de outros nomes mais conhecidos. As famílias abonadas, como os Melo Franco, os Nabuco, os Penido, lamentavam seus mortos. Um jogador do América faleceu vitimado pela espanhola, produzindo grande comoção, e Olavo Bilac contraiu o mal numa forma benigna, que trouxe, porém, graves consequências para a condição cardíaca do poeta.

Os exemplos de anomia social se multiplicavam: *A Noite*, na sua edição de 19 de outubro de 1918, noticiava a existência de "uma multidão que estacionava em frente ao edifício [da Caixa Econômica Federal], entre protestos os mais enérgicos", pois queria sacar dinheiro. Aglomerações diante de bancos em momentos de crise são uma velha/nova história, com a diferença de que, no caso, a instituição não abriu por falta de funcionários. Segundo o mesmo jornal, no dia 3 de dezembro encontraram num banco da Santa Casa uma menina abandonada depois de ter ficado órfã de pai e mãe, ambos vítimas da gripe espanhola. A menina, descrita como "de cor preta", foi enviada para a roda dos expostos; prática ligada às assim chamadas "instituições caridosas" — entre mosteiros, abadias e irmandades beneficentes —, nas quais se depositavam crianças desabrigadas, seja por conta do falecimento dos pais, seja porque os responsáveis, por algum motivo, não tinham condições para criá-las.

A pequena orphã

Para a "Roda"

"Remetto-lhe esta orphã de pae e mãe. Os paes morreram de influenza hespanhola; por isso entrego á Santa Casa para não andar no abandono das ruas."

Com um bilhete assim, a pobresinha foi

A pequena orphã

deixada na sala do banco da Santa Casa e só notada depois que os consultantes dali se retiraram. E' uma pequenita de uns 3 annos, de cor preta.

A administração da Santa Casa mandou-a á policia do 5º districto, para que, com officio regular, fosse removida para a Casa dos Expostos.

Muitas crianças perderam suas famílias e tiveram que ser adotadas. Era a agenda perversa da espanhola. A Noite, *2 de dezembro de 1918.*

Foi muito comentada a história de Olímpio Nogueira, um galã de teatro que ficou popular por sua interpretação de Jesus na peça *O mártir do calvário*. Ele morreu no dia 19 de outubro de 1918, e o jornal *A Noite* trouxe alguns recortes sobre sua trajetória, contando com detalhes o "drama" de sua contaminação e perecimento. Na edição de 13 de outubro do mesmo ano, *A Noite* trouxera a notícia da morte de uma "rapariga", "conhecidíssima nas rodas

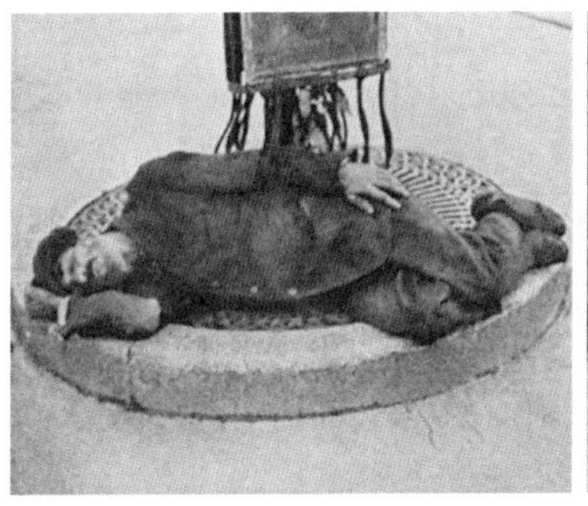

As imagens de 1918 ficaram marcadas pelo desalento e escancararam a desigualdade. Nas fotos, eram sobretudo as populações de baixa renda as mais afetadas pela gripe. Careta, *26 de outubro de 1918.*

boêmias" do Rio. Ela era conhecida pelo nome de Alice Cavalo de Pau e também sucumbiu à peste.

Enquanto isso, a *Gazeta de Noticias*, na edição de 15 de outubro, chamou o Rio de "um vasto hospital" e pediu socorro. Com o andamento da pandemia, as mortes deixavam de ser números e passavam a ser compartilhadas pela sociedade enlutada. Segundo o médico Miguel Couto, àquela altura já eram 600 mil os infectados, e não havia quem não conhecesse alguém afetado ou vitimado pela influenza.

O desespero bateu forte na porta dos cariocas. O número de suicídios aumentou muito, e ganhou o espaço das pequenas notas que lotavam os jornais avisando que infectados e familiares, diante da doença ou da solidão, atentavam contra a própria vida. *A Noite* de 11 de novembro trazia manchete sobre dona Josefina Rodrigues de Carvalho, uma moça de cor parda com 33 anos de idade que, abandonada pelo marido, o qual alegara problemas conjugais, "teve a espanhola [e depois] um acesso de loucura violentíssimo, que a fez praticar depredações em sua casa". Na coluna "Casos de Polícia", *O Paiz* explicava que crescia a quantidade de exemplos de enlouquecimento e de "malandragem" também. Entre eles, estava o de uma "rapariga" que morava numa pensão e que, diagnosticada com a gripe espanhola, ficou internada durante semanas. Com a falta de notícias, o senhorio, apressado e oportunista, julgou que ela teria morrido e achou por bem vender os seus móveis. Mas um belo dia a moça reapareceu e, surpresa, viu que todos os seus bens haviam sido liquidados. Resultado: o caso foi parar na delegacia e a história acabou publicada, em 17 de novembro, sob o título "Avançou no espólio da... viva".

Ante a expansão da doença já na quarta semana de setembro, era urgente que as autoridades viessem a público explicar a epidemia; só assim ela se tornaria compreensível — ou emocionalmente aceitável — pelo grosso da população. No entanto, nem o governo nem os serviços sanitários foram capazes de lidar com a violência imposta pela peste, que, sem sinal de controle, instaurou um quadro de desordem pública.

Mesmo com a crise sanitária, o humor dos cariocas continuava a toda, como revela esse desenho que denuncia os ciúmes causados pela tal da espanhola. Careta, *26 de outubro de 1918.*

Mas o humor dos cariocas não se abalou, e eles agiam com irreverência diante do drama diuturno da moléstia. Muitos brincavam com a dita espanhola, que, na falta de maiores esclarecimentos, provocava até reações de "ciúmes", como mostra a charge da página anterior.

E assim o caos social virou material fértil a ser explorado pelos jornais, pelos humoristas e por grupos políticos que faziam oposição ao governo Venceslau Brás. Esse foi o caso da Aliança Anarquista do Rio, que, criada no princípio de 1918, tinha imensa influência na imprensa e gostava de insuflar a população contra a morosidade no estabelecimento de medidas profiláticas e o quadro de limitações das instituições sanitárias. Por isso, o atendimento da população, sobretudo a mais pobre, acabou ficando muito dependente da iniciativa privada (de igrejas, escolas, clubes) e da Cruz Vermelha Brasileira.

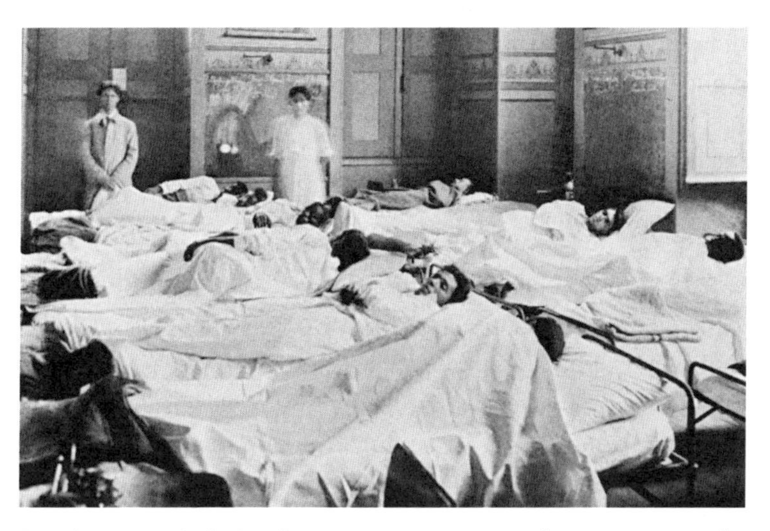

Percebe-se como o fotógrafo, mesmo numa situação de emergência, pediu que doentes e enfermeiras posassem, olhando para a câmera. Hospital do Instituto Benjamin Constant. Careta, *2 de novembro de 1918.*

Foi apenas a partir de 30 de setembro que começaram a ser instaurados serviços de assistência domiciliar e de socorro público. Quinze dias após o desembarque da doença, tais medidas significavam que, com bastante atraso, se admitia oficialmente o estado epidêmico da capital federal. Contudo, parecia já tarde, e a demora no reconhecimento da moléstia, somada às contradições apresentadas no seu diagnóstico e combate, virou um grande óbice para que os cariocas respeitassem e seguissem as diretrizes estipuladas pelas autoridades.

No dia 2 de outubro, o diretor da Saúde Pública, Carlos Seidl, determinou que os portos adotassem uma "profilaxia indeterminada", por conta do "desconhecimento da natureza da moléstia". Não estabeleceu, porém, nenhuma política mais diretiva em relação aos tripulantes e aos passageiros que desembarcavam. Resultado: em vez de aplacar a ira da sociedade, as primeiras medidas exaltaram os humores, evidenciando como os líderes do governo patinavam diante da crise, e não tinham capacidade de tomar medidas práticas e diretas para conter o desenvolvimento da doença, a qual parecia notícia fixa. Era só dela que se falava nos jornais, nos cantos da cidade, dentro das casas.

Carlos Pinto Seidl não era, com certeza, uma pessoa despreparada para o cargo ou um neófito qualquer. Fazia parte do círculo de Oswaldo Cruz, da Academia Nacional de Medicina, e tinha experiência no combate a doenças infecciosas. Para Seidl, a gripe espanhola era contagiosa, mas não suscetível a ações preventivas mais gerais, por exemplo, o isolamento. Segundo ele, apenas a adoção de ações defensivas individuais, "profilaxias individuais", como a ingestão de sais de quinino e a rigorosa assepsia da boca e do nariz, seria eficiente.

No entanto, o próprio cotidiano ia dando um jeito de desmentir o que o cientista afirmava. Logo nas primeiras semanas de outubro, a imprensa noticiou casos da doença em locais amplamente frequentados, como quartéis, repartições públicas e escolas. Daí em diante, o número de pessoas infectadas cresceu rapidamente, tendo sido computados, só no dia 22 de outubro, 930 óbitos por gripe, num total de 1073 óbitos registrados na cidade do Rio de Janeiro.

Com o agravamento da espanhola, Carlos Seidl, diretor-geral de Saúde Pública, perdeu a pose de dândi e passou a ser o bode expiatório da vez. Fon-Fon, *14 de setembro de 1918.*

Carlos Pinto Seidl passou a sofrer, então, severas críticas da imprensa e da própria classe médica, sendo acusado de apresentar um desempenho fraco ante a epidemia. O diretor da Saúde Pública não ficou, porém, calado; defendeu suas políticas nas colunas que publicou na *Revista Medico-Cirurgica do Brazil*, e no livro *A propósito da pandemia de gripe de 1918: Fatos e argumentos irrespondíveis*, lançado em 1919. Nesses textos descreveu a doença, sua repercussão no país, os debates sobre o assunto, os procedimentos adotados para combatê-la, bem como as críticas que ele recebeu e de que maneira se defendeu. Seidl assegurava que o aparecimento da "pandemia de gripe" era "inevitável" e que "nenhum esforço humano conseguiu deter".

Seidl tinha lá suas razões para estar incomodado com a campanha difamatória que vinha sofrendo. A própria medicina ocidental, praticada no Brasil, admitia, naquela conjuntura, desconhecer as especificidades da espanhola — e seriam necessários muito tempo e muita pesquisa para que se pudesse controlá-la. Como explica Adriana da Costa Goulart, pouco se sabia, na época, acerca do agente infeccioso, da forma de transmissão ou da melhor terapêutica; os tratamentos eram aplicados apenas em função dos sintomas apresentados.

Prova disso é que, no processo de interpretação da moléstia, foram resgatadas teorias antigas, como aquelas da tradição galênica (de Cláudio Galeno, ou Élio Galeno, médico do período romano e que trabalhava com relatos de anatomia humana baseados na dissecação de macacos) e miasmática (teoria pautada no conjunto de odores fétidos procedentes de matéria orgânica em putrefação nos solos e lençóis freáticos contaminados), até então consideradas superadas pelos médicos. A tese era a de que a gripe espanhola seria uma decorrência de, entre outros fatores, certas emanações da terra e no ar, que podia estar sendo "invadido por cheiros provenientes de imundices que liberavam gases, que tornavam os corpúsculos de vapor d'água em suspensões no ar mais ricos em matérias nutritivas para certos micróbios que podem aí viver e se desenvolver mais fácil e abundantes". Já o dr. Acácio Pires argumentou que os médicos deveriam atentar para o que chamava de "cura espontânea das doenças". Segundo ele, infecções, febre, disfunções dos órgãos, modificariam os "humores", os quais seriam, no limite, os responsáveis pelo combate da enfermidade. Dizia, assim, ecoando algumas interpretações de seus contemporâneos, que a cura se daria de maneira espontânea, sem a necessidade de intervenção externa.

Interessante como, em momentos de crise na saúde, novas e velhas teorias são utilizadas, e servem de retórica e combustível nas disputas que se instauram pela descoberta do agente causador da doença. Numa época de grande otimismo em virtude dos avanços da ciência na área da teoria microbiana, desenvolvida nos cinquenta anos anteriores à gripe de 1918, que prometiam controlar a morte ou ao menos retardá-la, a epidemia veio desfazer a boa utopia.

A crença no poder infalível da ciência não deu conta de retardar o contágio pela espanhola, mas acabou por retardar a aceitação da própria doença. Invariavelmente, o reconhecimento oficial de uma epidemia só se concretiza, para valer, após um crescimento incontornável no número de infectados e mortos, exigindo o estabelecimento de uma estrutura da saúde confiável. A moléstia contagiosa vira então uma espécie de "evento social", quando termos médicos passam a fazer parte do vocabulário da população, e a mobilização em torno da doença é total. No caso da gripe espanhola, o sentimento de "perda coletiva" desencadeou uma movimentação social intensa. A opinião pública, impulsionada pelo medo e pela insegurança, começou a exigir medidas mais aferíveis. O Brasil de 1918 era um país profundamente desigual, em que as cidades apresentavam grandes bolsões de pobreza. Por isso mesmo, muitos argumentavam ser "antinatural" ou impossível manter medidas de isolamento numa sociedade urbanizada e industrializada como aquela. Alguns cidadãos alegavam, irados, que suas liberdades civis estavam sendo roubadas, e que as medidas de emergência eram sobretudo autoritárias e atentavam contra a República, intervindo na livre circulação de mão de obra e de mercadorias. Outros, ainda, queriam o oposto: que o governo entrasse de forma intervencionista no cotidiano da população, impondo quarentenas na cidade e medidas mais rigorosas de isolamento dos doentes.

Nesse ponto, Seidl encontrava-se bastante perdido, diante de tantas demandas. A questão era que se devia atuar em diferentes áreas e incluir setores variados. Para o plano de contenção da doença funcionar, havia necessidade de tratar com urgência os contaminados. Era preciso também proteger os que não tinham sido infectados. Convencer um trabalhador que se sentia saudável a não bater ponto num período recessivo, não era tarefa fácil, tampouco medida popular.

E enquanto isso, e como as autoridades não chegavam a um consenso acerca dos tratamentos a serem dispensados, sobravam remédios prometendo verdadeiros milagres e muita sabedoria popular. O mais empregado era o sal de quinino, entendido na época como um "santo remédio". O quinino, ou sulfato de quinina, é um alcaloide de gosto amargo e inodoro, em geral encontrado na forma de pó branco, que guarda funções antitérmicas e analgésicas. Medicamento normalmente usado para tratar arritmia cardíaca e malária, está longe de ser inócuo e não pode ser tomado sem a prescrição de um médico. Em primeiro lugar, a comunidade médica não tinha certeza sobre a real eficácia do produto. Além do mais, seus efeitos colaterais eram muitos: os mais comuns, sobretudo quando se utilizava o quinino sem prescrição médica e em doses exageradas, eram a perda reversível da audição, náuseas e vômitos. Em casos extremos, ocorriam também distúrbios visuais, erupção cutânea, perda de audição e zumbido. Aliás, quando tais efeitos apareciam, era preciso descontinuar o remédio imediatamente; atitude que poucos tinham coragem de tomar em razão do medo generalizado que a doença despertava.

Preventivo contra a "Influenza Hespanhola"

O que os medicos aconselham:
Similares usados na Inglaterra e outros paizes

Agua Tonica Quinino Antarctica

Duzia com vazilhame .... 8$000
Duzia sem vasilhame................ 5$000

Soda Limonada (especial) Antarctica

Duzia com vazilhame................ 7$500
Duzia sem vazilhame................ 4$500

Productos superiores da **Companhia Antarctica Paulista**

Acceitam-se pedidos á

RUA DO RIACHUELO, 4

Tel. C. 263 Entrega gratis a domicilio

A água tônica passava a ser anunciada como remédio contra a espanhola por conter quinino em sua fórmula. A Noite, *18 de outubro de 1918.*

O quinino seria substituído, anos depois, por uma conhecida atual nossa, a cloroquina, descoberta em 1934 por Hans Andersag, pesquisador da Bayer, para o tratamento da malária. Mesmo assim, o alcaloide voltaria ao mercado em 1960, por conta dos efeitos adversos da cloroquina, que são problemas musculares, perda de apetite, diarreia, erupções cutâneas. Isso sem deixar de lembrar os mais graves: distúrbios na visão, danos musculares, crises epiléticas e baixa concentração de células sanguíneas.

A população apelava ainda para os famosos "destronca-peitos", alfazemas, limão, coco, sal de azedas (utilizado normalmente para limpeza e desinfecção), cebola, xaropes milagrosos que curavam tudo, vinho do Porto, fumo de rolo, infusões. A cachaça, para alegria de alguns infectados, também entrou na lista de produtos que prometiam debelar a doença. Relata Ruy Castro que uma instituição chegou a fornecer canja de galinha com o objetivo de combater a gripe — mas, como o número de pratos se revelou insuficiente diante da quantidade de pessoas que por lá passaram, a medida benfeitora não vingou. Uma grande aglomeração se formou em frente à instituição, e a polícia foi chamada para dispersar a população e assim evitar maiores conflitos.

A homeopatia entrou na moda também; no dia 18 de outubro, a farmácia homeopática de Epitácio da Silva comunicou "ao público que, apesar do cansaço que domina o seu pessoal, que desde segunda-feira trabalha noite e dia, continua com suas portas abertas, vendendo a homeopatia sem o menor aumento de preço". Estava igualmente à disposição da população, e fazendo muito sucesso, um remédio homeopático chamado Grippina, manufaturado por Alberto Seabra. Já o laboratório Bayer receitava aspirina como "o caminho mais curto para o pronto restabelecimento do indivíduo que sofre de influenza", e ainda explicavam: pois "sua ação é tão rápida quanto um relâmpago".

A empresa Bayer explicou que o termo "influeza" vinha da "influência sobrenatural" dos corpos celestes e dos planetas, mas que ninguém mais acreditava nessas ideias, então suplantadas pela ciência. Careta, *1º de fevereiro de 1919.*

Também a medicina popular, com suas mezinhas (mais usadas, até então, para o tratamento de asma), chás, emplastros e beberagens diversas, passou a ser foco de especulação comercial. Na busca pela cura da moléstia, e diante da ineficácia dos receituários médicos, a população acabava optando pela medicina caseira. Nesse processo, a figura dos curandeiros, que moravam nos morros e nas áreas mais afastadas do Rio, ganhou protagonismo. Muitos deles traziam conhecimentos de partes distintas da África, os quais eram relidos no Brasil a partir da mistura de ervas, plantas e de uma religiosidade secular. Na hora do aperto e do desalento, as pessoas acumulavam remédios diferentes e misturavam vários. O certo é que a proliferação de receitas milagrosas e o uso de outros saberes revelavam outro lado de uma mesma questão: a insatisfação da população com a falta de atendimento, a impossibilidade de as autoridades estabelecerem diagnóstico preciso e a ausência de estratégias eficazes contra o alastramento da doença.

Mas nada freava o avanço da pandemia. Hospitais agora lotados dispunham seus pacientes em camas improvisadas ou, na falta delas, nos corredores. Visitas, nem pensar! Nos numerosos enterros, autorizava-se apenas a presença dos parentes mais próximos, e os carros funerários interrompiam a monotonia das ruas, estranhamente silenciosas. Porém, até os caixões começaram a rarear; em consequência, as famílias passaram a deixar os corpos de seus parentes na rua, aguardando que carros ou carroças viessem recolhê-los. Os populares anônimos eram sepultados em valas comuns e, nos necrotérios, montanhas de cadáveres esperavam para descer à cova. *A Noite*, adiantando o expediente, e já em 24 de outubro, propunha a suspensão da "Festa dos Mortos", que se daria nos dias 1º e 2 de novembro. Nesse meio-tempo, os cemitérios se encheram, sobretudo o de Inhaúma, localizado nos subúrbios e utilizado pela população menos abonada que vivia na região. Também na hora da enfermidade e do fim escancaravam-se as diferenças e as desigualdades sociais, expressas na cor negra dos doentes e nas mortes ainda mais frequentes nos bairros distantes do centro carioca.

Mesmo assim, e diante do luto que já era ritual coletivo, as autoridades continuavam patinando. A Diretoria-Geral de Saúde Pública encontrava dificuldades para tomar medidas ligeiras e ágeis, pois fazia parte da estrutura do Ministério da Justiça e Negócios Interiores, uma máquina estatal pesada e morosa. O diretor da instituição, Carlos Seidl, revelava os limites impostos à autonomia da sua gestão: "Antes do dia 26 de setembro o próprio ministro do Interior, de quem solicitei insistentes informações, não sabia dizer-me qual a natureza da epidemia — falava-me em cólera e peste bubônica". O certo é que a epidemia grassava na capital

A espanhola nada tinha de democrática e afetou sobretudo as populações de baixa renda, principalmente negras, como se pode ver na foto. Careta, *2 de novembro de 1918.*

federal havia um mês, e os discursos dos especialistas ainda se mostravam contraditórios, apresentando a moléstia ora como simples resfriado, ora como uma patologia totalmente nova ou confundida com outras doenças, entre elas tifo, cólera e impaludismo. Essa indecisão, somada à divisão instaurada no seio da comunidade médica, não ajudava — ao contrário, levava a diagnósticos desencontrados.

A espanhola foi, antes de mais nada, uma grande e indesejável surpresa, tanto para os círculos médicos — que não conseguiam entender por que a pandemia atacava sobretudo jovens — como para os políticos que pagavam a conta da crise da saúde. Ademais, como óbitos ocorriam em todos os grupos sociais, muita gente alimentou a ilusão de que aquela era uma "moléstia democrática". Não era, e foi especialmente violenta em áreas que apresentavam equipamentos urbanos deficientes e que mostravam total falta de estrutura sanitária.

Nas fotos e nas charges publicadas nos jornais, evidenciavam-se as desigualdades sociais, que então se mostravam, ainda, como desigualdades sanitárias. Ficavam também claras as diferenças sociais de longa vigência no país, as quais anunciavam que seriam principalmente as populações negras, recém-saídas da escravidão, aquelas mais vulneráveis e afetadas pela gripe espanhola.

E, com toda essa convulsão social, Seidl ia virando a bola da vez. Na sessão da Academia Nacional de Medicina de 10 de outubro de 1918, desabafou e admitiu o fracasso de suas medidas. Declarou que, "em sua marcha caprichosa e vagabunda, a influenza [...] tem menosprezado todos os elementos de defesa, todas as medidas administrativas e todas as quarentenas. [...] O isolamento [...] é irrealizável na gripe epidêmica, a menos que se interrompam [...] todas as relações sociais e todos os contatos daí oriundos". Ia ficando cristalino como a Diretoria-Geral de Saúde Pública e Seidl em particular não estavam aparelhados para combater a peste — por vezes incentivando a quarentena, por vezes desacreditando dela.

Assim, rapidamente jornais e políticos passaram a denunciar a situação instaurada pela epidemia de gripe espanhola no Rio, alegando que tudo era fruto da negligência, do descaso e da incompetência administrativa do governo. O desconhecimento da causa específica da enfermidade logo se transformou, portanto, num problema político e social de grandes proporções. A teimosia do governo em defender a benignidade da doença e o declínio da epidemia, diante do caos presenciado nas ruas da capital federal, gerou todo tipo de crítica. Da mesma maneira, a falta de uma política profilática, junto com as fragilidades que caracterizavam as instituições de saúde, atingiram em cheio a pessoa de Carlos Seidl e resvalaram no presidente Venceslau Brás, que acabou acusado de incompetência administrativa.

No *Correio da Manhã*, a descrença no discurso oficial era explícita: "A epidemia declina. É o que dizem os interessados da mentira". Outros jornais locais, como *A Noite* ou a *Gazeta de Noticias*, desancavam o diretor da Saúde Pública, chamando-o de funcionário "cretino", "relapso" e "desidioso", que apenas "contava o tempo para sua aposentadoria" e que com sua "inveterada inércia" e "dogmatismo de velho burocrata" teria produzido consequências catastróficas. A *Gazeta de Noticias* de 9 de outubro provocava: "O sr. Carlos Seidl não sabia de nada! Os jornais vinham, diariamente, repletos de informações telegráficas sobre a evolução do mal, sobre a sua difusão pelo Velho Continente, mas a nossa higiene continuava alheia a tudo e permitia que os navios saídos de portos suspeitos chegassem ao Brasil sem nenhuma medida de prevenção sanitária".

Em poucos dias, o Rio havia se tornado uma cidade de fantasmas. Aqueles que saíam às ruas pertenciam sobretudo às populações de baixa renda, que se amontoavam nas calçadas aguardando, pacientemente, pela assistência, a qual, na maior parte das vezes, não chegava. O ataque a Carlos Seidl era tamanho, que a doença passou a ser chamada de "Mal de Seidl". E o diretor da Saúde Pública não aguentou a pressão. Em 16 de outubro, pediu a censura dos jornais que seriam responsáveis por incutir crescente pânico na sociedade carioca e ameaçar a preservação da ordem pública. No entanto, àquela altura ele já cumpria o papel de bode expiatório, e era alvo de uma grande campanha difamatória.

Até o currículo do cientista ia sendo demolido pelos periódicos que insistiam em dizer que o diretor da Saúde Pública destruíra a obra de Oswaldo Cruz, o qual em 1907 teria debelado a febre amarela, e fora reconhecido internacionalmente, no XIV Congresso Internacional de Higiene e Demografia de Berlim, por sua luta contra as epidemias no Brasil. Claro que a memória é muitas vezes redentora, e nostalgicamente esquece do passado, apenas louvando méritos e obliterando os problemas. Ela ainda pode ser fruto da compreensão tardia de que o cientista estava certo nas medidas que tomou na ocasião. De toda maneira, no momento em que esteve à testa da saúde, Oswaldo Cruz, que falecera em 1917, enfrentou uma ampla insurreição popular, a primeira da República, conhecida como Revolta da Vacina. No caso, o problema não se deveu às medidas, que se mostraram, aliás, bastante corretas, mas antes à comunicação falha com a população.

Foi nesse contexto que o presidente Rodrigues Alves nomeou o sanitarista Oswaldo Cruz diretor-geral da Saúde Pública. Seu papel era, principalmente, debelar as três epidemias que atingiam a capital federal: febre amarela, peste bubônica e varíola. Para combater as duas primeiras, priorizou o controle de ratos e mosquitos, hospedeiros das doenças. Já contra a varíola, prescreveu a vacinação em massa, medida que não foi bem-aceita pela população, a qual reagiu à entrada dos médicos e funcionários em suas casas. A vacinação passava a ser obrigatória e era necessário apresentar o comprovante para matricular crianças em escolas, viajar, abrir comércio, entre outras atividades. A determinação veio, porém, sem "receituário", e as autoridades não acharam que precisavam explicar a sua eficácia.

A reação foi imediata e, entre 10 e 16 de novembro de 1904, os cariocas, sobretudo os de baixa renda e que viviam nos subúrbios, manifestaram-se contra a medida obrigatória. O Rio de Janeiro ferveu; a incompreensão de parte a parte provocou uma verdadeira explosão, com direito a quebra de meios de transporte, depredação de edifícios e ataque a agentes higienistas. O governo não deixou por menos e agiu com violência: decretou estado de sítio, suspendeu direitos constitucionais, deteve os líderes do movimento e os deportou para o atual estado do Acre. Houve trinta mortos e 110 feridos, e foram feitas 945 prisões. A revolta foi finalmente controlada, mas o saldo restou ambivalente: de um lado combateu a varíola na cidade, de outro o episódio legou uma grande insatisfação.

A Revolta da Vacina virou um símbolo da reação da sociedade civil contra um Estado que aplicava medidas como quem tira pão quente do forno. Foi ainda o primeiro movimento pós-abolicionista, enfrentando uma República que prometera inclusão porém andava entregando muita exclusão social. O importante é que Oswaldo Cruz, em seu tempo, nunca foi uma figura unânime; sua atuação à frente da Diretoria-Geral de Saúde Pública lhe rendera várias glórias, mas também bastante animosidade.

E eis que, catorze anos depois, a nova epidemia deixava explícitas, mais uma vez, as deficiências da área da higiene e a incompetência administrativa dos dirigentes da área da saúde. Numa fala do deputado Nicanor do Nascimento, do Distrito Federal, proferida em 28 de outubro de 1918, e que consta nos *Anais da Câmara dos Deputados*, a saúde pública era vista como a principal vítima da politicagem de "governos hipócritas" que teriam transformado "a obra de Oswaldo Cruz" numa organização "burocrática e ilusória". A memória pode ser curta quando quer, lembrando do desfecho e esquecendo do processo, que em parte assemelhava 1904 a 1918, com a permanência das populações menos abonadas longe de boa parcela das benesses das políticas de sanitarização.

E, enquanto isso, continuava o tiroteio na capital do país, que tinha agora alvo preciso. O *Correio da Manhã* de 19 de outubro acusava o governo de "acefalia" e provocava: "Deixa-se que o Sr. Carlos Seidl peça demissão quando devia ser demitido a bem do serviço público, a cujos interesses cedeu servindo a miseráveis injunções estranhas, que tornaram este país em burgo podre, e perante os quais nós nos anulamos nas fontes vitais da dignidade nacional". Na Câmara dos Deputados, em 17 de outubro, a competência de Seidl fora questionada sem peias ou respeito, com o deputado Nicanor do Nascimento julgando inadmissível o fato de um diretor da Saúde Pública, juntamente com o presidente da República, sugerir que o micróbio que causava a gripe "anda no ar", acreditando que "as poeiras vieram de Dakar até aqui". Claro que os políticos, preocupados com sua popularidade, distorciam e pioravam os depoimentos do diretor, mas o certo é que davam vazão ao sentimento da maioria dos cariocas.

Ao que tudo indica, a pressão da sociedade civil e dos parlamentares resultou numa real guinada política. No dia 17 de outubro, Elmano Cardim, secretário de gabinete do Ministério da Justiça e Negócios Interiores, levou um convite a Carlos Chagas para que tomasse a frente dos serviços de combate à epidemia. Chagas, porém, declinou. Ao que tudo indica, o cientista tinha relações de amizade que o uniam ao diretor da pasta, bem como a convicção de que Seidl teria sido vilipendiado publicamente, e sem fundamento: segundo o cientista, nada mais poderia ter sido feito para deter a invasão da gripe.

Mas a camaradagem não funcionou. O diretor tinha seus dias contados no cargo — o mesmo Elmano Cardim foi enviado pelo presidente para cobrar o andamento dos trabalhos de combate à epidemia. Rápido, Venceslau Brás pôs a culpa da morosidade em Seidl e procurou, ele próprio, se safar do prejuízo político. E assim, em 18 de outubro, o país tomava conhecimento do pedido de demissão de Seidl, e o Rio de Janeiro festejou. Substituiu-o prontamente Teófilo Torres, um profissional formado pela Faculdade de Medicina do Rio de Janeiro que já atuara, com sucesso, no combate à febre amarela na cidade de Manaus.

Teófilo Torres logo criou hospitais provisórios e implementou medidas de emergência, ainda seguindo orientações da gestão anterior. Mas Torres herdou a avaliação pública dada ao ex-diretor. O deputado Nicanor do Nascimento, no dia 28 de outubro de 1918, sem papas na língua, o chamou de "um burocrata educado na escola do sr. Carlos Seidl". O *Correio da Manhã* de 20 de outubro, sem dourar a pílula, assim apreciava a nova conjuntura:

> Para o sr. Carlos Seidl, que o diabo o conserve sempre em guarda, tratava-se de um simples defluxo, de uma catarreira ignóbil, que, por muito benigna e prosaica, não merecia os cuidados de sua ciência transcendente. E o governo, malgrado todas as reclamações, todos os protestos e todos os gritos de socorro que se levantavam uníssonos, desprezou tudo, para se fiar, só e só, na palavra do seu auxiliar...

A escolha de Torres virou um desastre com hora marcada. Diante das críticas aos diretores da Saúde Pública e a Venceslau Brás, que partiam de todos os lados — da imprensa, da população e de grupos políticos —, começou-se a imaginar um novo modelo de burocrata de Estado para a área médica.

Nicanor do Nascimento, deputado pelo Distrito Federal, em sessão de outubro provocava: "Foi esse homem, o sr. Teófilo Torres, que s. ex. encontrou para o cargo. [...] há neste país alguém que saiba que esse nome equivale aos de Artur Neiva ou Carlos Chagas?". No dia 19 do mesmo mês, divulgou-se que a doença já havia atingido metade da população da cidade, estimada em 700 mil pessoas. Em desespero, e tomando medidas que são empregadas até hoje, o diretor da Saúde Pública decretou um feriado de três dias que, certamente, não aliviou a situação.

No meio da crise, a figura de Oswaldo Cruz experimentava um claro processo de mitificação, ao mesmo tempo que Carlos Chagas ia sendo reconhecido como seu verdadeiro herdeiro científico. Na hora da incerteza, todo mundo procura uma tábua de salvação, e a população da capital federal, devidamente inflamada pela imprensa, passou a exigir Chagas à frente dos serviços de combate à influenza espanhola. E, como nenhum dirigente quer ser associado ao fracasso, o governo se pôs a pressionar o cientista, tentando evitar maiores perdas políticas.

Carlos Chagas, formado pela Faculdade de Medicina do Rio de Janeiro, havia se tornado pesquisador do Instituto Oswaldo Cruz em 1908. Empenhado em conter uma epidemia que interrompera as obras de ampliação da ferrovia da Central do Brasil, o cientista dirigiu-se, então, à cidade de Lassance, em Minas Gerais. Ao examinar um inseto hematófago, popularmente chamado de "barbeiro", comum nas casas de pau a pique da população pobre na zona rural, Chagas identificou uma nova espécie de tripanossoma, que denominou *Trypanosoma cruzi*, em homenagem ao mestre Oswaldo Cruz. Em 14 de abril de 1909, tendo encontrado o parasita no sangue de uma criança de Lassance, anunciou a descoberta da enfermidade, causada por esse protozoário e transmitida pelo barbeiro. Estima-se que existiam na época cerca de 12 milhões de portadores da doença de Chagas nas Américas, sendo o Brasil, naquele contexto, um dos campeões de casos.

Diante do aumento vertiginoso do número de mortos pela gripe, Chagas e o Instituto Oswaldo Cruz surgiriam como referências fundamentais, voltando a aparecer na imprensa carioca registros elogiosos às campanhas de controle das epidemias e às pesquisas sobre doenças infecciosas, tropicais e de alto contágio realizadas pelo grupo, ainda no início do século. O que poucos sabiam era que, antes do advento da epidemia, Chagas enfrentava problemas sérios para garantir sua posição de liderança no Instituto de Manguinhos. Após a morte de Oswaldo Cruz, em 1917, alguns membros da entidade chegaram a discordar da indicação do cientista para assumir sua direção.

Mas a espanhola era uma crise sem precedentes e, assim, Chagas foi acolhido como "salvador da pátria". Quando o pesquisador tomou posse do comando dos socorros públicos, a epidemia já estava em declínio. De toda maneira, a entrada dele na Secretaria foi recebida com festa por uma população que receava ver a capital federal transformada ou numa cidade fantasma ou num imenso hospital a céu aberto.

O contexto parecia jogar a favor de Chagas. Colaborava na construção da imagem edulcorada do cientista não apenas a descoberta do *Trypanosoma cruzi*, como os serviços que prestara ao governo Venceslau Brás e os vários títulos e prêmios conferidos a ele por instituições nacionais e estrangeiras. Algo que também favoreceu, e muito, a sua popularidade foi o fato de Aristides Marques da Cunha, Otávio de Magalhães e Olímpio da Fonseca, todos membros do Instituto Oswaldo Cruz, levantarem a hipótese de que a gripe seria causada por um "micróbio". Em época de desespero, a notícia circulou tal qual remédio milagroso, e levou à crença de que o próprio Carlos Chagas tinha identificado o micróbio da influenza e que liderava o desenvolvimento de uma vacina. O sangue retirado dos portadores da doença e as vacinas de "escarros filtráveis" foram considerados soluções imediatas para a cura da espanhola.

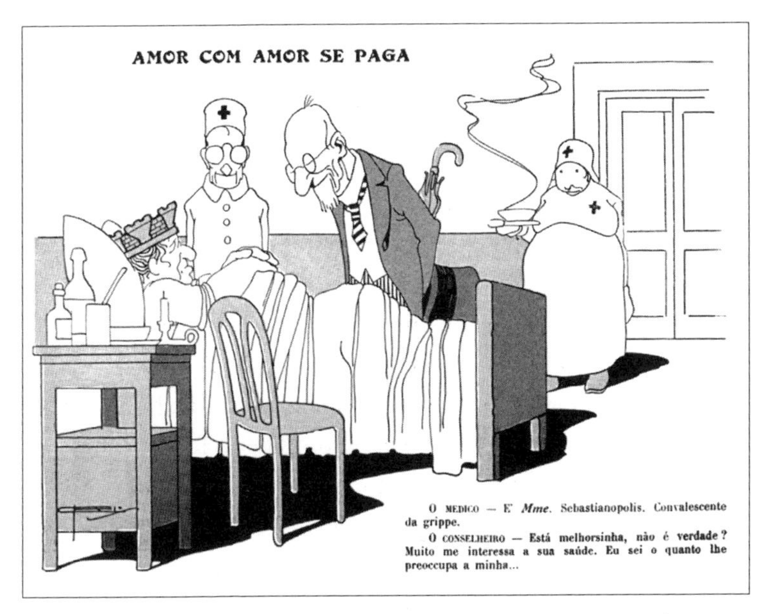

O Rio de Janeiro era chamado de Sebastianópolis por cronistas e chargistas da época. Provavelmente quem está na cama, doente, é o Rei Momo, representando o Carnaval. Por outro lado, Rodrigues Alves também está doente. Por isso: "amor com amor se paga". Careta, *16 de novembro de 1918.*

E tudo deu certo: Chagas não alterou radicalmente a estrutura de combate à doença, porém o número de mortes começou a declinar em novembro de 1918, com a diminuição natural da intensidade da epidemia. Nesse meio-tempo, o próprio cientista e sua família foram infectados, mas todos se safaram. Acontece que a contaminação dos Chagas fez deles "pessoas humanas", que sofriam do mesmo mal que afligia a população.

E então, no início de novembro, o número de casos também começou a declinar consideravelmente. Aos poucos, a cidade foi retomando sua rotina diária, a população voltou às ruas e as elites deixaram suas fazendas no interior para assumir o cotidiano agitado da capital federal. Mas as pessoas andavam desconfiadas: o que haveria, afinal, ocorrido? A epidemia teria hora certa para retornar?

Uma crise assim causa traumas, acaba com determinados políticos e eleva outros. A gripe espanhola deu a Chagas e a higienistas que faziam parte de seu grupo a possibilidade de conquistar posições e reconhecimento político como médicos sanitaristas, até então desconhecidos no país. Fortaleceu, também, a situação de um setor já muito engajado em movimentos nacionalistas, como foi o caso da Liga Pró-Saneamento do Brasil. O episódio ainda alcançou outras esferas políticas. Juntamente com a figura do sanitarista Carlos Chagas, crescia a do conselheiro Rodrigues Alves, que se reelegera presidente da República em 1º de março de 1918 e cuja gestão começaria no fim do ano.

O conselheiro era político dos mais experientes. Ainda no período imperial, atuara como promotor de justiça e juiz municipal em Guaratinguetá, tendo sido eleito deputado provincial para a Assembleia Legislativa paulista durante os anos de 1872 e 1874 e, depois, de 1878 e 1879. Foi eleito deputado geral em 1885, e em 1887 nomeado presidente da província de São Paulo. No final do Império, lá estava Alves, no cargo de deputado provincial, tendo sido ideia da princesa Isabel, então regente do Brasil, conceder-lhe o título de conselheiro. Após o advento da República, ele, que era dono — com a sogra e o irmão — de uma firma destinada à expansão da cultura cafeeira, assumiu a pasta da Fazenda no governo de Floriano Peixoto, seguindo para o Rio de Janeiro. Em 1892, pediu demissão do cargo, mas passados dois anos retornou a ele a convite do presidente Prudente de Morais. Em 1900 foi eleito novamente presidente de São Paulo, e entre 1902 e 1906 já era o quinto presidente da República. E não parou por aí: em 1912, estava de volta à política, sendo pela terceira vez eleito presidente do estado de São Paulo.

Como se vê, Rodrigues Alves contava com larga experiência política no combate às epidemias, que o havia destacado já no seu primeiro mandato. Era essa, ao menos, a opinião dos principais jornais da capital. O editorial de *O Paiz*, datado de 2 de outubro do mesmo ano, exemplificava essa grande virada da opinião pública:

> Estamos convencidos de que o problema sanitário vai ser uma das primeiras questões a que terá o eminente sr. Rodrigues Alves de prestar cuidadosa atenção. [...] E, certamente, o sr. presidente da República e o sr. ministro do Interior não desejam legar, como verba testamentária de sua administração, flagelos epidêmicos, que não concorreriam para aumentar as saudades do quatriênio prestes a encerrar-se.

O certo é que a epidemia levou esses cientistas e políticos a alcançarem posições muito vantajosas. Levou ainda ao reconhecimento de que a ciência, a ação e o conhecimento da higiene e da saúde pública eram fundamentais não só para o controle de epidemias como para a própria regularidade política do país. A popularização da profissão ganhou tal significado que, numa cartilha produzida naquele contexto e distribuída pelo Serviço Nacional de Educação Sanitária, intitulada *Previna-se contra a gripe*, os versos vinham recheados de termos médicos:

> *Perdigotos — Que perigo!*
> *Se estás resfriado amigo,*
> *Não chegues perto de mim.*
> *Sou fraco, digo o que penso.*
> *Quando tossir use o lenço*
> *E, também se der atchim.*
> *Corrimãos, trincos, dinheiro*
> *São de germes um viveiro*
> *E o da gripe mais frequente.*
> *Não pegá-los, impossível.*

Mas há remédio infalível,
Lave as mãos constantemente.
Se da gripe quer livrar-se
Arranje um jeito e disfarce,
Evite o aperto de mão.
Mas se vexado consente,
Lave as mãos frequentemente.
Com bastante água e sabão.
Da gripe já está curado?
Bem, mas não queira, apressado,
Voltar à vida normal.
Consolide bem a cura,
Senão você, criatura,
Recai e propaga o mal

Com tantos motivos para temer, mas também para festejar, o Carnaval de 1919 foi um dos mais animados de todos os tempos, como se os sobreviventes quisessem celebrar uma nova vida, capaz de fazer esquecer a grande tragédia dos meses de setembro a novembro de 1918. Nesse ínterim, a população rapidamente adquiriu imunidade, às custas de pelo menos 15 mil vidas.

Como disse Oswald de Andrade em suas memórias, e referindo-se ao Rio de Janeiro, "a doença foi como veio". No entanto, como se servisse de lembrete, no fim de fevereiro uma queda brusca de temperatura no Rio provocou uma onda de gripe. Retornou ligeiro o medo de que a espanhola estivesse de volta, para dançar por sobre a vida dos cariocas. Não estava, só deixara um rastro de traumas.

Toda crise da saúde consome muito da população, mas tem a capacidade de também se transformar numa boa saída. Foi exatamente em tal circunstância que se passou a defender a criação de uma instituição técnica, científica e, sobretudo, autônoma, voltada apenas para as questões da saúde pública. Esse tipo de argumentação fora bastante promovido com o surgimento da Liga Pró-Saneamento do Brasil, a qual ganhou ainda mais força. A organização, que havia sido fundada no próprio ano de 1918, objetivava atuar em prol do saneamento em todo o país, do interior ao litoral, acreditando tratar-se do único caminho para o desenvolvimento e a modernização da nação. Extinta em 1920, por ocasião da fundação do Departamento Nacional de Saúde Pública, foi a semente de uma pasta de alcance nacional, que só viraria realidade, e receberia o nome de Ministério da Educação e Saúde Pública, em 1930.

Carro alegórico de Carnaval, brincando com a passagem da espanhola no ano anterior. Careta, *8 de março de 1919.*

Mas essa já é outra história. Naquela, contada pela gripe espanhola, que castigou a população carioca entre setembro e novembro de 1918, a imagem era de luto. Quem chegou saudável a fevereiro de 1919, tinha de fato muitas razões para rasgar a fantasia, se encher de confete e serpentina, e dar um tapa na morte ao som de uma boa marchinha. Em carta datada de 26 de fevereiro do mesmo ano, Monteiro Lobato desafiou Lima Barreto: "Por que não fazes um estudo macabro do que foi a gripe no Rio? — para a *Revista*? Ela espera que logo rompas pelas suas páginas com 'A expiação' [...] Adeus, vou cozer na cama a minha formidolosa constipação a duzentos espirros por segundo". Já Lima, escrachado, assim reagiu no dia 8 de março: "O meu Rio é essencialmente carnavalesco e, ao que parece, vai pegando a moléstia em todo o Brasil".

Ninguém tinha muita certeza, mas, enquanto ela, a espanhola, não desse novamente o ar de sua graça, o melhor era cair nas graças do Momo e dançar para esquecer e não lembrar.

6. São Paulo "espanholada"

> [...] *Dá fome a Gripe, é filha e da sujeira,*
> *Transmite-se no escarro e pelo pus...*
> *Evitar dar a mão! Desta maneira*
> *É que o mal se propaga e reproduz!*
> *Alimentado o corpo e bem lavado,*
> *A casa varridinha, onde se mora,*
> *Juro! Não haverá um só gripado!*
> *Sem isso, todo o povo a perna estica,*
> *E com Pão a cada hora,*
> *— Salvo São Paulo inteiro sem botica!...*
>
> Miguel Meira

Já sabemos que o navio *Demerara* deixou uma trilha de gripe espanhola no seu percurso pelo litoral do Brasil, contaminando todos os portos por onde passou. Mas, mesmo sabendo que o porto de Santos ficava logo ali, os paulistanos não imaginavam que a doença pudesse alcançá-los tão rápido. Os argumentos para alimentar o clima de negação que imperava na cidade e em todo o estado eram muitos. Alguns alegavam que a distância daria conta de dissipar o mal, que ficaria "cansado no caminho". Outros, que o "clima saudável e fresco" de São Paulo, diferente daquele de regiões mais ao norte do país, e principalmente do Rio, onde a varíola e a febre amarela ainda eram endêmicas, mataria o inimigo invisível antes mesmo que ele ousasse pousar em terras paulistas. No entanto, e contrariando as previsões mais alvissareiras, a enfermidade chegou com força ao estado, e cerca de metade da população da sua capital adoeceu a partir do mês de setembro.

Em meados de 1916, a cidade de São Paulo contava com 541 690 habitantes. Até 1918, o estado seria responsável por receber, aproximadamente, 70% dos imigrantes italianos que chegaram ao Brasil, desde fins do século XIX. Só para se ter uma ideia, até o ano de 1920 deram entrada no estado 1 078 437 de italianos, representando 9% da sua população total.

E, se os imigrantes foram primeiramente empregados nas fazendas de café, logo ganharam as cidades, sobretudo a capital paulista, que ficou muito italianizada nos seus costumes, na língua e na dieta. Juó Bananère, pseudônimo de Alexandre Ribeiro Marcondes Machado, criou uma série de obras ironizando o *patois* falado pela colônia italiana de São Paulo. A despeito de não ter ascendência italiana, Bananère apaixonou-se pelos bairros operários que cresciam na capital — como Brás, Barra Funda, Bom Retiro, Belenzinho e Bexiga —, e se dizia candidato à Gademia Baolista de Letras. Parodiando o poeta Gonçalves Dias, compôs o poema "Migna terra" com sotaque *paulistês*: "Migna terra tê parmeras,/ Che ganta inzima o sabiá./ As aves che stó aqui/, Também tuttos sabi gorgeá...".

Também a imigração japonesa, que se iniciou oficialmente em 1908, dez anos depois já era muito numerosa: 90% desses imigrantes moravam no estado de São Paulo. E grande parte de uma copiosa população negra deixara as propriedades rurais, passando a compor o cenário urbano paulistano.

Esses grupos conviviam na Pauliceia que rapidamente se urbanizava: todos juntos, mas bem separados também. Abismos sociais podiam ser observados não só nos hábitos sanitários e alimentares dos assim chamados "caipiras nacionais" — numa referência preconceituosa utilizada pelos demais grupos de imigrantes que tentavam fazer a vida na capital do estado. Afinal, longe de constituírem um grupo homogêneo, os imigrantes pertenciam a segmentos distintos e tinham diferentes origens. Dentre os italianos, por exemplo, alguns vinham de certas regiões ao norte do seu país, como Milão, e estavam habituados à vida urbana. Outros, entre os quais a grande maioria oriunda do Vêneto, trataram de readequar por aqui os costumes rurais que traziam na bagagem. Tais imigrantes precisaram substituir a polenta pelo arroz, conhecer novos legumes e frutas, bem como aguardar tempo até poder pendurar as linguiças e toucinhos secos no teto das moradias. Católicos fervorosos e tradicionais, os italianos estranhavam o catolicismo rústico e misturado existente no Brasil, e reacendiam sua fé decorando a casa com santos de devoção e símbolos pátrios.

Hábitos de higiene também dividiam as populações. Os italianos normalmente tomavam banho uma vez por semana — em geral aos sábados ou domingos —, contentando-se em lavar as mãos e as partes mais suadas do corpo: era o famoso "banho de gato". Reagiam, pois, ao escasso comedimento no uso da água praticado pelos nacionais, que pulavam nos rios ou faziam questão de tomar banho de tina todo dia, e ao "furô" dos japoneses, sempre dispostos a uma imersão coletiva. Por sinal, o maior estranhamento, de parte a parte, se manifestaria em relação aos japoneses. Segundo os relatos de testemunhas de época, estes só se satisfaziam quando viam o arroz crescer nas plantações deles, pois feijão e farinha não tinham jeito de entrar em sua dieta. Além do mais, diferentemente dos europeus, pouco investiam na melhoria de suas casas, até porque todo o dinheiro economizado deveria ser destinado aos parentes que ficaram no país de origem, ou se transformar em pecúlio para um futuro retorno.

O fato é que a mistura de línguas e costumes levou a todo tipo de problema, e gerou uma cidade muito desigual e partida. Vizinhos se estranhavam, expressões eram mal compreendidas e conflitos estouravam diariamente. Já "os brasileiros", sobretudo negros e caboclos, os quais todos consideravam "pau para qualquer obra" — ensinavam técnicas locais de agricultura, de construção, de transporte, de cozimento dos alimentos —, eram vistos como inferiores, e o racismo se expressava por toda parte naquela São Paulo do pós-abolição.

Se alguns imigrantes retornaram à sua terra natal (entre italianos e portugueses estima-se um total de 37% a 40%), os que permaneceram tenderam a reler hábitos locais, ajustando seus costumes originais. E a maioria, apesar dos percalços, acabou se adaptando ao novo país. Curandeiros, benzedeiras, erveiros, ifás (adivinhos), percorriam fazendas, levando conhecimentos mistos e cada vez mais partilhados. Na falta de médicos e remédios, esses profissionais ocupavam espaços de cura, com suas orações e práticas.

Na época, dizia-se que três "remédios" davam conta de uma coleção de males que grassavam em São Paulo: o óleo de fígado de bacalhau purificava; sal amargo liberava o estômago e as constipações; e o óleo de rícino agia como purgante. Quando nada dava certo, remédios milagrosos, orações e curandeiros resolviam mazelas no atacado e no varejo. Enfim, nesse mundo de universos cruzados, se a língua afastava, do mesmo modo como os costumes higiênicos, a fé certas vezes aproximava. E assim a capital paulista, que mais se parecia com uma babel de línguas e hábitos, era também o local propício para o surgimento de novas ideias e reivindicações, sobretudo no que se referia ao trabalho urbano.

No princípio de 1918, as marcas das "desordens operárias", para ficarmos com os termos dos jornais de então, faziam-se sentir fortemente em São Paulo. Na verdade, tratava-se de um fenômeno social que ganhara corpo desde os anos 1910, quando os operários do novo parque industrial agitaram a rotina da capital do café. E, se não foram os imigrantes os únicos nem os maiores responsáveis pelos movimentos grevistas, é certo que tiveram imensa influência, em especial no que dizia respeito à entrada das ideias anarquistas no país, a partir da década de 1890. Italianos, portugueses e muitos brasileiros aderiram ao anarquismo, que constituiria a mais importante corrente de organização e de mobilização política dos operários por mais de trinta anos.

A industrialização se iniciou no Brasil por volta de 1840, ainda bastante vinculada à economia agrária. Mas foi nesse momento que as novas fábricas começaram a demandar mão de obra operária — principalmente na construção civil e ferroviária. A partir da década de 1860, com o aparecimento das tecelagens de algodão, a indústria se concentrou cada vez mais na região centro-sul do país e, desde 1880, já se notavam índices de aceleramento no desenvolvimento industrial, acompanhado por uma demanda crescente de mão de obra: entre 1880 e 1884, foram abertas 150 fábricas; em 1907, esse número saltou para 3410; e, em 1929, 13336 novos estabelecimentos absorviam um total de 275512 operários. A base social dessa classe operária vinha das migrações inter-regionais e, dos anos 1860 em diante, e nos estados de São Paulo e Rio de Janeiro, a mão de obra imigrante, sobretudo italiana, foi muito significativa. Durante esse período, São Paulo consolidou sua vocação de centro industrial, ancorou o processo de industrialização, nomeadamente na indústria têxtil, e fortaleceu a presença estrangeira na base social da força de trabalho fabril — em 1912, 60% dos operários têxteis de São Paulo eram italianos e vinham sobretudo de Nápoles, Vêneto, Sicília e Calábria. A força da imigração italiana ajuda a entender a associação dos trabalhadores brasileiros com o anarquismo — força política hegemônica no movimento operário italiano —, ao menos em São Paulo. A presença dos anarquistas em São Paulo se revelou em 1892, quando fundaram o primeiro periódico — *Gli Schiavi Bianchi* — e ocorreu a primeira manifestação por ocasião do Primeiro de Maio. O primeiro jornal anarquista em língua portuguesa e com publicação regular foi *O Amigo do Povo*, criado em São Paulo, em 1902. E, reza a boa tradição revolucionária, um anarquista italiano, ao emigrar, transformava-se num missionário dos ideais libertários.

As utopias anarquistas também desembarcaram na bagagem dos imigrantes espanhóis e portugueses, que assumiram papel decisivo na orientação política do movimento operário. No Brasil, os anarquistas se organizaram entre os operários por meio de associações de luta, com reivindicações voltadas para a melhoria das condições de vida do trabalhador e para a luta pelo acesso à educação. Fundaram diversas publicações — *A Voz do Trabalhador*, *A Terra Livre*, *A Plebe*, *A Lanterna* — e utilizaram-se da greve como arma essencial de mobilização e combate. Em São Paulo, predominava o anarcossindicalismo, que apostava nas associações como principal espaço de atuação política. A mensagem era objetiva: apenas através da ação direta e autônoma dos operários seria possível chegar ao final do capitalismo e à instauração da Anarquia.

E, se alguns se adaptaram ao país, enriqueceram e contrataram eles próprios seus trabalhadores, a grande massa imigrante passava necessidades. Tanto que o período de 1906-08 é marcado por um crescimento no número de greves. A classe operária reagia às péssimas condições de trabalho — não havia restrição de idade ou tempo máximo de jornada diária —, e lutava por melhores salários e pela criação de órgãos de representação, como sindicatos e partidos. Crianças trabalhavam nas fábricas a partir dos cinco anos, sendo que trabalhadores menores de idade chegavam a constituir metade do número total de operários empregados. Para piorar, a presença de crianças e mulheres nas indústrias, ao mesmo tempo que a carestia aumentava nos anos da guerra, levava à diminuição do nível médio dos salários.

A classe operária tornou-se, então, um novo protagonista na vida pública brasileira. Os operários se organizaram em sindicatos, federações sindicais e diferentes tipos de associações, e rapidamente, em 1906, criaram uma central sindical de orientação anarquista: a Confederação Operária Brasileira (COB). Entre 1900 e 1920, estouraram cerca de quatrocentas greves em torno da luta por melhores condições de trabalho e de vida (aumento de salário, proteção ao trabalhador, redução de jornada, direito de organização) ou de natureza explicitamente política: greves contra a Primeira Guerra e em solidariedade às lutas internacionais dos operários. Em 1904, uma grande greve coordenada por funcionários da Companhia Docas de Santos, e apoiada pelos gráficos, irrompeu em São Paulo. Em 1906, houve uma das greves ferroviárias de maior proporção, motivada pelos abusos sofridos pelos operários locais e pela redução de salários. Em 1907, conheceu-se a primeira greve geral na capital paulista, pela defesa das oito horas de trabalho, e o movimento se difundiu para outras cidades do estado, como Santos, Ribeirão Preto e Campinas. A agitação tomou conta das indústrias de alimentação e metalurgia, incendiou sapateiros e gráficos, chegando a atingir 2 mil operários. No entanto, e a despeito do claro crescimento do movimento, as greves foram reprimidas, como passariam a ser sempre, num país de tradição clientelística e pouco afeito à esfera pública de representação. Vários imigrantes foram expulsos do Brasil sob a alegação de serem "anarquistas" e "baderneiros", e muitos trabalhadores brasileiros acabaram presos pela mesma razão. Em 1913, a greve reuniu de 50 mil a 70 mil operários e alcançou a maioria da população trabalhadora. Os resultados práticos não foram imediatos, mas a repercussão foi significativa, ajudando na mobilização dos trabalhadores e na formação dos futuros sindicatos.

No ano de 1917, ocorreu a primeira greve geral na história do Brasil; uma greve da indústria e do comércio. As mulheres tiveram papel importante nesse movimento, por conta do salário menor que recebiam, do assédio e até da violência sexual que sofriam nas fábricas. Reivindicavam mais direitos para si, bem como a proibição do trabalho noturno, já que precisavam cuidar dos filhos e da família.

Em São Paulo, a greve eclodiu em julho, sendo promovida por organizações operárias de inspiração anarquista aliadas à imprensa libertária — durou trinta longos dias e envolveu 40 mil trabalhadores, chegando a Campinas e Santos, por onde era escoada boa parte da produção cafeeira. Para a elite paulistana do café, que ainda dominava o cenário da política realizada na Primeira República, o movimento mais se pareceu com um pesadelo. Afinal, esse era um grupo de proprietários acostumado ao mando e socializado na linguagem perversa da escravidão.

São Paulo já havia reagido violentamente quando do afundamento do navio *Paraná*, em 3 de abril de 1917, pelos submarinos alemães. As lojas de propriedade de imigrantes italianos e seus descendentes foram atacadas e pilhadas. Atiraram pedras no *Diario Español*, pois os paulistas ficaram furiosos com as críticas do jornal ao rompimento com a Alemanha. A Casa Alemã, a Casa Kosmos e a Casa Enxoval também foram apedrejadas, e houve confronto na rua Direita.

Mas 1918 se iniciou sereno. Em meio a tantos problemas vinculados à carestia, causada sobretudo pelos anos da Guerra Mundial, não muitos devem ter parado para ler nos jornais, com mais cuidado, as pequenas notas que havia alguns dias falavam de uma doença desconhecida que estaria tomando a Espanha de assalto — de diagnóstico ainda incerto porém já classificada de epidêmica.

Pouco atualizados, articulistas acreditavam que a tal gripe espanhola por lá nascera e por lá ficaria. Àquela altura, essa parecia ser uma notícia sem grande importância, até porque, em gripe, convenhamos, a Terra da Garoa era especialista. As atenções estavam focadas, para valer, nas informações sobre os problemas na agricultura e a respeito da Missão Médica Militar, que se organizava e em breve partiria para prestar assistência aos combatentes aliados.

Para alívio dos poucos que começavam a ficar preocupados com a influenza espanhola, passou-se a divulgar, em meio a novidades sobre os banquetes de despedida oferecidos à Missão Médica, um "declínio da enfermidade". Supunha-se que a ocorrência considerável de vítimas fatais da doença se dava apenas em virtude da fraqueza da população europeia, que sofria com a insuficiência alimentar causada pela guerra. Misturando a vontade com as notícias escassas, os jornais paulistanos pareciam indicar que aquele fenômeno nem bem chegara e já estava indo embora.

Enquanto isso, o presidente do estado de São Paulo, Altino Arantes, enviava telegrama ao deputado Nabuco de Gouveia com a relação de doutores paulistas que iriam compor a Missão Médica Militar. A Faculdade de Medicina preparou-se para, em sessão solene, homenagear os representantes paulistanos escolhidos. Não faltaram discursos emocionados, vivas calorosos.

E assim, convictos da nobre tarefa que os aguardava, os doutores partiram. Os estados que mais mobilizaram médicos para a Missão foram Rio Grande do Sul (catorze), São Paulo (oito) e Minas (sete). A versão oficial era a de que enviavam os melhores da medicina brasileira; eles tinham projeção e chefiavam a maioria de médicos adjuntos, em geral jovens em início de carreira. Como sabemos, quando aportaram em Dakar, capital do Senegal, os brasileiros se depararam com a doença, que se manifestara ali na primeira quinzena de setembro. Já sabemos que muitos se infectaram naquela cidade, vários morreram, inclusive integrantes da Missão.

Com a guerra e a peste, pode-se dizer que nunca se havia morrido tanto e em tão pouco tempo. Mesmo assim, os jornais paulistanos continuaram publicando apenas notícias esparsas e ligeiras sobre a epidemia; nada de muito importante ou "coisa de apavorar". Destacava-se que ela "pegara" mais particularmente em países não aliados ou numa nação que se dizia neutra, como a Espanha. Era problema, portanto, dos "europeus", afirmavam os jornalistas.

Os paulistanos só parecem ter atinado com a gravidade da situação quando começou a ser divulgado o número de doentes de gripe no Recife, em Salvador e em seguida no Rio de Janeiro. Falava-se que "a culpa era do *Demerara*" e de mais um navio que estivera em Dakar. O certo é que, depois de muita prevaricação, o jornal *O Combate* de 27 de setembro não titubeou e anunciou categórico: "A 'espanhola' já chegou ao Brasil".

Em poucos dias, os registros de "gripados" e "mortos" passavam a saltar dos jornais de São Paulo, que procuravam ainda manter calma a população, avisando que a moléstia se concentrava, apenas e tão somente, nas cidades portuárias. De nada adiantou, contudo, a política oficial de avestruz. Em algumas semanas, o país inteiro estava enfermo. Nos periódicos paulistanos, a explicação corrente era uma só: a influenza ou gripe espanhola que havia aportado no Brasil era a mesma que matava na Europa e na África, e que agora avançava pelos outros continentes.

Como se fosse para um encontro de hora marcada com um inimigo invisível que definitivamente se acercava, a capital paulista amanheceu apavorada nos primeiros dias de outubro. Afinal, as notícias sobre a epidemia eram cada dia mais alarmantes e diziam que ela estava cada vez mais próxima. Em 10 de outubro, *O Combate* afirmava em manchete: "A 'espanhola' em S. Paulo. Numerosos casos suspeitos".

Foi no dia 13 de outubro que deu entrada no Hospital de Isolamento o primeiro caso oficialmente registrado de gripe espanhola em São Paulo: um estudante vindo do Rio de Janeiro. "Só podia ser", comentavam os jornalistas. "A peste vem de fora, da capital federal", diziam os mais bairristas.

Ao que tudo indica, os casos pioneiros de influenza espanhola na cidade teriam sido os de jogadores de um time carioca de futebol amador que tinha visitado São Paulo — tudo vinha do Rio. Os atletas adoeceram em 9 de outubro e foram logo considerados os principais transmissores da moléstia; eles estavam hospedados no Hotel D'Oeste, situado no largo de São Bento, no centro muito povoado, e foram muitas as vítimas no local e nas circunvizinhanças.

Difícil afirmar exatamente quando e como uma pandemia invade uma cidade. Mas o fato é que, em 15 de outubro, o Serviço Sanitário do Estado de São Paulo, então sob a direção do cientista Artur Neiva — especialista em mal de Chagas e em sífilis —, confirmava oficialmente a existência da doença epidêmica na capital. No dia seguinte, as manchetes não davam trégua, tentando mostrar — de trás para a frente — que sempre se soubera que a moléstia chegaria à Terra dos Bandeirantes. Os títulos nas capas dos jornais eram variados, todos chamativos, e dessa vez não havia tentativa de contornar o problema: "A 'espanhola' em São Paulo: Confirma-se a notícia que demos da sua existência"; "A 'influenza espanhola': A terrível enfermidade faz a sua aparição em S. Paulo". Nomear é por certo confirmar a existência de algo, e por fim a peste aportava na imaginação e na realidade dos paulistanos.

Alguns diziam que ela havia entrado no estado quando o *Demerara* fez uma escala no porto de Santos, a caminho de Montevidéu e Buenos Aires. Também se chamava a atenção para o fato de terem atracado por lá navios que traziam uma população contaminada, como o vapor *Carlos Gomes* e demais vapores da Companhia Docas. Outros explicavam que a moléstia teria chegado de trem, carregada por passageiros que vinham do Rio e de outros locais onde a gripe já estava se desenvolvendo fazia mais tempo. Esse era, aliás, o caso do time de futebol carioca mencionado.

Para recuperar o atraso, o Serviço Sanitário do Estado, cumprindo as diretrizes de Carlos Seidl, então diretor-geral da Saúde Pública (nacional), emitiu uma série de notas, logo chamadas de "Comunicado do Serviço Sanitário", as quais foram imediatamente publicadas pela imprensa local. Mesmo assim, no dia 16 de outubro de 1918, o poderoso jornal *O Estado de S. Paulo* procurou, a princípio, seguir as declarações do diretor da Saúde e minimizar a questão, em vez de alertar os cidadãos:

> A população, não só de São Paulo, como do Rio e de todo o Brasil de Norte a Sul, tem estado ultimamente alarmada com o aparecimento da chamada "gripe espanhola", que nada mais é senão a gripe, a influenza comum. O alarme tem sido infundado, porque a moléstia, apesar de sua grande contagiosidade, tem reinado com caráter muito benigno [...] Não é a primeira vez que assistimos a tais surtos epidêmicos da influenza. De 1889 a 1891, toda a Europa foi assolada por uma grande pandemia de influenza de caráter benigno, e que chegou até nós.

A espanhola era chamada de "benigna" e, com um pouco de sorte, quem sabe, pelo caminho ela iria perder sua força. No entanto, o tom de calmaria do artigo de *O Estado de S. Paulo* vai aos poucos ganhando outro tom:

> Em S. Paulo o seu aparecimento tem sido mais tardio e os primeiros casos verificados foram todos importados do Rio: em Guaratinguetá o primeiro deu-se em pessoa vinda do Rio, onde fora visitar a família atacada pela moléstia; em Lorena existem noventa casos em soldados do Exército ali aquartelados; em Santos, nos vapores *Carlos Gomes* e outros deram-se vários casos e na Companhia das

Docas deixaram de comparecer ao serviço oitenta trabalhadores por se sentirem doentes. Na capital os clínicos começaram a notificar os primeiros casos, apesar da gripe não ser moléstia de notificação compulsória.

Guaratinguetá era a terra do ex-presidente Rodrigues Alves — reeleito no pleito de 1918 —, local de onde saíam os caciques do café, e devia causar comoção a menção à cidade. Mas os "Comunicados" ganhavam outra retórica quando se tratava de introduzir uma série de procedimentos no cotidiano da população. Nesse caso, o rigor das medidas em nada lembrava que se lutava contra uma "gripezinha":

> Para evitar a influenza todo indivíduo deve fugir das aglomerações, principalmente à noite; não frequentar teatros, cinemas; não fazer visitas e tomar cuidados higiênicos com a mucosa nasofaringiana que, muito provavelmente, é a porta de entrada dos germes. Tais cuidados devem ser feitos por meios brandos; não devem ser usados desinfetantes enérgicos ou aplicações mecânicas que possam irritar a mucosa nasofaringiana. As inalações de vaselina mentolada, os gargarejos com água e sal, com água iodada, com ácido cítrico, tanino e infusões de plantas contendo tanino, como folhas de goiabeira e outras, são aconselháveis. Como preventivo, internamente, pode-se usar qualquer sal de quinino nas doses de 0,25 a 0,50 centigramas por dia, devendo usá-los de preferência no momento das refeições para impedir os zumbidos nos ouvidos, os tremores etc. Estas doses, salvo em casos muito excepcionais, não têm o menor inconveniente.

"Vaselina mentolada", "ácido cítrico", "plantas contendo tanino, como as folhas de goiabeira", o famoso sal de quinino, tudo cabia no cardápio farto de combate à peste. Era necessário, igualmente, "evitar toda a fadiga ou excesso físico", e aqueles que apresentassem sintomas precisavam "procurar o leito", para evitar "complicações" e o contágio dos demais. Determinava-se, ainda, que doentes não deveriam ser "visitados" e que pessoas idosas não poderiam "nem mesmo receber visitas de simples cortesia". Também para "gripados" recolhidos em hospitais e casas de saúde, nada de visitas — as informações seriam fornecidas na portaria ou por telefone. "A moléstia é nelas mais grave", alertava finalmente o documento, referindo-se às pessoas idosas e acrescentando que o governo decretara o fechamento das escolas noturnas e solicitara aos poderes eclesiásticos que não ocorressem ofícios religiosos depois de escurecer. Deveriam ser sustadas as manobras da Força Pública, e a Exposição Industrial, aberta em 1917 para mostrar a modernização de São Paulo e o crescimento da indústria paulista, deveria ser fechada à noite.

Mais comedido, o documento terminava dizendo que, caso todas as precauções fossem adotadas, seria "muito possível" que a epidemia atingisse seu auge dali a seis semanas e depois desaparecesse. Por fim, a nota explicava que o Serviço Sanitário "pediria aos clínicos e diretores de fábricas para informar pelo telefone, à Diretoria, qual o número de atacados". O procedimento era necessário para que se desse publicidade "a dados verdadeiros", que impediriam "os exageros tão comuns nesta época, e que levam o pânico à população, como se está observando no Rio". Sempre o Rio...

Todavia, ao mesmo tempo que o número de mortos e contaminados subia, elevava-se a pressão política vigente na capital dos paulistas. Neiva e o órgão que dirigia foram acusados, por alguns jornais, de incompetência. O periódico *A Nação* apimentou o debate, afirmando que os sanitaristas "nada fizeram em defesa da cidade" e que seriam "uns incapazes" frente à epidemia. Já *O Estado de S. Paulo* de 17 de outubro jogou a favor das diretrizes do governo e apaziguou os ânimos: "De nosso lado, continuamos a aconselhar à população que tenha confiança na direção do nosso serviço de higiene, e se submeta inteiramente às suas prescrições e avisos". De toda maneira, e como é comum acontecer, a doença ia se misturando com a agenda política e criando muita polarização e disputa.

O "Comunicado do Serviço Sanitário" foi resumido, sob o nome de "Ao Povo", pelo jornal *O Estado de S. Paulo*, tendo sido publicado e reeditado em vários periódicos paulistas nos dias seguintes. Independentemente dos esforços do governo, caberia sobretudo às pessoas, "com atitudes higiênicas e saudáveis", evitar que a espanhola se propagasse de forma violenta pela cidade, como, aliás, vinha ocorrendo em localidades, a essas alturas, já muito vitimadas.

No mesmo 17 de outubro, o presidente de São Paulo, Altino Arantes, registrou em seu *Diário íntimo* informações sobre as embarcações que se encontravam em quarentena no porto de Santos, bem como deixou claras suas preocupações a respeito das condições sanitárias vigentes no estado. Arantes ainda anotou a possibilidade de a influenza ter seguido uma rota distinta até a capital, caminhando através da serra do Mar. Seu diário não parecia lá muito íntimo, uma vez que o governante mais descrevia sua conduta oficial do que arrolava desabafos. Era uma peça pública de quem tinha outras pretensões políticas pessoais.

Os primeiros dias da gripe transcorreram, porém, sem grandes convulsões, e bares, teatros, cinemas, comércio e indústria funcionaram regularmente. Foi somente após a publicação do decreto oficial dando ciência da epidemia de gripe espanhola no município de São Paulo que esses locais encerraram suas atividades, e a rotina da população foi mais radicalmente alterada — a leseira do dia a dia passou a ser chamada de "cotidiano epidêmico".

Entretanto, e mesmo com a constatação de que a influenza vinha fazendo suas primeiras vítimas na cidade, Altino Arantes buscou transmitir uma sensação de tranquilidade e controle. Tanto que determinou o envio de médicos e farmacêuticos à capital federal para atender a um pedido expressamente feito pelo presidente da República, Venceslau Brás. A atitude solícita, e que pareceu não levar em conta a existência da doença na Pauliceia, pode ser explicada por duas razões principais. Em primeiro lugar, Arantes tinha intenção de amealhar apoio político a seu padrinho, o conselheiro Rodrigues Alves, eleito de forma fácil e com grande margem de votos em 1º de março de 1918, e que deveria assumir apenas no fim do ano. Em segundo lugar, a atitude parecia corresponder ao fato de os administradores paulistas crerem piamente na imagem de uma metrópole do café moderna e salubre. Argumentavam que, embora a capital estivesse sendo atingida pela epidemia, seu quadro sanitário não seria por demais agravado: haveria meramente casos isolados.

A Gazeta de Noticias *de 29 de setembro de 1918 caçoou da política titubeante de Seidl e suas más influências em todo o Brasil. Em espanhol mesmo, a bailarina da morte afirma contar com uma "colocação segura" no Brasil.*
"Ela: Haga usted el favor de decir al director que estoy a sus ordenes.
Contínuo: Mas creio que não há mais lugar...
Ela: E como no, si el dr. Seidl me dijo que yo aquí tendría la colocación segura? Esto es un embuste..."

E assim, enquanto o governo ia para um lado, a sociedade civil paulistana movimentava-se em outro sentido. Dias antes do discurso de Artur Neiva, algumas instituições privadas — como a Companhia Antarctica Paulista, a Companhia Nacional de Tecidos de Juta, a Cristaleira Itália, a Comissão de Socorro Estado-Fanfulla —, centros filantrópicos — por exemplo, a Cruz Vermelha Brasileira e a Liga Nacionalista — e estabelecimentos religiosos — entre eles a Igreja Católica e a Associação dos Pastores Evangélicos — não só se mostraram solidários aos enfermos, como passaram a lhes prestar serviços e oferecer tratamento. A própria Cruz Vermelha publicou anúncio no *Correio Paulistano*, clamando: "Paulistas! Quereis fazer um donativo que em muito vem auxiliar a ação dos hospitais da Cruz Vermelha? Mandai uma das vossas camisolas para os doentes".

É certo que a República melhorara, de uma maneira geral, os cuidados com a saúde coletiva. No entanto, com o regime federalista, o setor era agora responsabilidade dos próprios estados, que tinham de arcar com os custos e com o atendimento médico. Como mostra o pesquisador Bertolli Filho, o governo paulista criara, em 1892, o Serviço Sanitário, vinculado, por sua vez, à Secretaria do Interior. Era da competência dessa instituição animar a pesquisa científica, fiscalizar o exercício profissional e tratar das epidemias. A mesma lei criou o Instituto Bacteriológico (atual Instituto Adolfo Lutz) e em 1899 o Instituto Butantan, projetados para combater um surto de peste bubônica que, no mesmo ano, se propagara no porto de Santos. Em tal contexto, o governo do estado adquiriu a Fazenda Butantan, onde instalou um laboratório de produção de soro antipestoso, ligado ao Instituto Bacteriológico. Esse laboratório foi reconhecido como instituição autônoma em fevereiro de 1901, sob a denominação de Instituto Serumtherapico, tendo sido seu primeiro diretor o médico sanitarista Vital Brazil. Também o tradicional Lazareto dos Variolosos entrou na pasta do Serviço Sanitário, e encontrava-se bem equipado.

A cidade de São Paulo contava, ainda, com uma série de hospitais públicos, sendo a Santa Casa de Misericórdia a instituição mais antiga e consolidada; localizada no bairro da Vila Buarque, ocupava todo um quarteirão. No Araçá funcionava o Hospital de Isolamento, inaugurado em 1880 sob o nome de Hospital dos Variolosos; fora criado por iniciativa da Câmara de Vereadores após um surto epidêmico de varíola ocorrido em 1878. A verdade é que a sua construção respondia a um problema de saúde que se arrastava por décadas. No início, o estabelecimento tinha apenas um pavilhão e atendia exclusivamente doentes de varíola. No período da epidemia, porém, seria adaptado para atender também os "espanholados".

Entre as instituições privadas, constavam a Sociedade Portuguesa de Beneficência, o Hospital Santa Catarina, o Hospital Samaritano, o Hospital Umberto Primo, o Hospital Alemão e outros menores. Os hospitais improvisados, e de campanha, chegavam a 37, e incluíam aqueles organizados pelos colégios Sion (na avenida Higienópolis), São Luís (na rua Bela Cintra), Mackenzie (na rua Piauí) e Des Oiseaux (na rua Caio Prado). As iniciativas eram muito variadas. Por exemplo, a Cruz Vermelha agradeceu o fornecimento que passou a ser feito por diversos particulares e grandes magazines, entre eles a Casa Caruso, que disponibilizou sessenta quilos de macarrão; a casa de Pereira Inácio e Cia, que enviou 48 garrafas de água Platina; a Fábrica Iracema, que doou duas dúzias de pijamas; e a Casa Mappin, que ofertou um caminhão automóvel. A sociedade se mobilizava, por meio de atitudes individuais e coletivas de ajuda mútua.

O cenário médico-hospitalar paulistano não era, portanto, ruim. No entanto, independentemente da infraestrutura de saúde que se tenha, jamais se está alerta e atento para enfrentar uma pandemia. Mas, se os paulistas demoraram para atinar com a gravidade da crise, quando o fizeram, buscaram seguir à risca os protocolos sanitários, adotando o isolamento e a quarentena.

A distribuição de víveres é feita pelas voluntárias da Cruz Vermelha brasileira, ladeadas por funcionários do Mappin Stores e de soldados do 43º batalhão, na rua Direita, 32. Na foto posada, alguns transeuntes param e olham para o fotógrafo e não para a ação benemerente que então se desenvolve. A Vida Moderna, *26 de novembro de 1918.*

Esse tipo de medida costuma ser recebido com muita polêmica; afinal, há sempre quem duvide do assim chamado "estado de emergência sanitária" e prefira acreditar em milagre dos céus. Existem também aqueles que procuram colocar a economia na frente da saúde, abusando de argumentos ditos racionais, animando o movimento das ruas e desprestigiando o exercício das autoridades médicas.

Mas, na São Paulo de 1918, o movimento contrário à quarentena não prosperou. Um grande hospital improvisado, o maior deles, foi instalado nos espaços amplos da Hospedaria dos Imigrantes, no bairro da Mooca, às margens da linha férrea que servia a capital paulista. As hospedarias de imigrantes foram criadas a partir da segunda metade do século XIX, com o objetivo de abrigar cidadãos estrangeiros recém-chegados ao país e que seriam posteriormente levados às propriedades de café, localizadas no interior, ou mesmo, e em menor número, a serviços urbanos em metrópoles como São Paulo e Rio de Janeiro. Esses estabelecimentos, que dispunham de intérpretes, recebiam predominantemente europeus; de 1908 em diante, acolhiam também japoneses e árabes. Muitos dos imigrantes aportavam com alguma enfermidade e necessitavam ficar em quarentena, antes de seguir viagem. Entretanto, no contexto epidêmico a função dessas instituições se alterou, pois para lá começaram a ser encaminhados os doentes mais graves.

No início de novembro, a média de casos novos notificados já atingia o número de 7 mil diários: 7786 no dia 4, 6985 no dia 5, 7496 no dia 6.

O Combate de 16 de novembro apresentava o quadro estatístico divulgado pelo Serviço Sanitário no estado, mostrando que São Paulo já somava 116 845 contaminados e 3530 mortos, e se indagava se o estado não estaria praticando uma espécie de subnotificação dos números oficiais. À medida que os números aumentavam, a outrora movimentada capital paulista, a orgulhosa metrópole do café, cada vez mais parecia uma cidade abandonada. As ruas se aquietaram e todos agora se concentravam nos movimentos fúnebres dos agentes do Serviço Sanitário, que passaram a dominar os espaços públicos, recolhendo corpos, embrulhando-os em lençóis e empilhando-os em carroças. Logo chegavam outras carroças, agora do Serviço de Desinfecção, que coletavam como lixo os pertences dos defuntos e neles borrifavam a substância apropriada. Por fim, pregavam-se tábuas para lacrar as portas e as janelas das residências. Era o ritual da morte numa sociedade que não estava, definitivamente, preparada para lidar com ela.

As normas mais gerais referentes ao funcionamento regular de leitos hospitalares de isolamento e previstas no Código Sanitário, bem como aquelas para a instalação e organização de hospitais, foram momentaneamente suspensas. Dada a urgência de leitos, a

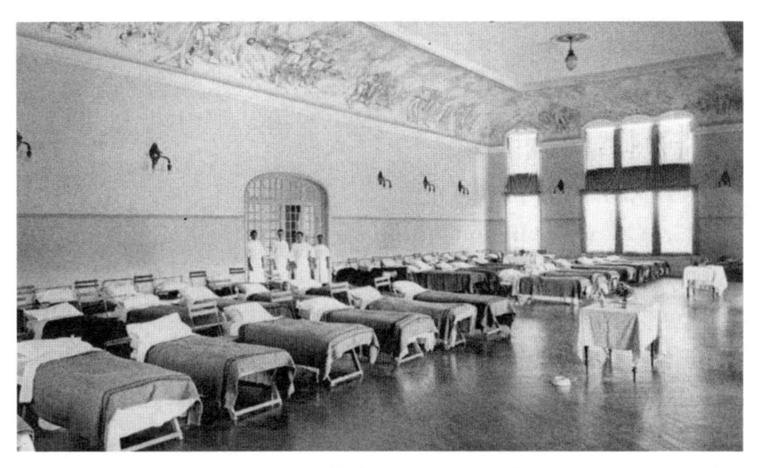

Hospital montado em 1918 no Club Athletico Paulistano: era a hora de a sociedade civil dar bons exemplos.

Hospedaria dos Imigrantes reservou mil vagas para os atingidos pela gripe. De modo similar, o Club Athletico Paulistano, o Sport Club Germania, o Clube Palestra Itália, o mosteiro de São Bento, o Ginásio do Carmo, o Liceu Coração de Jesus, o Colégio Jesuíta São Luís, o Grupo Escolar do Ipiranga, o Grupo Escolar da Barra Funda, o Grupo Escolar da Penha, entre outros, transformaram-se, de uma hora para outra, em hospitais provisórios de isolamento. Os funcionários e professores dessas instituições não atingidos pela espanhola e outros grupos de voluntários passaram a auxiliar no cuidado dos doentes. Médicos e acadêmicos de medicina foram também destacados pelo Serviço Sanitário para dar guarida aos pacientes internados nesses locais sem muitos recursos hospitalares.

O Sport Club Corinthians divulgou comunicado no qual afirmava que, como era composto em sua maioria de jogadores operários, sentia-se "na obrigação de vir, apesar de sua insignificante valia, concorrer com seu esforço [...] para o alívio dos infelizes operários atacados pela pandemia". Por sinal, enquanto o campeonato de futebol do Rio de Janeiro prosseguiu normalmente — com os jogadores no campo e os torcedores nas arquibancadas animando seus times —, o Campeonato Paulista foi interrompido por três meses, para desespero da torcida local.

O *Correio Paulistano* de 26 de outubro avisou que o Serviço Sanitário estava repreendendo pessoas com melhores condições financeiras (de famílias abastadas as quais "facilmente poderiam ser atendidas por seus médicos") que, com os sintomas da gripe, se dirigiam para até três postos de socorro atrapalhando a "presteza do serviço". Era preciso conter o "salve-se quem puder" e chamar pelo espírito cívico da população.

Os casos de celebridades contaminadas também se multiplicavam, mostrando que ninguém estava acima da doença. O delegado-geral Tirso Martins ficou "espanholado", e seu segundo também. A socialite Antônia de Queirós, presidente da seção paulista da Cruz Vermelha, caiu gripada, e sua substituta igualmente. De acordo com o memorialista paulistano Jacó Penteado, "não houve lar que não fosse atingido".

A maior parte do comércio não estava funcionando, não havia mais o elegante footing das quatro às seis da tarde no centro de São Paulo, e as ruas andavam vazias. Bem que alguns estabelecimentos tentaram resistir; os organizadores do Theatro Municipal, um dos símbolos culturais da cidade, alegando que a programação estava fechada e as assinaturas esgotadas, insistiu em abrir suas portas. Nesse meio-tempo, no dia 22 de outubro anunciou-se que Mme. Vallin-Pardo, que protagonizaria a ópera *Louise*, adoecera. No fim das contas, a administração do Municipal foi obrigada a se render às evidências e avisou: "devido à epidemia reinante, os srs. assinantes não podem vir ao teatro".

O que mais impressionava era a concentração de um grande número de casos num curto intervalo. Em 1918, São Paulo teve seus primeiros doentes registrados em 16 de outubro e os últimos em 19 de dezembro. Nesse meio-tempo, em pouco mais de dois meses, foram notificados 116 777 infectados (22,32% da população da cidade), sendo 86 366 apenas no mês de novembro.

Para variar, foi a população pobre a que mais sofreu. Boa parte dos imigrantes e ex-escravizados chegava à capital sem recursos próprios, passando a viver, quando lá permanecia, em casebres improvisados que abrigavam muitas famílias, situados em bairros com poucos equipamentos urbanos: faltava água potável e sobrava esgoto a céu aberto. A estrutura era tão descoberta quanto uma manta curta, e as críticas surgiam de todos os lados. O periódico anarquista *O Combate* de 23 de novembro publicou uma notícia que, embora não se referisse a uma exceção, escandalizou a população por conta da violência da cena flagrada pelos jornalistas. Segundo estes, os vizinhos relataram à polícia que uma família de japoneses deixara de ser vista andando pelas proximidades. Ao entrarem no quarto da família, os oficiais deram com um casal "já [...] em completa rigidez cadavérica sob as cobertas de um humilde leito". Debruçada sobre o corpo da mãe, "sugando ambos os seios e a choramingar", estava uma criança de oito meses. "Assim que deparou com os estranhos, a pequenina órfã arregalou os olhos e voltou-se para os mesmos, soluçando [...]. Estava abatida pela fome de muitas horas."

Não há como apostar na veracidade da notícia, pois os jornais andavam caprichando nas matérias escandalosas. O certo é que as fragilidades do poder público se tornavam ainda mais evidentes no caso das famílias carentes. Comentava-se à solta que as medidas de isolamento serviam para confinar as pessoas em seus lares, reservando-lhes a morte, uma vez que elas não tinham recursos para sobreviver. Cresciam também os "órfãos da epidemia", que passavam para as mãos e os cuidados de instituições controladas pela Igreja — conforme combinação estabelecida com as autoridades do estado.

Bem que o Serviço Sanitário tentou organizar o atendimento de todos aqueles que contraíam a moléstia; mas não deu muito certo. Logo os hospitais ficaram abarrotados e sem leitos disponíveis. A doença parecia ter pressa. Segundo o relatório oficial sobre a gripe espanhola em São Paulo, expedido pelo então prefeito do município, Washington Luís: "[...] no dia 29 de outubro, o número de enterramentos ascendeu a 87 e chegou a cerca de trezentos enterros por dia no auge da epidemia, sendo que a média normal anterior de enterramentos, no ano de 1917, era de 27 enterros por dia, a média durante a epidemia foi de 178,6 enterramentos por dia".

Com o aumento considerável do número de óbitos, os sepultamentos passaram a ser realizados, muitas vezes, em valas comuns e de maneira atabalhoada, pois não havia caixões nem coveiros disponíveis.

Rapidamente se alcançou o recorde de duzentos a trezentos mortos por dia, o que sobrecarregou o serviço funerário. Bondes da Light foram utilizados para transportar caixões, e os cemitérios

Transporte de caixões por caminhões da casa Rodovalho para o depósito do largo de São Francisco. A Vida Moderna, *28 de novembro de 1918.*

da Consolação e do Araçá receberam iluminação de emergência para trabalhar sem interrupção. O advogado Paulo Duarte, em suas memórias, registrou que o cemitério da Consolação, na capital paulista, permanecia iluminado 24 horas por dia, por causa dos "enterramentos que se faziam até durante a noite".

Buscando ajudar, o Palace Theatre, uma instalação com espaços generosos localizada na rua Brigadeiro Luís Antônio, passou a armazenar caixões e também fez as vezes de necrotério. Um novo cemitério foi construído, às pressas, na Lapa, e se ampliaram os antigos — Araçá, Consolação e Brás. Por lá, cavaram-se valas comuns onde se enterraram, sem caixão, corpos provenientes sobretudo da Hospedaria dos Imigrantes. Nesse meio-tempo, o Serviço Sanitário, que procurava discriminar o registro de mortes por bairro, verificou que a moléstia atacava mais pesadamente os bairros operários.

A situação também impactou os preços dos medicamentos oferecidos nas farmácias, enquanto persistiam sérias discrepâncias acerca do agente que causava a influenza espanhola. Em São Paulo e no Rio, os decanos da medicina e da ciência tinham dificuldade de chegar a um acordo sobre a etiologia da doença. Divergiam quanto às melhores terapêuticas, levando muitas especulações a obterem publicidade. Tanto que discussões acaloradas entre médicos homeopatas e alopatas saíram dos espaços reclusos e especializados e ganharam as manchetes escandalosas dos jornais.

Diante do descontrole, multiplicaram-se as receitas, que se dividiam entre aquelas mais testadas e outras com um pé no milagroso. Proliferaram na imprensa notícias pagas que asseguravam a cura de tudo — inclusive da gripe espanhola. Tônicos e fórmulas preparados em laboratórios improvisados, boticas clandestinas no interior de residências privadas, apesar de proibidas pelo artigo 161 do Código Sanitário de 1918, recebiam agora farta divulgação, e sem constrangimento. Quinado Constantino, Mentholatum, Creolisol, Pílulas Sudoríficas de Luiz Carlos, eram alguns dos nomes que apareciam nas páginas dos jornais, garantindo maravilhas.

Segundo memorialistas da época, o controle da alimentação pública e do abastecimento de gêneros alimentícios na cidade entrou em situação de alarme. A produção e o transporte também se tornaram caóticos durante os meses da epidemia, o que levou a uma crise no aprovisionamento. Faltavam sobretudo alho, cebola, canela, cravo, limão e outros produtos considerados terapêuticos pela medicina popular.

Por sinal, os paulistanos recorreram em peso a um remédio caseiro: a cachaça com limão e mel. Em consequência, o preço do limão disparou e o fruto sumiu das mercearias. De acordo com o Instituto Brasileiro, o "boato da cachaça" seria uma adaptação da receita de xarope feito com limão, alho e mel; o acréscimo de álcool comum aceleraria "o processo terapêutico". E assim até mesmo os médicos começaram a aconselhar "a caninha do Ó com limão", mais conhecida pelo nome de "batida". Os Fratelli Guidi, cujo telefone era 1837, faziam propaganda da marca Caipira afirmando que esse era o remédio certo para o combate da "terrível influenza". O jornal *O Combate* de 16 de outubro informava que Santos já contava com mais de quinhentos casos de espanhola e que o preço da "aguardente com limão" subira "de duzentos para quatrocentos réis o cálice". Mais exótico era o texto que acompanhava o automóvel Torpedo, cuja velocidade, dizia seu fornecedor, não permitia que o vírus alcançasse a pessoa ao volante.

Era a experiência acumulada de períodos epidêmicos anteriores que virava agora receituário garantido. Até por isso, conhecimentos científicos se misturavam fortemente com práticas populares, tudo em boas doses. Essa mescla, feita a partir de saberes da própria comunidade médica e de terapêuticas tradicionais advindas da sabedoria popular, tomou as páginas dos jornais paulistanos. Remédios que eram utilizados para outras

O Combate, *em 21 de novembro de 1918, acusou de serem "ridículas" as novas práticas que procuravam dar um jeito nos "males" que assolavam os paulistas.*

finalidades, passavam a prometer resultado positivo também no tratamento da espanhola.

O Combate de 11 de novembro trazia uma "poção para os convalescentes" sugerida pelo dr. Figueiredo de Vasconcelos, chefe de serviço do Instituto de Manguinhos: "água de canela, 100 gramas; carbonato de amônio, 1 grama; Tintura de cola, 1 grama; xarope de alcatrão, 30 gramas. Adultos — 1 colher de sopa de 3 em 3 horas. Crianças — 1 colher de chá de 3 em 3 horas". Era o vale-tudo, que de tudo tinha um pouco, para o deleite dos chargistas, que ironizavam as práticas heterodoxas.

Também em São Paulo deu-se o "ressurgimento" de modelos então considerados ultrapassados, como a teoria dos miasmas, para a qual as enfermidades se originavam em certas condições atmosféricas e climáticas específicas. Aliás, algumas medidas adotadas pelas autoridades sanitárias ou recomendadas pelo costume popular tinham base na concepção miasmática das doenças, por exemplo, a prática da fumigação. A queima de alcatrão, comum no combate à febre amarela, à peste bubônica e à febre tifoide, também empregada em outros estados e cidades, foi bastante utilizada na limpeza do interior de edifícios, bueiros e ruas. Para evitar a influenza eram agora recomendadas as inalações de vaselina mentolada, os gargarejos com água e sal, com água iodada, com ácido cítrico e infusões de plantas contendo tanino. Como preventivo, era muito estimulada a manipulação de qualquer sal de quinino nas doses de 0,25 a 0,50 centigramas por dia, devendo ser consumido no momento das refeições, para impedir os zumbidos nos ouvidos e os tremores das mãos e de outros membros do corpo.

O sal de quinino, que, como vimos, era até então indicado no tratamento da malária e muito popular na época, passou a ser distribuído às pessoas, mesmo sem haver comprovação científica da eficiência do produto contra o vírus da gripe. O problema era que a automedicação levava ao emprego abusivo de determinadas substâncias. Por exemplo, altas doses de quinino geravam desmaios nas ruas, e os desfalecidos podiam ser confundidos com mortos. No departamento das lendas urbanas, que se multiplicaram na ocasião, contava-se que corpos eram sepultados vivos por conta desse tipo de incidente. E também em São Paulo a medicina popular floresceu. A proliferação de receitas estapafúrdias, chás, emplastros, beberagens diversas aumentava em compasso com as insatisfações da população. A *Gazeta*, por exemplo, publicou a seguinte nota:

> O botequim da rua do Tesouro e a Casa Pomona, no largo da Sé, passam os dias repletos. Estranhando esse fato, procuramos saber a sua causa. Entramos no Pomona, dispostos a dar dois dedos de prosa com qualquer dos garçons. Não foi necessário. Um aprecia-

dor da branquinha, que entoava desafinadamente a "Pinga com Limão, Cura a urucubaca", forneceu-nos indiretamente a explicação que buscávamos. Pinga com limão, se cura a urucubaca, também pode curar a influenza.

Os periódicos é que saíram ganhando com o lucro extra que conseguiram publicando propagandas pagas de medicamentos e receitas que ocupavam todos os espaços livres de suas páginas. Também na seção de cartas não faltavam sugestões: leitores recomendavam pitadas de tabaco e queima de alfazema ou incenso para evitar o contágio e desinfetar o ar. O ditado "Cautela e canja de galinha não fazem mal a ninguém" foi seguido à risca. Tanto que o preço do frango e do leite, entendidos como essenciais na recuperação dos gripados, subiu exageradamente, tornando tais produtos inacessíveis à maioria da população.

Em virtude da desorganização na distribuição de alimentos, alguns comerciantes aproveitaram para aumentar o preço de outros produtos então em escassez. A alta inflacionária era também resultado da carência de carroças para a distribuição dos gêneros; esse meio de transporte estava sendo usado na remoção de cadáveres, além de muitos carroceiros terem sido infectados. Uma série de lojas e armazéns, considerados de "utilidade pública", foram fechados por causa da doença ou da morte de seus empregados e proprietários. Até a repartição de Estatística Demógrafo-Sanitária, fragilizada pela reduzida disponibilidade de funcionários — já que vários tinham se "espanholado" —, apelou para o trabalho voluntário de jovens da Associação dos Escoteiros do Brasil na coleta de dados de morbidade e mortalidade gripal.

E o número de "gripados" não dava sinal de queda. Havia quem dissesse que os "conselhos" do Serviço Sanitário não estavam sendo postos em prática pela população, principalmente no que dizia respeito às visitas a doentes de gripe. Na verdade, os próprios médicos não sabiam como impedir que seus pacientes — ou os que continuavam em casa, ou os que afluíam às clínicas e hospitais — recebessem visitas. Por isso, o Serviço Sanitário tomou novas medidas urgentes: solicitava-se às sociedades literárias, esportivas e recreativas que suspendessem reuniões e jogos; determinava-se, em conjunto com a Diretoria de Instrução Pública, o fechamento dos grupos escolares (muitos deles já transformados em postos médicos) e das escolas primárias — deliberação que poderia ser estendida às faculdades. Proibiram-se visitas a internatos; deixou de ser facultado o acompanhamento dos enterros a pé; os externatos e os jardins públicos foram fechados; e os concertos de bandas, suspensos.

Aos poucos, os paulistanos começavam a efetivamente ficar em casa. Uma só pessoa deveria se responsabilizar por fazer as compras para várias famílias; isso no sentido de diminuir a probabilidade de contato e contaminação. Também os "gelados", os atuais sorvetes, foram "colocados em quarentena", uma vez que o Serviço de Saúde temia pelos simples resfriados. Com o objetivo de impossibilitar aglomerações, reduziram-se missas e orações diurnas nas igrejas católicas, encerraram-se as noturnas, e proibiram-se rezas coletivas à noite. O *Correio Paulistano* de 22 de outubro trouxe notícia explicando que a diretoria da Sinagoga Espírita suspendera as sessões noturnas — públicas ou particulares — e que as lojas maçônicas estavam fechadas. Ao anoitecer, todos deveriam permanecer em suas residências e evitar "tomar uma fresca". Por isso, os cultos noturnos e a escola dominical da Igreja Presbiteriana foram suspensos. Os proprietários do Jardim da Aclimação e do Parque Antarctica foram obrigados a fechá-los. Teatros e cinematógrafos cerraram as portas, e vetaram-se todas as reuniões noturnas: a diferença de temperatura, dentro e fora desses locais, que era normalmente favorável ao contágio de uma simples gripe, poderia ser fatal na propagação da espanhola.

O diretor-geral da Instrução de São Paulo, dr. Oscar Thompson, anunciou que as escolas particulares deveriam encerrar as aulas, assim como haviam feito as públicas. E ameaçou tomar "medidas severas a fim de impedir que continuem funcionando". Artur Neiva determinou a desinfecção diária de todos os trens que chegassem à cidade, sobretudo aqueles procedentes da capital federal e de Santos. O desembarque de passageiros continuava, porém, livre, o que gerou muitas críticas e temores também.

"Isolemos S. Paulo!", foi a manchete estampada pelo jornal *A Gazeta* de 22 de outubro, aludindo ao "velho caráter" dos paulistas, cuja capital, alegava-se, sempre fora "fechada" para visitação. E, como em São Paulo se tinha medo de sair à rua, as pessoas com mais condições financeiras deixaram a cidade, refugiando-se no interior, aonde a gripe também chegou, mas com um mês de atraso — em novembro. Não que o estado estivesse parado. Ao contrário, publicou boletins do Serviço Sanitário; instalou aparelhos telefônicos para transmissão de orientações e de relatos do quadro epidêmico; convocou diversos setores da sociedade para a formação de Comissões de Socorro e as destinou a ajudar na assistência médica; e organizou a distribuição de víveres e o aviamento de receitas.

Enquanto isso, o arcebispo metropolitano de São Paulo deliberou que, diariamente, igrejas e confessionários fossem desinfetados e a água benta dos templos fosse trocada. Como a propaganda é a alma dos negócios, anúncios de desinfetantes (por exemplo, o Creolisol) foram estrategicamente dispostos ao lado das colunas em que jornais, com notícias frescas sobre os números da epidemia, eram empilhados de manhã cedo para sumir no começo da noite. O Serviço de Saúde da 6ª Região determinou a oficiais e praças que adotassem (apenas) a continência, deixando o perigoso aperto de mão para ocasiões mais especiais. Ordenou também que falassem o menos possível, sobretudo nas ruas, e que "não conversassem sobre a epidemia nem se ocupassem com ela". Beijos e abraços, além de visitas, ao invés de serem entendidos como atos de cordialidade, naquele contexto passaram a significar uma imensa falta de educação.

Ademais, numa cidade formada por imigrantes, e para a qual o afluxo de pessoas havia aumentado vertiginosamente, alterando de maneira definitiva a paisagem urbana, o assim chamado "povo" — que correspondia, na definição de época, a uma multidão indistinta composta de operários, trabalhadores, biscateiros e criminosos e não raro considerada "perigosa" — virou alvo prioritário de atenção tanto dos políticos como da polícia e dos médicos, que insinuavam ser ele o culpado pela proliferação da epidemia.

Imigrantes italianos, bem como os chamados, indiscriminadamente, de pobres, apareciam cada vez mais na imprensa, ilustrando situações de penúria, hábitos nada recomendáveis e a minguada educação: "O bairro do Brás, [...] por ser o mais populoso e habitado pelos operários, é o que está mais sujeito à propagação do mal", decretava o orgulhoso *O Estado de S. Paulo* de 17 de outubro de 1918. Já *O Combate* de 24 de outubro do mesmo ano sugeria que as instruções médicas do Serviço Sanitário fossem resumidas e escritas em português e italiano, e entregues de porta em porta nos bairros do Brás, Mooca, Pari, Belenzinho, Bom Retiro e Bexiga, e nos subúrbios de Santana, Penha, Lapa, Pinheiros, Quarta Parada e adjacências.

O poeta Miguel Meira se inspirou na pandemia e, no calor da hora, escreveu versos de qualidade sofrível mas de inspiração inquestionável, que publicou no *Jornal do Commercio* de 8 de novembro:

Baratear a vida, eis a primeira
Medida, que ao Governo já propus...
Obrigar a lavar-se a quem não queira,
No Brás, no Cambuci, na Lapa e Luz!
Dá fome a Gripe, é filha e da sujeira,
Transmite-se no escarro e pelo pus...

Evitar dar a mão! Desta maneira
É que o mal se propaga e reproduz!
Alimentado o corpo e bem lavado,
A casa varridinha, onde se mora,
Juro! Não haverá um só gripado!
Sem isso, todo o povo a perna estica,
E com Pão a cada hora,
— Salvo São Paulo inteiro sem botica!...

O Combate de 23 de novembro informou que Ermelino Matarazzo, diretor das Indústrias Reunidas F. Matarazzo, mandara pagar 50% do salário dos 8 mil operários que ficaram sem trabalhar por conta do fechamento da empresa durante a quarentena. "Oxalá este exemplo fosse imitado pelos outros industriais paulistas", afirmou o jornal. Mas esse foi um exemplo bastante isolado. Vários diretores de fábricas exigiam que os trabalhadores batessem o ponto ainda que enfermos.

A inexistência de leis trabalhistas que garantissem a convalescença remunerada, a jornada de até dezesseis horas nas fábricas e os parcos salários — mesmo após as reivindicações da greve de 1917 — fizeram de operários a grande parcela de vítimas da epidemia na capital paulista. Os jornais paulistanos estampavam manchetes policiais referindo-se a vários "gripados" que, sob o delírio da febre ou da fome, atentavam contra a própria vida. Desabastecimento, saques e pilhas de cadáveres aguardando enterro passaram a compor a paisagem caótica de São Paulo durante os dois meses de combate à epidemia.

E, se a partir de dezembro a cidade foi, lentamente, retornando a seu curso regular, ainda estouraram casos assustadores. *O Combate* do dia 3 daquele mês trouxe em sua primeira página a história de uma família inteira, no bairro de Indianópolis, que enlouqueceu e teve um fim trágico depois de ser contaminada pela gripe espanhola.

LOUCURA TRAGICA

A grippe enlouqueceu uma familia inteira

Novos pormenores sobre o caso de Indianopolis

As declarações do filho de Schonardt

A impressionante tragedia do bairro de Indianopolis, que tão profundamente abalou o espirito publico, vae sendo conhecida em todos os seus horriveis pormenores, com os depoimentos de Ernesto e Rosa, filhos da victima. Por elles se vê claramente que o infeliz pedreiro apresentava ultimamente signaes de alienação mental.

O depoimento de Ernesto

Foi prestado no proprio xadrez do posto de Santa Iphige-

Ernesto, o degollador do proprio pae

nia, onde está o rapaz recolhido, tal era o seu estado de loucura. O degolador do seu proprio pae descreve toda a scena, desde os actos preparatorios até a sua completa execução.

Assim, começa dizendo que obrigou o pae a descer ao porão, porque elle, num forte accesso, ameaçava maltratar sua mãe. E, para dar mais vigor ás suas expressões, em estado digno de lastima, gesticula, atirando-se ao chão, narrando as diversas phases da tragedia, mostrando a posição em que se collocára e a resistencia que o pae offerecia.

Subindo do porão, o velho se dirigiu, seguindo o, para o quarto onde havia de desenrolar-se a tragedia. Ahi começou a lucta entre os dois pois que novamente sua mãe era ameaçada. No auge da contenda, arrumou-lhe forte socco na testa que o prostrou ao chão, sem sentidos.

Nasceu dahi a lugubre idéa

A victima

de retirar do corpo do pae o demonio, livrando o, assim, das provações por que estava passando.

Começaram, então, os preparativos para a macabra scena. Era necessario abrir a bocca do velho, por onde, respirando, devia sahir o demonio.

Ernesto pediu á mãe que fôsse buscar uma colher. Com esta, com repetidas chuçadas, pretendeu abrir a bocca do velho. A colher quebrou se. Outras colheres a mãe lhe trouxe, todas entortaram sem resultado algum.

Um outro instrumento mais resistente foi trazido — uma pedra de amolar; desta vez o seu intento foi conseguido. A pedra enterrada violentamente na bocca do desgraçado pedreiro produziu forte hemorrhagia. Julgou, então, necessario liquidar com o demonio, pois que seu pae já não mais estava naquelle corpo. Pediu á mãe que fôsse buscar uma faca de mesa, e com ella iniciam, os dous, a obra sinistra de extinguir o demonio.

A faca encontrou resistencia nos musculos do pescoço; foi amolada e desta vez foi de um só golpe: a cabeça foi separada do tronco, e foi por Elisa atirada a um canto.

Concluida a obra os doi[illegible] [illegible]m-se, deitaram se; [illegible] [illegible]o conseguiram dor[illegible]. A[illegible] amanhecer, [illegible] gando os lençoes [illegible]ram cada um sua cama no qui[illegible]al da chacara, junto a uma cerca, e ahi conservaram se deixados por algumas horas.

O estado da mulher da victima

O estado de Elisa é deploravel. Durante o dia todo, no posto de Santa Yphigenia, onde está recolhida, a pobre mulher

Rosa, a unica que escapou á demencia

não fez outra coisa que rezar, cantar e gritar desesperadamente.

O nosso reporter quiz tirar lhe o r trato, mas não o conseguiu. Tal era o estado de exaltação da infeliz, que oito saldados mal a continham.

Diante disso, o dr. Cantinho Filho fel-a remover para o recolhimento das Perdizes.

Rosa está em bôas condições

Rosa, a filha, encontra-se bem. E' a unica sã e não teve parte na catastrophe de que foi victima sua familia. Prestou declarações, que nada adiantam aos factos já conhecidos e foi mandada em paz, voltando para casa de seus patrões.

Com uma manchete sensacionalista, o jornal O Combate *de 3 de dezembro de 1918 dedicou toda uma página para descrever o caso de uma família que enlouqueceu por causa da espanhola.*

A experiência da morte coletiva não deixou saudades, mas ao menos fez com que o artigo 562 do Código Sanitário, que versava sobre as doenças de notificação compulsória, fosse modificado, incluindo-se a "influenza" no conjunto de moléstias. Por resolução do diretor-geral do Serviço Sanitário do Estado, publicada em 19 de março de 1919, a espanhola era agora obrigatoriamente vigiada em São Paulo: por força de lei.

As coisas voltavam minimamente a algo mais próximo da normalidade. Na edição de 1º de dezembro do *Correio Paulistano*, a seção "A 'Influenza Espanhola'" mostrou em destaque um quadro que informava: "Tendo o sr. prefeito municipal revogado o ato n. 1274, de 7 de novembro deste ano, que limitou os preços de enterramento na Capital, volta a vigorar, do dia 2 do corrente em diante, a antiga tabela de classes e preços da Empresa Rodovalho" (principal fornecedora de serviços funerários na cidade). A esse texto, seguem-se os preços "normais" para caixões e coches, divididos por classes (da primeira à sexta), para adultos ou "menores".

Logo nos primeiros meses de 1919, como não existiam leis de amparo social — seguro-saúde, seguro-desemprego ou licença médica remunerada —, os paulistanos vivenciaram uma verdadeira pandemia de calotes, falências, desemprego e muita, mas muita, inadimplência.

Quando começaram a se fechar as contas da influenza em São Paulo, quase no final de novembro de 1918, haviam morrido mais de 5 mil paulistanos vitimados pela espanhola. Até o último dia daquele ano, somaram-se oficialmente 5331 mortes na capital, cerca de 1% dos paulistas. Calcula-se que em torno de 40% da população ficou doente, e raras famílias não passaram por algum luto. Morreram crianças e velhos, ricos e pobres; mas a quantidade de vítimas pobres e jovens foi muito maior. Pelo menos 116 777 moradores da cidade adoeceram. Entretanto, até hoje existem dúvidas a respeito do número correto de óbitos atribuídos à gripe, e há grande desconfiança sobre os dados oficiais.

De toda maneira, como a rotina sempre pede passagem, em meados de dezembro de 1918, com o declínio da moléstia, os cidadãos paulistanos começaram a arriscar sair de suas casas. Aqueles que se abrigaram fora da metrópole também foram retornando para a vida corrida e agitada da cidade. Sem uma explicação precisa, assim como a epidemia chegou, de supetão, ela desapareceu, acreditava-se (ou se queria crer), para sempre.

Visionário, Artur Neiva, diretor-geral do Serviço Sanitário do Estado durante a gripe espanhola, afirmou: "o historiador que, no futuro, procurar descrever as principais epidemias que assolaram o Brasil, com muita dificuldade poderá fazer ideia da formidável calamidade que foi a gripe epidêmica". Ele tinha razão.

7. Belo Horizonte: a cidade que se julgava salubre

Assim como sempre houve a noite e o dia, sempre houve também o conhecimento, a busca desse conhecimento pelos seres e uma imensa escuridão que precisamos ser capazes de atravessar.

Ailton Krenak

Belo Horizonte, segunda-feira, 21 de outubro de 1918, oito horas da manhã. O médico Samuel Libânio, diretor de Higiene do estado de Minas Gerais, devia ter consumido o fim de semana sem conseguir pensar em outra coisa, alinhavando na cabeça cada detalhe do que hoje nós chamaríamos de "plano de contingência", que ele apresentaria dali a pouco aos membros da Congregação da Faculdade de Medicina de Belo Horizonte — o órgão deliberativo e consultivo máximo da instituição. A reunião, urgentíssima, respondia a pedido do médico, que alegara motivo de força maior. Iam tratar de um assunto grave, sobre o qual, no mundo inteiro, os especialistas não dispunham de quase nenhuma informação: a doença que se espalhava de forma imprevisível e amedrontadora e que enfim chegara à cidade. Os jornais já estampavam a notícia de que a espanhola havia desembarcado na capital mineira. A Diretoria de Higiene, que custara a entender a gravidade do problema, não daria conta de enfrentar sozinha a epidemia. Libânio precisava desesperadamente de ajuda.

Samuel Libânio estava com 37 anos de idade, embora o ar sério e o jeito circunspecto que servia de disfarce para a timidez o deixassem com aparência de mais velho. Era um dos pouquíssimos mineiros formados pela Faculdade de Medicina do Rio de Janeiro, orientado por um nacionalismo que queria livrar o Brasil dos males representados pelas moléstias tropicais. Tornou-se um "sanitarista", como se dizia então para qualificar profissionais especializados em atividades de gestão pública dedicadas a melhorar as condições de saúde da população e a promover o combate às epidemias e endemias.

Samuel Libânio, diretor de Higiene do estado de Minas Gerais.

Desinfectório. Gerador da estufa Geneste Herscher. Álbum Médico de Belo Horizonte, *1912.*

Recém-formado, Libânio engajou-se no combate à varíola, cujos casos aumentaram consideravelmente no estado de São Paulo durante a primeira década do século XX. Em 1906, ele foi morar em Tambaú, uma cidadezinha próxima a Ribeirão Preto, para atuar na campanha de vacinação e revacinação obrigatória. Muita gente ainda resistia a se inocular, e sua missão era se comunicar com as pessoas e convencê-las a tomar a vacina. Mas a varíola não foi a única doença a mobilizar sua atenção. Em 1907, Libânio se estabeleceu no Alto Purus, no então território do Acre, na área habitada pelas populações indígenas huni kuin, kulina e yaminawá, quase na fronteira com o Peru. Três anos antes, Euclides da Cunha tinha estado ali, à frente da Comissão Brasileira de Reconhecimento do Alto Purus, com o objetivo de executar o mapeamento cartográfico para definição das fronteiras entre os dois países. Libânio trabalhou no local por três anos.

Só desembarcou em Belo Horizonte em 1910; em 1917, passou a comandar a Diretoria de Higiene. Com o cargo na mão, Samuel Libânio deflagrou a primeira campanha de saneamento rural em Minas Gerais que negava a relação entre a origem racial da população e as epidemias que grassavam em diversas regiões do estado, como a malária, doença de Chagas, febre amarela e ancilostomose, esta última conhecida no interior pelo nome de "amarelão". No embalo, convenceu o governo mineiro a executar dois projetos essenciais para um programa de prevenção e assistência na área de saúde pública: a construção do Desinfectório Central e do Hospital de Isolamento para atender às vítimas de doenças contagiosas, ambos instalados na colônia agrícola Américo Werneck, onde hoje fica o bairro de Santa Tereza. Ainda arranjou tempo para se casar, escrever tese sobre um tipo de pneumonia violenta capaz de provocar uma reação inflamatória intensa nos pulmões — "Pneumonia vera", como se chamava na época — e fazer parte do grupo de fundadores da Faculdade de Medicina de Belo Horizonte; era o mais jovem da turma.

A trajetória profissional não impediu que Libânio fosse tomado de surpresa pela nova e avassaladora gripe. Ele não levou realmente a sério os riscos que representava a chegada da espanhola a Belo Horizonte e deixou a cidade numa posição exposta. Desde o fim do mês de setembro, os jornais cariocas circulavam com notícias cada vez mais alarmantes sobre os efeitos da epidemia no Rio de Janeiro, mas a Diretoria de Higiene que ele comandava em Minas Gerais não adotou nenhuma medida preventiva. Ainda pior. Minimizou a gravidade da doença e os jornais mineiros repercutiram suas declarações. "É pura e simplesmente a gripe ou influenza; cumpre não confundi-la com a gripe pneumônica, de Dakar, que esta sim é gravíssima, de prognósticos muito sérios", tranquilizava o *Diario de Minas* a partir das declarações de Libânio. "Não há, pois, razão para nos enchermos de terror, como vai acontecendo por aí, confundindo uma coisa com outra, pondo em sobressalto toda gente", repetia.

Libânio estava informado de que a espanhola continuava a castigar o Rio de Janeiro e, mais dia, menos dia, poderia chegar a Belo Horizonte. Mas ele julgou que a gripe tinha baixa letalidade. Também é possível supor que tenha deixado de agir na convicção de que pouco de concreto poderia ser feito para evitar a propagação da doença. Não considerou a chance de adotar providências administrativas ou formas de ação preventivas como o isolamento social — parece ter avaliado que essas não seriam medidas de aplicação viável no espaço urbano.

E talvez exista um motivo adicional, um tanto provinciano, é certo, mas forte o bastante para Libânio menosprezar a doença. Belo Horizonte tinha 21 anos de existência e uma fé inabalável no imaginário que concebera para si. Construída de acordo com os modernos preceitos de higiene urbana da época, estabelecidos por engenheiros e sanitaristas de competência reconhecida nacionalmente, tanto suas autoridades locais e gestores públicos como seus moradores acreditavam piamente no mito da cidade salubre. O número reduzido ou inexistente de enfermidades com potencial de epidemia até então registrado, como difteria, cólera, febre amarela, varíola, reafirmava a ilusão das autoridades e dos moradores nas boas condições sanitárias da capital de Minas.

Aliás, a população encarava com despreocupação e muita fanfarronada as notícias vindas do Rio. O jornalista Gustavo Pena, por exemplo, era um dos inúmeros bravateiros: "Sob o ponto de vista da higiene, Belo Horizonte é uma cidade ideal. De edificação recente, tendo os seus prédios todos separados entre si, aparelhada pelo seu serviço higiênico para dar o bom combate a qualquer epidemia que nos venha visitar, parece que a possibilidade de fazer aqui a influenza espanhola muitas vítimas é ainda muito menor do que se está dando no Rio de Janeiro", escreveu, no jornal *Minas Geraes*, no dia 20 de outubro, quando a doença se espalhava e Samuel Libânio já se via confrontado pelas consequências do erro cometido. O jornalista, contudo, prosseguia impávido: "Devemos aguardar seu arremesso [da gripe espanhola] com a confiança tranquila de quem, de posse de um enérgico cacete, espera a investida de um cão bravio. [...] O caso não há de passar de uns aborrecidos três dias de febre e inapetência, que se pode, ainda assim, evitar, ouvindo e obedecendo ao médico da nossa confiança".

Pena fazia parte da massa de cidadãos certos de que a batalha contra a gripe estava ganha de antemão, mas poderia ter se informado um pouco melhor. Ao menos dois médicos de renome na cidade não compartilhavam da arrogância do jornalista. Um deles, Otaviano de Almeida, um cirurgião respeitado, até comungava da opinião corrente de que Belo Horizonte tinha boas condições de salubridade, porém ficou alarmado com a indiferença das pessoas. Pareciam contagiadas "pela falsa ideia de que o perigo nunca existe e de que não há nenhuma necessidade de se preocupar com o mal", repetia inquieto.

O outro médico, Antônio Aleixo, especialista em doenças contagiosas como lepra e tuberculose, estava assombrado com a irresponsabilidade geral. Foi para os jornais informar aos mineiros que não existia couraça disponível contra epidemia de gripe em lugar nenhum do mundo, muito menos em Belo Horizonte. Ligeira ou grave, benigna ou não, a gripe era uma doença, espalhava-se facilmente, seria conveniente menos presunção e mais bom senso por parte da população para evitar sair pela cidade se expondo a situações que favoreciam o contágio e pondo em perigo uns aos outros.

Mal-humorado, Antônio Aleixo talvez esperasse algo diferente dos seus concidadãos, mas sentia-se responsável pelo que poderia vir a acontecer. Escreveu um duro alerta, publicado nos jornais, no qual recomendou às autoridades sanitárias que providenciassem com urgência proteção a grupos diversos da população: "Também os velhos, as crianças e os miseráveis — por miséria orgânica ou de pecúnia — devem ser postos a coberto da infecção", advertiu. "Não que neles o contágio seja sempre temeroso, senão porque a gripe pode se declarar com uma feição mais grave nessas pessoas que nas demais", esclareceu. Pouca gente prestou atenção no aviso. O imaginário coletivo tinha fabricado uma fantasia poderosa capaz de resistir a quase tudo, inclusive aos alertas médicos. Até o vírus começar a matar indiscriminadamente em meados de outubro, Belo Horizonte insistiu em não levar a doença a sério: "a tal da gripe é mais uma fita do que outra coisa", criticava o mineiro, carimbando com a gíria da época uma reação que considerava típica do comportamento do carioca, sempre exagerado e irracional.

A espanhola chegou à surdina. Religiosamente às dezenove horas, no Rio de Janeiro, ouviam-se os dois silvos prolongados do trem noturno que partia pela Estrada de Ferro Central do Brasil. Um vagão abrigava 24 viajantes sentados; de cada lado, dois bancos simples e dois duplos, de madeira escura com encosto forrado de palhinha, enegrecido pelo uso. O noturno subia a serra das Araras, avançava na direção de Entre Rios, hoje Três Rios, fazia uma parada intermediária em Juiz de Fora. Em seguida, a locomotiva embicava através da Zona da Mata mineira, até aportar, alta madrugada, na Estação Central de Belo Horizonte, o portão principal de entrada da capital.

No dia 7 de outubro, um oficial proveniente da Vila Militar, no Rio de Janeiro, a principal base das Forças Armadas no país, desembarcou em Belo Horizonte. A Vila Militar incluía quartéis, residências para oficiais e sargentos, e recebia soldados vindos de toda parte; a alta concentração de tropas, aliada ao movimento constante de entrada e saída de militares, transformou a guarnição num foco de disseminação do vírus da espanhola. O oficial chegou à cidade, acompanhado da família; sem desconfiar que estavam infectados, desceu na plataforma do terminal ferroviário, um prédio tosco e atarracado que seria demolido, em 1920, para dar lugar ao imponente edifício em estilo neoclássico que lá está até hoje.

Juntamente com a mulher e os dois filhos pequenos, o oficial atravessou a ponte Davi Campista, no grande largo urbano cortado pelo rio Arrudas, apanhou um dos sete carros de praça que estacionados na ponta do largo aguardavam passageiros, e deu ao chofer o endereço do hotel, próximo dali, no bairro da Floresta. O bairro fazia parte da zona suburbana de Belo Horizonte, mas crescia rápido, como um alongamento da Estação Central. Tornou-se um ponto estratégico de trânsito para comerciantes, funcionários públicos, caixeiros-viajantes, além do grande número de pessoas vindas de trem com pendências ou negócios a resolver na capital. Os recém-chegados pernoitaram no Hotel Floresta, que acabou por emprestar seu nome ao bairro, e, na manhã seguinte, instalaram-se numa casa alugada nas imediações. Dois dias depois, os primeiros sintomas da espanhola se fizeram sentir.

Quem residia na vizinhança entrou em pânico. Não era para menos. Os moradores viam pelas janelas os enfermeiros encarregados da transferência imediata do oficial e de sua família para o Hospital de Isolamento, bem como os funcionários da Diretoria de Higiene, devidamente paramentados, transportando, em carroças da prefeitura, os pesados pulverizadores e vaporizadores de metal para desinfecção da casa. A imprensa local fez alarde, a notícia se espalhou depressa. Samuel Libânio ainda tentou aliviar a gravidade da situação. Era a gripe, mas de "caráter benigno", confirmou aos jornais; os doentes estavam bem, a alta, prevista para breve. Tranquilizar a população pode ter sido o modo que encontrou para tranquilizar a si próprio, todavia não funcionou. Nos dez dias que se sucederam, a espanhola iria liquidar com o mito da cidade salubre.

Belo Horizonte foi arquitetada por uma facção da oligarquia mineira cheia de ideias avançadas. Foi ela que fez brotar uma cidade novinha em folha e minuciosamente planejada onde antes existia um velho arraial que seria arrasado — o Curral del-Rei, uma espécie de empório de gado sertanejo que servia aos viajantes do século XVIII como ponto para abastecimento, descanso e troca de animais no caminho para o Rio de Janeiro. A nova capital era a grande cartada de uma fração emergente da elite local, em ascensão na Zona da Mata e no sul de Minas. Iria garantir a unidade oligárquica num estado de economia decadente, marcado pela divisão de poder entre os diferentes grupos regionais que disputavam o controle político na antiga sede do estado, Ouro Preto. Belo Horizonte significava a chance de estabilizar Minas Gerais e prepará-la para um novo tipo de repartição do poder que a República impôs à federação. Sua construção traduzia as perspectivas de criação de outro centro econômico regional, e sua localização, equidistante dos núcleos de poder local, permitiria a esse grupo emergente controlar os mecanismos de centralização política e administrativa do estado. A fundação da nova capital comportava a possibilidade de construir uma alternativa viável de modernização e industrialização num estado cortado por grandes propriedades rurais que se equilibravam no fio de uma economia decadente.

Talvez tenha sido a primeira aventura urbanística do regime republicano no Brasil. Mas, tal como aconteceu com a República implantada em 1889, em Belo Horizonte também faltou incluir o povo. Dividida à régua em três setores bem demarcados — zona urbana, suburbana e rural — de modo a reforçar num traçado em xadrez a ordem política estabelecida, a nova capital de Minas foi idealizada para ser uma cidade de população segregada. Na zona urbana, uma geometria clara e arejada separou o espaço em áreas estritamente funcionais. Nas partes baixas, próximas ao rio Arrudas, que cortava o Parque Municipal, instalaram-se estação ferroviária, casas comerciais, fábricas, oficinas. Nos pontos de topografia elevada, foram erguidos o Palácio do Governo, secretarias, bairros residenciais, Teatro Municipal, Grande Hotel. As avenidas tinham jeito de bulevar, de preferência meticulosamente retas; a linha reta supõe um caminho, exprime um sentido e uma direção — aponta para o futuro da cidade republicana. Ruas largas, quarteirões simétricos, casas assobradadas, e uma classificação rigorosa que determinava os locais definitivos para instalação de residências, comércio, prédios públicos e lazer.

Era uma cidade a ser habitada, mas sob estrito controle. Para circunscrever a zona urbana aos negócios, às instituições e ao poder, e limitar o acesso indiferenciado da população, o espaço foi cercado fisicamente pela avenida Dezessete de Dezembro, atual avenida do Contorno. Circundando a zona urbana, só que do outro lado da avenida do Contorno, começava a zona suburbana: quarteirões de traçado irregular, ruas estreitas abertas de acordo com a topografia, lotes de tamanho variado. A zona rural garantia o abastecimento da capital e estabelecia a divisa com o interior do estado tal como previsto pela planta da cidade.

Graças ao traçado em xadrez, foi possível distribuir a população de forma hierárquica e ordenada por bairros. Os limites sociais eram fixos e imediatamente identificáveis. Os burocratas se instalaram no bairro dos Funcionários, o maior da capital, ao lado da praça da Liberdade, nas imediações do aparato administrativo de governo e da municipalidade. Nas franjas da avenida do Contorno começavam os bairros populares. No bairro Quartel, hoje Santa Efigênia, iriam morar os soldados; no bairro do Barro Preto, o maior núcleo suburbano, os operários; a Lagoinha, região de brejos e chácaras, tornou-se originalmente domicílio dos artesãos em madeira, pintores e técnicos em eletricidade ou mecânica que ajudaram com seu ofício a erguer Belo Horizonte.

A chegada da epidemia embaralhou o espaço urbano e, de muitas maneiras, expôs as consequências da segregação às vistas de todos. É certo que o projeto de saneamento cumpriu com as exigências de higiene da época. Foram executadas obras de captação e distribuição de água para abastecimento da população, e instalou-se o sistema de canalização, em cobre ou ferro, como então se usava, para drenagem do subsolo e rede de esgotos. Mas o saneamento também teve seus limites fixados pela avenida do Contorno: ficou circunscrito à zona urbana. Nos bairros populares, bem como na zona rural, havia carência de água, luz, calçamento, esgoto. Além disso, e ao contrário do que previam os engenheiros, a população cresceu e se expandiu de fora (pela zona suburbana) para dentro (zona urbana): em 1912, as estatísticas apontavam que 70% dos habitantes de Belo Horizonte viviam na periferia. O preço dos terrenos subiu, proliferavam as "cafuas", casebres com paredes de pau a pique, telhado de capim e piso de terra batida, e a questão da moradia popular tornou-se um problema permanente — aliás, até hoje.

Hospital de Isolamento, Belo Horizonte, c. *1913-15.*

O vírus desmanchou as rígidas demarcações que zoneavam o espaço de Belo Horizonte e desordenou a pretensa harmonia da ordem social. Entrava e saía rápido demais entre a zona suburbana e urbana, saltava para a rural, regressava ao centro, multiplicava-se ferozmente, e escancarava a realidade das condições de higiene destruindo o mito idealizado da cidade salubre. Para piorar a situação, quando os moradores começaram a ser confrontados com os efeitos da gripe epidêmica, Samuel Libânio já havia jogado fora o tempo de preparo para o desembarque da espanhola. A doença não tinha nada de benigno, atacava qualquer um, sem distinção, mas deixava claro que nos bairros populares as pessoas estavam mais vulneráveis e a chance de morrer era maior. À medida que se espalhava, o vírus tornou ainda mais evidente a desigualdade social entre o centro e a periferia da cidade.

Libânio era o responsável pela saúde pública, e a pressão só aumentava. Ele demorou muito a agir e, já avançado o mês de outubro, com a espanhola esparramada pela cidade, somente medidas drásticas poderiam oferecer respostas para a população. A Diretoria de Higiene tinha de assumir rápido o papel de agente principal na articulação e na coordenação de ações centralizadas para enfrentar a emergência sanitária. Libânio traçou seu "plano de contingência", por assim dizer, concentrado em três objetivos. Precisava encontrar um modo de limitar a letalidade da gripe, adotar medidas de prevenção e proteger os doentes.

Todas essas providências faziam sentido. Faltava dizer como iria agir. No dia 17 de outubro, a Santa Casa de Misericórdia recusou-se a internar um indigente com os sintomas da espanhola. A instituição era um dos três hospitais da cidade, ao lado do Hospital de Isolamento e do Hospital Militar, e respondia por praticamente todo o atendimento hospitalar de Belo Horizonte. Mesmo assim, seu diretor, o médico Hugo Werneck, argumentou que doenças de caráter epidêmico deveriam ser encaminhadas apenas ao Hospital de Isolamento. Samuel Libânio não esperava por isso, mas entendeu o recado. Como ele mesmo declarou mais tarde, foi então que decidiu "precipitar a organização do serviço de hospitalização da pobreza da capital".

Três dias depois, Libânio bateu na porta da Congregação da Faculdade de Medicina. Não foi uma reunião fácil. Ele pretendia montar uma rede articulada para deflagrar ações com propósito comum de combater a gripe espanhola, coordenada pela Diretoria de Higiene. Cícero Ferreira, diretor da faculdade, foi contra. Em sua opinião, naquele momento ainda inexistia uma verdadeira epidemia se espalhando pela população; bastava, portanto, organizar postos isolados a cargo de professores para atender demandas específicas de saúde. O ponto principal de discordância, porém, vinha na sequência. A Faculdade de Medicina só ofereceria seus serviços ao povo; de modo algum ao governo ou como integrante numa rede de ações coordenada pela Diretoria de Higiene: era preciso evitar "que a atitude da Faculdade fosse interpretada como um propósito de agradar ao governo e não de ser útil à população", pontificou.

Cícero Ferreira tropeçava na própria vaidade, mas a Congregação tinha escutado com atenção os argumentos de Libânio: "a epidemia apenas iniciada tendia e podia alastrar-se, e dessa verdade deviam estar compenetrados todos os seus colegas"; eles precisavam de um plano uniforme de combate, defendeu. E se contrapôs ao diretor da escola: "nesse momento em que a saúde da população via-se ameaçada por um flagelo que tantas vítimas tem feito, não era lícito à Faculdade contemplar impassível essa cena de angústia e de dores, dispondo, como dispunha de poderosos elementos para combater o mal", argumentou.

A decisão estava nas mãos da Congregação e ela se convencera. Enquadrou Cícero Ferreira, suspendeu as aulas enquanto durasse a epidemia e foi além: transformou o prédio da Faculdade de Medicina em hospital provisório com 112 leitos e serviço clínico em sete enfermarias chefiadas pelos professores e com auxílio dos estudantes. Para os moradores da cidade era algo inédito: um serviço de hospitalização gratuito com atendimento dos professores e estudantes de medicina e voltado para indigentes, miseráveis e para a população pobre.

Em 24 de outubro, o hospital provisório foi aberto à população. Logo nos primeiros dias de novembro, a Companhia de Eletricidade e Viação Urbana, serviço encarregado de fornecer energia de uso público e privado assim como para tração dos bondes da capital, implantou, nos jardins da faculdade, um sistema de iluminação com grandes faróis circulares para movimentação noturna de ambulâncias e carroças do Desinfectório Central. Só faltavam as enfermeiras, mas esse aparentava ser um problema de fácil solução. A Cruz Vermelha Mineira estava instalada na cidade desde novembro de 1917 e já no mês seguinte tratou de concretizar uma parceria com a Faculdade de Medicina para a criação do curso para enfermeiras e padioleiros de guerra — com direito à aula inaugural de Borges da Costa, o médico encarregado de chefiar o grupo clínico de Minas que iria compor a Missão Médica Militar.

A gripe se disseminava e as internações aumentavam. O oferecimento das enfermeiras para completar o quadro de atendimento do hospital combinava com a urgência da situação e foi imediato. Cícero Ferreira, contudo, resolveu dispensar a oferta — não iria expor "gentis senhorinhas" ao contágio da moléstia num hospital provisório, explicou aos jornais. A sociedade mineira podia ser conservadora ao extremo, mas, dessa vez, ficou indignada. Choveram protestos, a Cruz Vermelha se exasperou, as enfermeiras estavam furiosas. Foi preciso que a Congregação enquadrasse novamente seu diretor. No dia 2 de novembro, a Faculdade de Medicina fez publicar um comunicado nos jornais, devidamente assinado pelo próprio Cícero Ferreira: "A diretoria do Hospital e Posto de Assistência da Faculdade de Medicina julga de seu dever comunicar às exmas. senhoras enfermeiras da Cruz Vermelha que o Hospital precisa de seus serviços profissionais, considerando-os preciosos e muito importantes".

Ao contrário do que aconteceu em outras cidades, como, por exemplo, Recife, Salvador ou Porto Alegre, em Belo Horizonte ninguém puxou o vírus para o palanque da política. Provavelmente isso ocorreu, ao menos em parte, por conta da relativa estabilidade que desfrutava nessa conjuntura a aliança entre os diferentes grupos da oligarquia mineira. Havia competição entre eles, claro, mas não existia, naquele momento, uma facção oposicionista no interior da elite local em condições de fazer uso da epidemia para desgastar o governo. Recém-empossado na presidência do estado, Artur Bernardes era centralizador, autoritário, e controlava, com mão de ferro, a Tarasca, a Comissão Executiva do poderoso Partido Republicano Mineiro (PRM), por onde passavam todas as decisões sobre a vida política em Minas. Na ofensiva para assumir o comando da oligarquia estadual, Bernardes rompeu com a velha prática de formar secretariado com as forças eleitorais emersas dos diversos núcleos de poder local, e privilegiou nomes vindos inclusive do meio acadêmico. Cercou-se de uma turma que valorizava o debate sobre ciência na administração pública, e isso pode ter contribuído para dar sustentação às providências que precisavam ser adotadas pela Diretoria de Higiene.

No organograma da administração estadual, a Diretoria de Higiene subordinava-se à influente Secretaria do Interior, Justiça e Instrução Pública. Sem alternativas diante da propagação do vírus, o secretário, Raul Soares, se viu na contingência de começar a assinar decretos.

No dia 17 de outubro, ele assinou dois. O primeiro tornou a gripe uma doença de notificação compulsória, exigindo que médicos e hospitais comunicassem à autoridade sanitária os relatos dos casos. O decreto era essencial para que a Diretoria de Higiene tentasse compreender os padrões da espanhola — qual sua abrangência, onde aparece e se espalha. Também permitia monitorar a epidemia e verificar seu aumento, estabilidade ou queda. O segundo decreto deu início às ações que poderiam conter a disseminação da gripe e determinou o fechamento das escolas públicas em Belo Horizonte. O Colégio São José, na rua dos Tamoios, foi o primeiro a interromper as aulas. Vieram, em seguida, os grupos escolares, a Escola Normal e o Ginásio Mineiro; na sequência, os colégios particulares e as faculdades que existiam na cidade: direito, medicina, odontologia e farmácia, engenharia.

Eram intervenções drásticas, impostas pelo governo estadual, que tinha autoridade de execução, com impacto direto na vida das pessoas. Ainda em outubro foram proibidas romarias ao cemitério do Bonfim — inclusive no Dia de Finados — e, de uma hora para outra, Belo Horizonte se deu conta de que também seria necessário suspender os usos ligados à morte e ao morrer. Os ritos de sepultamento eram uma tradição antiga no estado. Usualmente lento e demorado, o ritual principiava com o "saimento" do corpo do morto de sua casa, o caixão conduzido à mão, cortejo fúnebre a pé até a igreja, para marcar o momento íntimo em que a morte irrompe no cotidiano das pessoas — vizinhos, familiares, amigos. Recebido o corpo na igreja pelo sacerdote paramentado com as vestes roxas do luto, cumpria-se então a liturgia da sua "encomendação" solene ao sagrado. Só depois dessa cerimônia o coche mortuário seguiria para o cemitério, onde ocorria o ato de "sepultamento", o rito de entrega e guarda dos restos mortais.

Os médicos conheciam pouco sobre a espanhola, mas compartilhavam algumas certezas. Sabiam que a doença se espalhava como acontece numa gripe comum, através das pequeninas gotas que uma pessoa infectada expele ao falar, tossir ou espirrar e que, portanto, o isolamento seria o modo de tentar frear a velocidade do contágio. Além das escolas e dos rituais religiosos, Samuel Libânio suspendeu o comércio e ordenou o fechamento das lojas. Os proprietários obedeceram, não sem bufar contra a Diretoria de Higiene. Os comerciantes ficaram particularmente furiosos. Alegavam que a influenza não iria se alastrar em Belo Horizonte com a mesma força e intensidade com que ocorria no Rio de Janeiro, e que o impacto na economia teria efeito desastroso e os prejuízos seriam incalculáveis. Libânio ouvia as reclamações e seguia em frente. Com o apoio do prefeito Vaz de Melo, a Diretoria de Higiene decidiu proibir o funcionamento dos lugares onde se davam os encontros públicos na cidade. Tudo fechado: o Bar do Ponto, o Café e Restaurante Paris, a Confeitaria Suíça, o Trianon, o Clube Belo Horizonte, a Charutaria Flor de Minas, os cabarés de madame Olímpia — Éden, Palace, Cassino Montanhês.

A relação com os empresários e comerciantes continuava em rota de colisão, mas a refrega iria ocorrer com o fechamento dos cinemas. Belo Horizonte tinha cafés, um Clube de Esportes Higiênicos, a Liga Mineira de Esportes Atléticos, teatro, retretas no Parque Municipal, Hipódromo, cabarés e um improvável campo de críquete; nada disso se comparava ao fascínio da população pelas salas de cinema espalhadas pela cidade. Nas bordas da avenida do Contorno, à volta da rua dos Caetés e atrás da praça Doze de Dezembro, hoje praça Sete, existiam os "cines-poeira"; nas redondezas da rua da Bahia situavam-se os cinemas da elite, dentre os quais o mais luxuoso era o Cine Odeon, cujo vestíbulo empapelado de verde e vermelho trazia colado, nas paredes, grandes painéis coloridos de filmes das produtoras Nordisk, Pathé, Gaumont, para maior encanto dos frequentadores.

Qualquer que fosse sua localização, os cinemas eram o principal espaço de sociabilidade da capital mineira. As salas de espera ficavam lotadas, as pessoas se encontravam, algumas queriam ser vistas, outras preferiam conversar e, no mais das vezes, o movimento das matinês e soirées prosseguia animado nos cafés e botequins da vizinhança. Era um investimento empresarial caro, mas valia a pena. No início de novembro, no momento em que Belo Horizonte estava sendo mais duramente afetada pela epidemia, a Empresa Gomes Nogueira, proprietária de quase todos os cinemas da cidade, resolveu reabrir suas salas por conta própria. O dono avaliou que poderia fazer frente às medidas impostas pela Diretoria de Higiene, alegou que as providências radicais para evitar o espalhamento da gripe eram desnecessárias e que o fechamento das salas significava um claro prejuízo. Reabriu na marra e mandou anunciar a nova programação.

A empresa fez as contas e calculou quase tudo; só não imaginou qual seria a reação da população. Foi um escarcéu. A cidade se agitou com críticas à decisão e os jornais abriram manchetes propondo uma campanha de boicote aos cinemas. Gomes Nogueira recuou, claro. Mas a explicação que apresentou não deve ter convencido muita gente. Reabriu os cinemas, justificou-se, com a intenção de erguer "o ânimo abatido do povo flagelado e dar-lhe confortante espairecimento", além de garantir a sobrevivência dos seus funcionários e de suas famílias, que viviam "dos parcos rendimentos da empresa". Fez pior. Sem ser convincente, o empresário insistiu em se dizer vítima da incompreensão geral: "Assim os reabri [os cinemas], certo de que me saberiam todos compreender e não me julgariam capaz de pospor o interesse geral ao meu interesse comercial numa época desoladora como a atual, conhecido que sou aqui há muitos anos de todo mundo como homem que absolutamente não é dos mais interesseiros". Afora o lapso de sinceridade, ele seguiu no mesmo diapasão: "Seja, porém como Deus quiser, e ficarei com minha consciência tranquila, lavando, como Pilatos, as minhas mãos".

Diante de uma doença infectocontagiosa, era necessário explicar à população o que estava acontecendo. Muita gente, em Belo Horizonte, não sabia ler, nem todo mundo tinha por hábito procurar médicos ou hospitais, e era frequente a pessoa adoecer e se tratar em casa. Certas moléstias infecciosas costumavam ser estigmatizadas — o caso da lepra, por exemplo. Assim, a espanhola, como era desconhecida, poderia levar as pessoas a decidir ocultar sua própria enfermidade ou a de familiares, com receio de sofrer algum tipo de discriminação. Para contornar as dificuldades, a Diretoria de Higiene procurou canais alternativos de informação. Libânio apelou à Igreja Católica, que cancelou aulas de catecismo e encontros de fiéis, e passou a engajar padres e associações religiosas na identificação de infectados, vigilância sobre o avanço da gripe a partir das paróquias e divulgação das medidas para evitar contágio.

Conseguir o apoio das associações religiosas foi essencial. Possibilitou à Diretoria de Higiene levar assistência médica diretamente à zona suburbana. Nos lugares onde a população estava ainda mais vulnerável, foram abertos os postos de atendimento. A mais conhecida dessas associações, a Sociedade São Vicente de Paulo, instalou sete postos de atendimento nos bairros suburbanos da Floresta, Lagoinha, Quartel, Barro Preto, Cardoso, Barroca.

A trilha aberta pelos religiosos contribuiu para mobilizar outras associações. Meio provinciana e meio cosmopolita, Belo Horizonte é também uma cidade de imigrantes; desde a época da sua construção, acomodou libaneses, italianos, judeus, espanhóis, alemães, sírios, portugueses. Para enfrentar a epidemia, entraram em campo as comunidades de imigrantes italianos e espanhóis, que franquearam as sedes de suas Sociedades de Mútuo Socorro para a instalação de novos postos de atendimento na periferia. Por sua vez, as associações filantrópicas, como As Damas de Caridade, capitaneadas por Clélia Bernardes, esposa de Artur Bernardes, cuidaram de abrir outros dois postos de atendimento, também localizados na zona suburbana. Já a Diretoria de Higiene aparelhou uma enfermaria na própria sede, voltada para o atendimento do pessoal de saúde e apoio aos atingidos pela espanhola.

As ruas ficaram vazias. As pessoas ficavam fechadas em casa com os provimentos que podiam acumular, mas gêneros de primeira necessidade rareavam: pão, leite, carne de boi, frango, tomates, feijão, verduras, fubá, açúcar, sabão. Na zona rural, de onde vinha o abastecimento da cidade, faltaram braços na lavoura. "As roças ficaram gripadas", explicaram, algum tempo depois, os proprietários de granjas e sítios. "Quando deviam ser capinadas, o pessoal caiu doente com a gripe e ficamos sem ter quem as tratasse convenientemente. Umas se acham em convalescença, pois não se perderam de todo; outras, porém, são casos fatais."

A população sofreu com a venda de produtos de primeira necessidade acima da tabela determinada pela Junta de Alimentação Estadual, o órgão encarregado de enfrentar o problema da carestia agravado pela espanhola, mas fruto da alta de preços provocada, sobretudo, pelos bloqueios nas rotas comerciais do Atlântico durante a Grande Guerra. O país inteiro foi castigado pelo quadro de desabastecimento e o governo federal criou, em junho de 1918, o Comissariado de Alimentação Pública, com a tarefa de controlar os preços praticados na capital da República sobre gêneros de primeira necessidade e cujas tabelas poderiam ser estendidas para todo o território nacional.

Optar por isolamento numa epidemia era um problema para a Diretoria de Higiene e para o governo estadual, porque significava dar respostas de proteção social. Não ir à rua, em qualquer cidade atingida pela espanhola, contribuía para evitar o espalhamento do vírus, mas trazia consequências. Como ocorreu em outros estados do país, as iniciativas de proteção social aconteceram principalmente através de ações de filantropia, assistência social e por meio de doações aos vicentinos e à Cruz Vermelha. Os postos de atendimento recebiam as doações, organizavam as alternativas de abastecimento e distribuíam em escala. Em geral, mantimentos, roupas, auxílio financeiro e remédios.

Semelhante ao procedimento adotado pelo Instituto Manguinhos, no Rio de Janeiro, e pelo Instituto Butantan, em São Paulo, também em Belo Horizonte houve a tentativa de realizar estudos bacteriológicos da gripe espanhola. A primeira filial do Instituto Manguinhos estava instalada na cidade. Seu diretor, Ezequiel Dias, foi aluno de Oswaldo Cruz e se mudou para Belo Horizonte, em 1905, em busca do clima frio que acreditava propício à cura de sua tuberculose. Dois anos depois, ele mesmo se encarregou de fundar a filial do Instituto que dirigiu até 1922 e é hoje a Fundação Ezequiel Dias.

A filial de Manguinhos produzia vacinas e soros para a Diretoria de Higiene. Também realizava pesquisas sobre as doenças epidêmicas que grassavam no estado, e acabara de criar, em fevereiro de 1918, o Posto Antiofídico — Belo Horizonte era um local com alto índice de mordeduras de cobras e escorpiões, e os resultados obtidos pelo laboratório do Instituto foram animadores. Mas com a gripe espanhola não teve jeito. Nem os cientistas de Manguinhos, nem a filial em Belo Horizonte, nem o Instituto Butantan, ninguém sabia como produzir um remédio ou vacina para contê-la. Os médicos em todo o país conseguiam apenas aliviar os sintomas: aspirina para dor, codeína para a tosse, cafeína como estimulante, oxigênio diante da crise pulmonar.

Vulnerável, a população, por sua vez, estava disposta a experimentar qualquer coisa para se proteger da doença. As pessoas tentavam de tudo, em especial o que parecia lógico dentro de um determinado sistema de crença religiosa ou cultural. Teve gente, em Belo Horizonte, que se preveniu amarrando ao pescoço um saquinho repleto de bolotas de naftalina e alho. Outros apostavam que o álcool poderia ser valioso como reconstituinte: misturavam uma dose de conhaque de ameixa com água gaseificada em sifão. O médico Alfredo Balena chegou a ganhar alguns trocados com a comercialização de uma fórmula para reforçar o sistema imunológico do paciente — o tônico Biostenyl.

Já certas farmácias estavam convencidas de que poderiam vender a cura, independentemente dos resultados. A Drogaria e Farmácia Americana, localizada na rua da Bahia, em meio ao burburinho da cidade, anunciou um remédio específico e infalível contra a gripe espanhola. Chamava-se cloroquinino e era comercializado em forma de comprimidos. Os profissionais de saúde dedicados a promover o combate às endemias conheciam bem o medicamento: servia para matar o parasita plasmódio, que entra nas células vermelhas do sangue de uma pessoa e é transmitido, através da picada, pela saliva da fêmea infectada do mosquito *Anopheles*. A droga não protegia ninguém contra gripe espanhola — e

Contra a Hespanhola

COMPRIMIDO DE CHLORO QUININO

TOME 1 AO DIA

Especifico infallivel contra a grippe epidemica

Drogaria e Pharmacia Americana

RUA DA BAHIA N. 1.022

Telephone central n. 74

(5—4)

O jornal Minas Geraes, *em 3 de novembro de 1918, trazia anúncio de venda de "cloroquinino", na Farmácia Americana.*

a farmácia andava vendendo gato por lebre. Há cem anos, como sabiam os médicos, o remédio tinha eficácia para tratamento de outra doença: a malária.

A epidemia de gripe espanhola durou três meses. A população da cidade girava em torno de 45 mil habitantes; a doença derrubou por volta de 15 mil pessoas. Os registros apontam um total de 282 mortes, mas faltam dados. Quantos faleceram fora dos hospitais? Quantos óbitos foram notificados? Não sabemos. Toda essa história ficou perdida no tempo — pouca gente ainda se recorda dela. Belo Horizonte apagou da memória as lembranças e as histórias sobre o dia em que a gripe espanhola atacou a cidade que se julgava salubre.

8. Espanhola não combina com chimarrão

Em 1918 a influenza espanhola atirou na cama mais da metade da população de Cruz Alta, matando algumas dezenas de pessoas. Não se dignou, porém, contaminar-me. Lembro-me da tristeza de nossas ruas quase desertas durante o tempo que durou a epidemia, e dos dias de calor daquele dramático novembro bochornoso. Era como se os próprios dias, as pedras, a cidade inteira estivessem amolentados pela febre...

Erico Verissimo

"As forças me faltavam, sentei-me à beira da calçada [...] assim quedei-me por muito tempo, as poucas pessoas que passavam olhavam-me, mas, temerosas do contágio, seguiam seu caminho sacudindo a cabeça, outros a abaixavam como se quisessem dizer: Deus me livre de tal epidemia... era o temor da peste." Foi dessa maneira que o jornalista e poeta José De Francesco, em suas memórias, descreveu o estado de ânimo que tomou Porto Alegre com a chegada da espanhola.

Aqueles que presenciaram a história da gripe na orgulhosa capital dos gaúchos comentavam que nunca tinham visto coisa parecida. De um dia para outro, a rua da Praia amanheceu vazia, bares e cafés ficaram desertos, casas comerciais baixaram as portas, bondes elétricos pararam, os colégios trancaram seus portões e a entrega de correspondência foi suspensa. Conforme explica a pesquisadora Janete Abrão, como as atividades funcionavam de modo irregular, o desabastecimento de produtos e medicamentos atingiu em cheio o cotidiano pacato da cidade — faltavam remédios, leite, lenha, gasolina, gêneros alimentícios, e tudo dobrava de preço a cada dia. Foi preciso apelar para os detentos condenados substituírem os coveiros, que morriam no serviço. Da mesma maneira como já havia ocorrido em várias cidades do Brasil, os caixões disponíveis se tornaram insuficientes e centenas de corpos foram sumariamente enterrados em valas coletivas, enquanto outras dezenas se amontoavam à espera de sepultamento. E os jornais locais passaram a publicar diariamente a relação oficial dos mortos, nome por nome; diligência aguardada pela população com um misto de curiosidade e temor.

A exemplo de outras grandes cidades brasileiras, também em Porto Alegre a espanhola gerou muito descontrole social. Cenas de histeria pública, filas formadas pelo "povo" que esperava a distribuição de gêneros alimentícios, casos de suicídio, desordens; o certo é que a insegurança bateu forte. E não era para menos; da igreja matriz soavam três vezes ao dia os dobres tristes que anunciavam novas vítimas da influenza espanhola. Nas calçadas, os poucos transeuntes seguiam apressados, sem falar com ninguém e menos ainda trocar apertos de mão. Quem tinha condições financeiras abandonou a capital em busca de ares mais saudáveis.

Porto Alegre, nos idos de 1918, contava com pouco mais de 160 mil habitantes e mais parecia um ajuntamento de casas maltratadas pelo tempo, organizadas em vielas estreitas e escuras. O recolhimento de lixo não seguia nenhuma regra coerente, ao passo que a rede de esgotos se concentrava nos bairros nobres — Independência, Duque de Caxias, parte do Menino Deus. Já na periferia, populares mesmo eram as "casinhas", localizadas fora das áreas sociais, que desempenhavam o papel de vasos sanitários. Não havia tratamento da água municipal, de modo que, nos dias de chuva, saía das torneiras um líquido da cor do barro, o que forçava a maioria da população a utilizar os serviços dos aguadeiros, os populares "pipeiros".

Àquela altura, os gaúchos já haviam também criado as suas "Posturas municipais", uma série de normas que regulavam o comportamento dos munícipes, desde suas relações de vizinhança e cidadania até relações de cunho trabalhista, referentes a "criados e amas de leite", bem como práticas de higiene. No entanto, não conseguiam executá-las a contento. Por exemplo, o recolhimento do lixo estava definido por lei de 1876, o que não alterara o aspecto sanitário da cidade. A introdução do saneamento na capital datava de 1878, mas as epidemias de varíola e cólera continuavam fazendo vítimas em surtos sucessivos. A aparência era a de uma cidade de feitio colonial que fora crescendo de qualquer jeito, sem que os governos atendessem as demandas da nova urbe.

Vivia-se ainda, nesse contexto, uma aguda crise econômica, produzida pela Primeira Guerra e que gerou, sobretudo no princípio, quebra nas exportações, muita carestia, endividamento, inflação e um sentimento de insatisfação generalizado. Para piorar, comerciantes ofereciam nos mercados alimentos falsificados, vencidos ou deteriorados. Carne velha, pão feito de fava e milho, pimenta-do-reino misturada a pó de sapato, leite aguado e manteiga rançosa eram alguns dos produtos vendidos na cidade. Condições ideais, enfim, para a rápida propagação de uma moléstia infecciosa.

A população mais pobre, destacadamente negra, espera pela distribuição de gêneros alimentícios. Mascara, *23 de novembro de 1918.*

Se a gripe atingiu primeiramente, em meados de setembro, Recife, Salvador, Rio de Janeiro, logo alcançaria o Sul do país, e cerca de um mês depois chegou a Porto Alegre.

A data oficial da entrada da gripe no Rio Grande do Sul é o dia 9 de outubro, uma quarta-feira. A espanhola teria aprumado no estado juntamente com o navio *Itajubá*, que vinha do Rio de Janeiro. Quando ancorou no porto de Rio Grande, localizado na margem direita do canal do Norte, que liga a lagoa dos Patos ao oceano Atlântico, no município de Rio Grande, o comandante do *Itajubá* informou às autoridades portuárias que 38 de seus tripulantes apresentavam febre; porém, acrescentou, com certeza tentando aliviar a situação, uma febre de "caráter benigno". As autoridades sanitárias gaúchas tomaram, então, as medidas de praxe: examinaram os tripulantes para em seguida isolá-los, ordenaram a desinfecção do navio e — conforme o protocolo — comunicaram o fato ao Palácio Piratini.

Três dias depois, o navio *Itaquera*, que fora impedido de atracar nos portos do Paraná e de Santa Catarina devido à "estranha doença" que acometia alguns de seus passageiros, alcançou o porto de Rio Grande. As autoridades transferiram 32 enfermos que se encontravam a bordo da embarcação para o lazareto da cidade. No entanto, cumpridas as formalidades sanitárias, o vapor seguiu viagem pela lagoa dos Patos, chegando a Porto Alegre em 14 de outubro, com todos os seus tripulantes, que não haviam sido sequer observados.

A sequência de fatos não seria nada promissora. Em 16 de outubro, com outros sete doentes confirmados, aportava no cais da capital o navio de cabotagem *Mercedes*, do Lloyd Brasileiro, procedente do porto de Rio Grande. Como não havia médico a bordo, os infectados só seriam atendidos e isolados a partir daquela circunstância. No dia 17, finalmente o *Itajubá* chegou a Porto Alegre; trazia consigo os tripulantes que tinham permanecido numa curta quarentena em Rio Grande.

O navio ficou parado ao largo do porto da capital, e já no dia 18 pipocaram as primeiras notícias acerca de uma série de casos de pessoas que apresentavam os mesmos sintomas descritos por doentes contaminados pela espanhola. Eram três registros distintos: um funcionário do Desinfectório de Higiene e dois homens que procuraram ajuda. Também uma moça compareceu à Diretoria de Higiene do Estado, com sintomas semelhantes: febre que chegava a quarenta graus; calafrios pelo corpo todo; dores generalizadas — musculares, de cabeça, na barriga, nos olhos, nos ombros, nas costas, nos rins e nas pernas; prostração intensa; muita tosse e catarro abundante, além de sensibilidade à luz, náuseas, vômitos, calor no rosto, vertigens e lágrimas que escorriam sem controle. Juntamente com esses sintomas, tão diversos, se destacava um sentimento comum de "depressão psíquica" e, em alguns poucos casos, sensíveis alterações cardíacas ou respiratórias.

A agenda ficou, então, subitamente apertada: logo nos dias 20 e 21 seriam notificados mais doze casos suspeitos; todos, conforme faziam questão de ressaltar as autoridades gaúchas, "benignos". Além deles, quatro caixeiros-viajantes recém-chegados à cidade apresentavam sintomas idênticos. No dia 23, já eram 21 as pessoas recolhidas ao isolamento.

Na outra porta do estado, e no mesmo 23 de outubro, as autoridades da capital receberam uma informação em caráter extraordinário: à exceção de um telegrafista, todos os demais funcionários da estação de trens de Marcelino Ramos, na divisa com Santa Catarina, haviam caído vítimas da influenza. Em poucos dias, mais de trinta praças deram entrada no Hospital da Brigada Militar, vítimas da febre. Outros 130 soldados foram imediatamente colocados em isolamento compulsório. Depois de varrer o mundo, a gripe espanhola ganhava agora sotaque gaúcho.

Nesse meio-tempo, foi acionado o intendente José Montaury, que pertencia ao Partido Republicano Rio-Grandense. Espécie de testa de ferro do presidente do estado, o caudilho Antônio Augusto Borges de Medeiros, Montaury era um fluminense nascido em Niterói e assumira o cargo em 1897. No largo período de 21 anos, tinha presenciado muitos surtos epidêmicos, sendo que o último, o da varicela, castigara os rio-grandenses pouco antes, em 1916.

Borges de Medeiros — presidente do Rio Grande do Sul durante 25 anos, de 1898 a 1908 e de 1913 a 1928, tendo se licenciado do cargo entre maio de 1915 e 1916, "por doença" — não queria saber de epidemia alguma atrapalhando o seu quarto mandato. Advogado e positivista ferrenho, ele sucedera a Júlio de Castilhos, chamado de O Patriarca, e herdara a liderança do Partido Republicano gaúcho, sendo um fiel continuador do castilhismo, corrente política surgida em 1882, caracterizada por forte cunho conservador e que apostava na modernização econômica. Segundo o movimento, largamente apoiado pela burguesia industrial e urbana local, o governante deveria ser capaz de "regenerar" a sociedade e o estado, e assim comandar a transformação e a modernização local. Como vimos, o termo fora empregado na remodelação da capital do país pelo prefeito Pereira Passos, que pretendera tornar o Rio um grande cartão-postal, afastando a pobreza e convertendo o centro urbano numa espécie de belvedere europeu bem no meio dos trópicos. Em Porto Alegre se buscaria imitar tal política, embelezando o centro sem sequer tocar nos problemas estruturais que atingiam as periferias da cidade.

Mas a situação política dos gaúchos estava longe de serenar-se. O Rio Grande do Sul estava dividido, havia tempo, entre os republicanos de Castilhos e os federalistas, que faziam oposição à ditadura positivista. Apropriando-se de elementos da filosofia de Auguste Comte, julgava-se que, por ser aquela uma sociedade de fronteira e com presença militar para defesa do território, seria necessária, e até apreciada, a liderança de "homens fortes", com uma visão muito pessoal da governança. A demanda federalista procurava ampliar, efetivamente, o grau de autonomia dos estados, contudo na forma de um mero rearranjo institucional. O argumento refletia, também, o descontentamento com a pouca representatividade política de certas elites locais, durante o Império, especialmente em províncias como São Paulo ou Rio Grande do Sul. Já o conceito de "ditadura positivista" equivalia a uma espécie de combinado entre o ditador na República romana (que assume o governo num momento de emergência) e a experiência revolucionária francesa de 1789 (que pretende incluir novos direitos). Combinava, ainda, a ideia de um governo discricionário de salvação nacional com a noção de representação e de legitimidade, que o Senado romano garantia ao ditador da República. Por isso, se não era um "déspota", pois a Constituição estadual permitia reeleições, daí os longos períodos de governo, o presidente de estado concentrava muitos poderes.

Aí residia, inclusive, um traço singular da cidade de Porto Alegre. Os positivistas tinham como meta a modernidade e a organização disciplinada do espaço. O desafio era, porém, idealizar e construir a modernidade urbana numa província tradicionalmente rural, com forte identidade regional apoiada no ambiente e na economia do campo. Por outro lado, a capital dos gaúchos também não era o centro decisório do poder nacional, mas estava próxima dele por conta de alianças e apoios que travara. Mesmo assim, o Rio Grande era um estado ainda periférico em termos de participação na economia agroexportadora do país.

Borges de Medeiros, por sua vez, já acumulava um grande cacife político ao ser eleito: em 1892 fora nomeado desembargador, cargo vitalício cercado de sólidas garantias. No ano seguinte, porém, quando explodiu a guerra civil local, Borges achou por bem se licenciar do cargo para unir-se às forças castilhistas. Era a Revolução Federalista, iniciada quando os liberais gaúchos pegaram em armas, justamente, contra o governo de Castilhos. O conflito ultrapassou as fronteiras e chegou aos estados de Santa Catarina e Paraná, terminando com a derrota dos liberais.

Somente em 1895 a paz voltou ao Rio Grande do Sul. E, logo em 1897, Júlio de Castilhos, no auge de sua carreira, indicou Borges de Medeiros para sucedê-lo na chefia do governo estadual e conseguiu elegê-lo. Contar com o apoio de um líder local como aquele era caminho certo para vitória eleitoral. Era também uma maneira de delegar o poder mas continuar influenciando diretamente o exercício deste.

Em 1902, Borges de Medeiros reelegeu-se para um segundo mandato. No ano seguinte, Castilhos morreu, e Borges assumiu o papel de defensor da memória do caudilhismo. Em 1907, ele, teoricamente, retirou-se da vida pública. No entanto, logo em 1912, sob a Presidência de Hermes da Fonseca, foi outra vez eleito para o quinquênio de 1913 a 1918. Essa estava sendo, até então, uma gestão particularmente produtiva, ao menos em termos de obras. Borges de Medeiros concluiu a construção do Palácio do Governo e do porto da capital, ergueu diversos colégios e a Biblioteca Pública, bem como deu início à expansão dos transportes públicos, organizando uma rede de estradas e ferrovias.

No fim do seu terceiro mandato, com o prolongamento da Primeira Guerra Mundial, uma crise se instalou no país e afetou o Rio Grande. Borges de Medeiros, capitalizando o sucesso da gestão anterior, candidatou-se a um quarto período: 1918-23. Apesar de ter sido eleito, contou com uma forte corrente oposicionista, que, derrotada, estava de olho nas falhas do governo e pronta para denunciá-las.

Foi nesse ambiente que o presidente de estado teve que enfrentar um novo desafio. Se o caudilho se julgava preparado para lidar com os inimigos políticos, que não eram poucos, tinha menos tarimba para encarar um sorrateiro mas igualmente perigoso inimigo sanitário que se acercava do Sul.

Porto Alegre vivera um período de grande crescimento populacional, que se devia, sobretudo, ao fato de a cidade ter se transformado no principal mercado para os produtos das colônias de imigrantes — a "zona colonial", como eles diziam —, que eram então exportados dali para o centro do país. O desenvolvimento desse "complexo colonial imigrante" ampliou negócios e oportunidades de empregos, e gerou uma certa migração da área rural para a capital. O crescimento fora evidente: a população pulara de 52 mil em 1890 para 170 mil pessoas, instaladas no centro e em alguns bairros de difícil acesso. Ainda se andava muito em carros de boi e bondinhos puxados a burro, os quais competiam com os carros de praça "motorizados" e os poucos bondes elétricos que começariam a funcionar em 1908. No fim da tarde, a elite elegante praticava o footing na rua da Praia, imitando os hábitos do Rio de Janeiro; os homens usavam chapéu e equilibravam-se em bengalas estilosas, e as mulheres ostentavam seus vestidos pesados e chapéus da moda à espera de encontros fortuitos.

Industriais, comerciantes, funcionários públicos e advogados mais abonados, bem como jornalistas, poetas, boêmios, desocupados e curiosos com melhor situação financeira, dividiam-se entre a Confeitaria Rocco, na rua Riachuelo, o Café Colombo, na Andradas, o Chalé da Praça XV, a Livraria do Globo, o luxuoso Cine Teatro Guarani e o popular Apolo (onde se assistia aos filmes mudos de Carlitos), o Petit Casino, o Clube do Comércio, o Germania, o Caixeiral, o Clube dos Caçadores e o hipódromo dos Moinhos de Vento. O Café América, na rua dos Andradas, era aonde iam desde advogados e médicos até a boemia literária e os empregados do comércio. As praças funcionavam igualmente como pontos de encontro. Os poetas simbolistas se reuniam em todas as estações do ano, sempre à noite, na praça da Caridade, em frente à Santa Casa, para por lá declamarem versos e discutirem poesia. Esses eram os lugares de referência da sociedade mundana gaúcha, que se espelhava nas vogas de Paris, sem dúvida, mas também imitava o modelo de Buenos Aires, mostrando essa que era uma especificidade local.

No entanto, e embora se situasse numa das pontas extremas do Brasil, Porto Alegre recebia, via cabo submarino, notícias atualizadas sobre o resto do país e o mundo, mas sempre com um dia de atraso. De toda maneira, os mais relevantes jornais gaúchos — *Correio do Povo*, *A Federação*, *Gazeta do Povo* e *O Independente* — davam conta de informar o que acontecia longe daquelas paragens, além, claro, das grandes novidades locais. Por sinal, boa parte das matérias, um pouco bairristas, versava sobre a situação econômica, política e também cultural da capital do estado e das suas principais cidades: Pelotas, Rio Grande, Bagé, Santa Maria.

Novidades sobre a vida social da capital e das elites dessas cidades podiam ser encontradas também nas revistas *Kodak* e *Mascara*, que se definiam como periódicos voltados para o entretenimento e as variedades. A *Kodak* era o máximo em matéria de esnobismo. O cronista, que assinava Chevalier de La Lune, sonhava com Paris e Buenos Aires e só usava expressões francesas. De vez em quando, sapecava uma em inglês. Mas nada de espanhol, o que seria mais natural; a língua falada nos países vizinhos. O jornalista preferia termos como *chic*, *dernier cri*, *maquillage*, *danseuses*, *maillots*, e adorava falar da "imagem caleidoscópica" da cidade. Ele parecia querer que Porto Alegre se "civilizasse", e ficava desesperado com a barbárie da capital, que só tratava de política e gostava de ouvir as bandinhas alemãs.

Contudo, por mais que a cidade tivesse tomado um "banho de modernidade", ela mantinha seu cotidiano habitual. A iluminação elétrica convivia com os lampiões a gás, e as noites eram tão tranquilas quanto escuras. Dedicavam-se os domingos a pescarias e esportes náuticos no rio Guaíba, cujas águas, limpas e calmas, chegavam até a Cidade Baixa. Havia também futebol — ou "matchs", como era por lá chamada essa modalidade esportiva.

Famílias mais elegantes veraneavam no arrabalde da Tristeza e nas proximidades da praia da Pedra Redonda, que, além de ter se convertido num dos locais mais representativos da cidade, servia de cenário para festas e saraus nos quais não faltavam intelectuais e escritores como Augusto Meyer, Olinto Sanmartin, Teodomiro Tostes e alguns poetas parnasianos. Os "chiques" locais também passaram a frequentar o "luxuoso" balneário do Cassino, inaugurado em 1898. Contavam ainda com Pedro Guaíba, considerado o primeiro cronista da cidade, que escrevia regularmente no *Correio do Povo*. E à noite, nas ruas esvaziadas do centro, era possível desfrutar, nos numerosos rendez-vous discretos e cabarés mais caros, a companhia de mulheres francesas e polacas. No entanto, todo cuidado era pouco; como a penicilina só surgiria dali a uns dez anos, a tuberculose e a sífilis demandavam atenção e maltratavam a vida dos jovens desprevenidos.

Porto Alegre possuía apenas seis hospitais bastante precários, quatro postos de saúde e quatro médicos voltados ao atendimento público da população. Como se pode perceber, a despeito de tantas benesses que atraíam a atenção das elites, a ampliação da rede de esgotos, o abastecimento e tratamento da água, o recolhimento de lixo, bem como a assistência pública, não faziam parte das prioridades na agenda política estadual e municipal. As medidas propriamente sanitárias, ou seja, a manutenção de determinadas condições de salubridade no ambiente da cidade mediante a instalação de adução e tratamento de água, esgotos, iluminação nas ruas, para assim melhor controlar as epidemias, só seriam adotadas a partir dos anos 1920.

A Diretoria de Higiene, por exemplo, contava somente 56 funcionários em todo o estado, e dispunha de apenas duas ambulâncias e seis carroças na capital. Por seu lado, os médicos mais renomados — Sarmento Leite, Mário Totta, Jacinto Gomes, Ivo Corseuil, Landell de Moura e Protásio Alves, hoje nomes de ruas e avenidas — ocupavam-se de suas clínicas e do atendimento familiar em domicílio. Tal quadro refletia a visão dos porto-alegrenses mais abastados, que preferiam ser tratados em casa, aliás como boa parte das elites nacionais.

Com tantas falhas, reconhecidas pelos próprios habitantes da cidade, e na falta de um serviço médico mais eficaz, a tônica geral, no combate à gripe, parecia ser o improviso. Mães tratavam seus filhos na base da Emulsão de Scott e óleo de rícino, e os submetiam a banhos de mar — indicados também no tratamento da tuberculose —, ou optavam pelos "bons ares" da serra, a despeito de estarem cientes dos perigos que os golpes de ar envolviam.

Como é fácil notar, Porto Alegre não estava preparada para a crise sanitária que ali desembarcaria na última semana de outubro. Foi nesse momento, mais exatamente no dia 23, que Borges de Medeiros achou por bem interferir na cobertura jornalística da gripe espanhola, visando, segundo ele, manter a ordem e evitar o pânico. O governo tinha receio de atiçar a mobilização popular, e guardava fresca, na lembrança, a memória da greve geral na capital em 1917. A greve era contra a carestia, e uma multidão tomara as ruas, aproveitando para quebrar lojas de alemães ou descendentes destes, por causa da atuação do seu país na Primeira Guerra. Fábricas que não aderiram à greve foram apedrejadas. E, para conter a "desordem", a cidade fora ocupada por tropas militares e proibiram-se as manifestações públicas. Os grevistas, por seu lado, criaram a Liga de Defesa Popular, que comandara o movimento e aglutinara suas reivindicações.

Borges de Medeiros, que fora obrigado a aceitar parte das demandas da classe e reconhecera a existência de um movimento popular organizado na cidade, agora, em fins de outubro de 1918, não parecia disposto a negociar. Ele tinha nas suas mãos dados que comprovavam que a influenza espanhola havia chegado ao estado. Mesmo assim, tentou manter a calma. Foi seu ministro da Justiça e Interior, Carlos Maximiliano, que num telegrama a Borges afirmou que seriam raros os casos de falecimento entre indivíduos que "não sofressem de outra moléstia mortal". Tratava-se de retórica política das boas, e recurso para tirar a responsabilidade da sua administração; se alguém viesse a falecer, a culpa seria da própria pessoa, que, infelizmente, já carregava consigo o mal. Ademais, e passando o problema para o colo da população de baixa renda, afirmou, como se fosse trunfo, que 95% dos casos ocorreriam, e estavam ocorrendo, "entre pessoas miseráveis".

Bem que o governo positivista de Borges de Medeiros clamou aos cidadãos que agissem com calma e evitassem o pânico, pois a gripe não se mostrava tão virulenta e fatal como em outros locais. Mas a população, alertada pelas notícias que não paravam de chegar da Europa e, desde setembro, de outras cidades do Brasil, logo se deu conta da extensão do problema. Hordas de populares correram às farmácias, disputando qualquer tipo de remédio que prometesse prevenir a doença, em especial o quinino, até então utilizado exclusivamente no combate à malária. No entanto, e como já sabemos, se o medicamento era entendido como milagroso, seu uso abusivo, não raro, causava intoxicações, com prejuízos irreparáveis à audição e à visão.

E, enquanto o governo não agia, desapareceram os estoques de quinino, e também de purgantes, óleo de rícino, limão e cebola, que ganharam um preço exorbitante. Receitas populares, como chá de eucalipto, cachaça com mel e limão, aspirina, suco de cebola, vinho, caldo de galinha, purgantes, infusões, preces, benzimentos, promessas, talismãs, invadiram o mercado, a exemplo do que ocorrera dois meses antes em outros locais atingidos pela peste. Charlatões ou sujeitos "espertos" — que prometiam maravilhas de um dia para outro — encontraram terreno fértil para a venda dos mais excêntricos produtos: pílulas, chocolates e até cigarros que "preveniam ou afastavam o mal".

Era um vale-tudo. Segundo artigo do dr. Mário Totta, publicado no *Correio do Povo* de 23 de outubro, a população

> no empenho de se libertar da moléstia [...] vai lançando mão, sem conta nem medida, de quanto remédio surge por aí, com o rótulo de preservativo. Como resultado desses exageros, estão aparecendo, a cada instante, os casos de intoxicação medicamentosa e as perturbações da saúde provocadas pelos remédios tomados sem o necessário discernimento [...] embaraços gástricos originados pelo abuso de quinino [...] ainda surgem [...] as hemorragias nasais produzidas pela introdução brutal, no nariz, de bolas de naftalina e outras substâncias irritantes.

Tirando partido do desespero, a empresa que produzia os Filtros Chaves comunicou que, como a ingestão de água contaminada era um dos "mais importantes transmissores de micróbios", seria imprescindível "voltar toda a nossa atenção" para a sua purificação. A saída era comprar um bom filtro; de preferência, um Chaves. Já a empresa de Licor da Quina Montano avisou que seu xarope era um

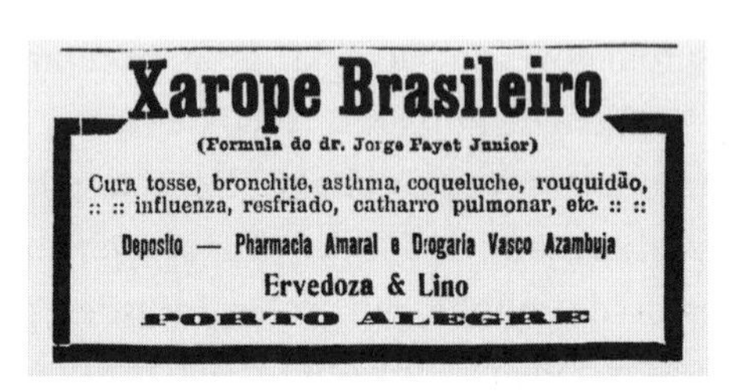

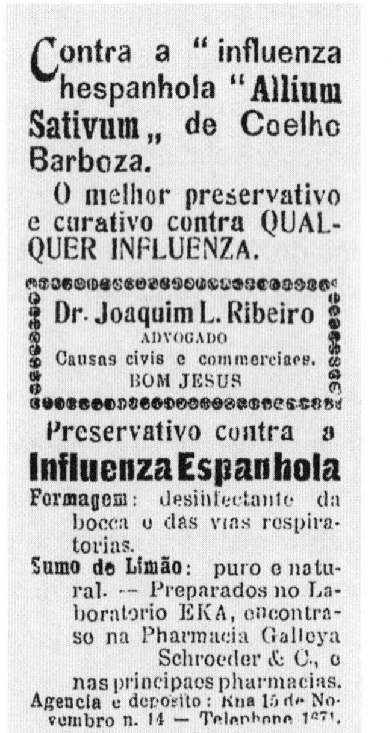

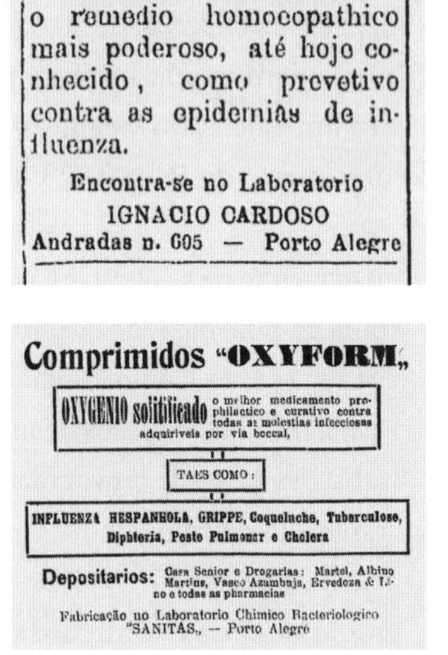

Propagandas de remédios milagrosos publicadas no jornal A Federação *em 24 e 28 de outubro de 1918 prometiam a cura da espanhola.*

poderoso "preventivo da influenza espanhola e de todas as febres", pois compunha-se de "vegetais antifebris, tônicos e estomacais [...] Indicados com muita vantagem nos enjoos, vertigens e vômitos".

Piadas e caricaturas também serviam de alívio, enquanto a doença não dava sinais de ceder. Na charge abaixo, o rapaz usa da gripe para pedir em casamento a moçoila; deixando em destaque o anel de noivado, que ainda se encontra no dedo do pretendente. Era melhor se antecipar, antes que fosse tarde demais.

Já os hospitais, como a Santa Casa de Misericórdia — que costumava abrigar um terço dos doentes do estado —, começaram a receber levas de novos pacientes. Não teve saída que resolvesse a superlotação; quando os leitos ficaram tomados, a instituição passou a acomodar os enfermos na base do "qualquer jeito", dispondo-os em corredores ou em entradas mal escondidas por lençóis fazendo as vezes de cortinas.

Jornal brinca com o fato de que, durante a época da espanhola, tudo andava falsificado: do leite aos remédios. "O abalizado clínico: — Contra a influenza espanhola? Ar puro, puríssimo... A melindrosa cocadinha: — Impossível, hoje anda tudo falsificado". Mascara, *19 de outubro de 1918.*

Diante do agravamento da situação, finalmente o governo passou a organizar hospitais de campanha e equipes de emergência para percorrer as residências e levar assistência médica à população pobre. A orientação era um tanto indiscriminada: recomendava-se higiene e repouso, além de limpeza bucal e das fossas nasais várias vezes ao dia com água e sabão, sem esquecer dos gargarejos com água oxigenada ou boricada.

A fim de conter a epidemia de maneira mais organizada, o presidente do estado dividiu Porto Alegre em 25 quarteirões sanitários e criou, em 30 de outubro, o Comissariado de Abastecimento e Socorros Alimentícios. Mesmo assim, nada impediu que as mortes começassem a chamar a atenção dos gaúchos. Os primeiros óbitos foram registrados a partir do dia 21 daquele mês. Jornais locais, até então muito absorvidos pela cobertura da Grande Guerra e pelos acontecimentos políticos e sanitários da capital do país, voltaram seus olhos e manchetes para a evolução da peste no Rio Grande do Sul.

Logo no início de novembro, a Escola de Engenharia, o Colégio Sévigné, o Colégio Militar, o Ginásio Anchieta e outros estabelecimentos de ensino da capital paralisaram as aulas e adiaram os exames finais. O comércio e as repartições fecharam suas portas, e os teatros e cinemas comunicaram a interrupção do seu calendário de atividades. Clubes suspenderam partidas de futebol "por tempo indeterminado". Até mesmo a tradicional Confeitaria Rocco, com a maioria dos empregados enfermos, interrompeu o atendimento aos clientes. O jornal *A Federação* de 25 de outubro informava que também a Câmara deixaria de funcionar naqueles dias, e comentava: "tempo precioso gasto com o medo da Espanhola". Era o cotidiano da epidemia que repetia sua marcha, agora na terra dos "corajosos gaúchos".

Algumas empresas cujos funcionários adoeceram, passaram a oferecer vagas, como foi o caso da Livraria do Globo e do jornal

Correio do Povo. O mesmo dia a dia de outras capitais entrou, então, em vigor em Porto Alegre: comércio fechado, guardas doentes, raros horários de bondes, cancelamento de sessões ordinárias na Assembleia Legislativa, piora na prestação de serviços da Companhia Força e Luz, e até o desaparecimento dos leiteiros. Com os carteiros infectados, os Correios suspenderam as entregas, e a Companhia Telefônica Rio-Grandense, desfalcada de 285 funcionários, conclamou os gaúchos a só fazerem ligações em casos de extrema urgência. Ademais, com a aproximação do feriado de Finados, as autoridades demandaram que ninguém fosse aos cemitérios, a fim de evitar aglomerações. O periódico *O Independente* assim descreveu a rotina epidêmica de Porto Alegre: "A cidade tem durante o dia um aspecto doloroso e à noite este aumenta, tornando-se fúnebre. Raro é o transeunte que anda. [...] Os cafés, os bares, tudo escuro, dando à capital a forma de uma cidade morta e sem vida".

A vantagem de não ser a primeira cidade contagiada pela espanhola ajudou, um pouco, na adoção de medidas que já se mostravam oportunas e eficientes em outros lugares. Podia-se imaginar o cenário da peste, uma vez que notícias do Recife, de Salvador, Belo Horizonte, São Paulo e sobretudo do Rio de Janeiro não paravam de chegar. E, a exemplo do que ocorria em outras cidades e estados do país, também no caso de Porto Alegre a epidemia mexeu com as práticas das autoridades locais. Borges de Medeiros, que não queria dar pretexto algum para a oposição, optou por diminuir a importância da doença. Por isso, o jornal *A Federação*, vinculado ao seu governo borgista, achou por bem reproduzir um artigo de Alexandre de Alburquerque que saíra no jornal carioca, *O Paiz*, alertando para a "excessiva influência da imprensa": "O pavor coletivo, o alarma social, se está tornando mais grave do que a própria epidemia. Alguns suicídios o demonstram".

Ia ficando claro como nenhum governo tem, porém, a capacidade de controlar o pânico social e o debate acerca de um tema que influencia o dia a dia da população. Bem que Borges de Medeiros tentou, e foi secundado pelo dr. Mário Totta, inesperadamente convertido em celebridade. O médico advertiu: "Em todas as epidemias, são justamente os que mais medo têm os que mais depressa são levados na lufada". Ou seja, a doença só prosperava em quem tinha medo — mais uma estratégia de fuga por parte das autoridades. A atitude era diametralmente oposta à adotada pelos padres locais, que naquele momento tratavam sem rodeios da peste; nas missas que oficiavam, vários deles pediam a Deus que desse um jeito na situação. Enquanto os dirigentes municipais e estaduais solicitavam calma à população, garantiam que a situação estava sob controle e a epidemia em refluxo, o boletim da União Metalúrgica clamava pelo esforço pessoal de cada um: "Povo! Não devemos entregar-nos à morte, sem nada fazer pela vida: devemos esforçar-nos para combater o mal".

Nesse meio-tempo, o governo ia tentando reforçar o tom de "normalidade" da maneira como podia. Na sua edição de 5 de novembro, a revista *Mascara* insistia na tese de que o pior já havia passado e que dali a pouco tempo a cidade voltaria a ser o que sempre fora.

> E esqueçamos... Conforme previmos em nosso número passado, a epidemia entrou em declínio em princípios desta semana. As notas fornecidas pela Diretoria de Higiene à imprensa foram sempre as mais animadoras, o que faz supor a estas horas que os casos novos da gripe sejam raros [...] é nosso dever afastar o mais possível da recordação popular esses tristíssimos dias de angústia e sobre-excitação nervosa a fim de que possamos beber novamente a grandes haustos a vida que o anjo da paz promete dulcificar.

Era muita negação para pouca realidade. Na verdade, o cenário era outro, e a própria imprensa, depois desse período inicial, passaria a se dirigir à população de modo mais pessimista e apresentando obituários que atestavam o crescimento das mortes. O *Correio do Povo* de 9 de novembro noticiava: "Das dezoito horas de anteontem às dezoito horas de ontem foram registrados nesta capital 32 óbitos de pessoas que faleceram em consequência da 'influenza espanhola'".

Na lista dos "falecidos em domicílio", que em geral se remetia aos doentes mais abonados, constavam pessoas de todas as idades e moradores das principais ruas da capital gaúcha: todo dia apareciam dezenas de casos, e os jornais discriminavam nome, idade e endereço residencial. Sete membros da família do major Edmundo Arnt enfermaram; a esposa do dr. Joaquim Gaffrée; o dr. Gaspar Saldanha, sua senhora e três filhos; sete pessoas da família do major Labieno Jobim; "o nosso colega Lourival Cunha, da revista *Kodak*; as senhoritas Araci, Júlia, Odete e Nair Bacelar, filhas do capitão Bacelar Júnior". E a peste não poupava gente ilustre, no interior de suas residências elegantes: o dr. Jacinto Gomes, diretor da Enfermaria de Gripados da Santa Casa de Misericórdia, contraíra a gripe e teve que ser substituído; o dr. Álvaro Nunes Furtado, clínico residente na capital, morreu vitimado pela influenza; o jovem Antenor Maciel Júnior, filho do tenente Antenor Maciel, faleceu de espanhola e teve um enterro muito concorrido pela sociedade local.

O certo é que os obituários conquistaram imensa importância no interior daquela comunidade enlutada. E, se a voga dos obituários era forte nos jornais europeus e norte-americanos, por aqui, até então, não fizera muito sucesso, como se existisse uma recusa a falar da doença e do perecimento, que, nesse tipo de contexto, não têm como ser esquecidos. Além do mais, a seção representava uma forma de escapar de uma dupla morte: a física e a da memória. E igualmente se escapava da obscura indignidade de se tornar um número.

E, como se poderia antecipar, a moléstia atacou mais fortemente os locais onde faltavam equipamentos urbanos e sobrava aglomeração populacional. Dos mais de seiscentos detentos da Casa de

Correção, metade estava doente, informava o dr. Ivo Corseuil, médico da Diretoria de Higiene. Na quarta-feira 13 de novembro de 1918, a empresa de navegação Caí comunicava a suspensão de todas as viagens ao longo do rio, "visto a maior parte dos seus empregados estarem enfermos". E, como há sempre gente disposta a lucrar, apareceram nos jornais anúncios que ofereciam alívio aos enlutados na hora da morte e no momento da última homenagem.

O governo do estado, com o decreto nº 2379, abriu um crédito de quinhentos contos de réis para "despesas extraordinárias com a saúde pública", a partir de 29 de outubro. Entretanto, em vez de retroceder, conforme prometeram os dirigentes, a influenza espanhola avançava em seu curso, e os óbitos em Porto Alegre cresciam em números absolutos. Assim como ocorrera em outras cidades brasileiras, cortejos fúnebres cruzavam-se a caminho dos cemitérios, enquanto nos cortiços realizavam-se velórios rápidos. Reclusos em seus barracos, os moradores mais pobres adoeciam, e os poucos que

Na época da gripe, quem podia aproveitava a crise para fazer propaganda dos seus serviços. Diario da Tarde, *20 de novembro de 1918.*

encontravam força andavam quilômetros para disputar os donativos — feijão, café, açúcar, banha — distribuídos por instituições filantrópicas ligadas à maçonaria, à Igreja Católica e a centros espíritas, bem como pela Federação Operária do Rio Grande do Sul ou por alguns comerciantes em melhor situação financeira.

"Está tudo pela hora da morte", constatou o jornal *Gazeta do Povo* de 11 de novembro. Leite e aves, quando não sumiam do mercado, passavam a custar os olhos da cara. Para se ter uma ideia, a lenha para os fogões dobrou de preço e até os aluguéis dispararam. Quem saiu momentaneamente de voga foi o chimarrão partilhado; não era hora de "partilhar" nada e com ninguém. Herança indígena que os jesuítas vieram a cultivar junto com as populações nativas, a roda de chimarrão guarda consigo um cerimonial: quem prepara o mate passa-o para a pessoa à direita — e a roda gira ao contrário do relógio. Além do mais, essa bebida não se compra pronta, exige preparo. "Matear" é, pois, uma forma de sociabilidade. Também é tido como um ritual de acolhimento e hospitalidade — "eu te ofereço um lugar em minha casa". Por fim, e muito mais naquele contexto, o gaúcho acreditava que a ponta de prata da bomba eliminava os micróbios. Ledo engano; a prática foi suspensa.

Os recorrentes cumprimentos calorosos foram temporariamente esquecidos, e beijos, abraços ou apertos de mão sumamente cancelados. Os próprios médicos deixaram de visitar os doentes em suas casas, pois não havia gasolina suficiente para abastecer os carros. Foi a vez de as populações mais ricas se queixarem às autoridades, dizendo que "não podiam" frequentar os mesmos "hospitais imundos e contaminados" que atendiam aos mais pobres. Já as farmácias passaram a vender quinino e óleo de rícino como se fossem especiarias.

E, diante do descontrole, muitas vezes o autoritarismo político aproveita para ganhar espaços. O governo estadual, incomodado com as críticas à ineficiência e morosidade das medidas de combate à gripe espanhola, passou a impor censura aos veículos de notícias, sempre em nome de "resguardar a população". No dia 1º de novembro, ordenou que todas as publicações referentes à epidemia fossem submetidas à censura da chefia de polícia, "visando a indispensável e recomendada tranquilidade pública". O *Correio do Povo*, ao receber ordem para cessar a divulgação diária da lista das vítimas da gripe, não se curvou. Informou aos "caros leitores" que deixaria uma série de colunas em branco, em sinal de protesto. O jornal comportara-se, até então, de maneira ética e independente, denunciando também como era seletivo, socialmente, o tratamento da doença: o socorro público às populações mais pobres jamais chegava. Por isso mesmo, o periódico foi particularmente visado pela censura borgista.

Também o chefe de polícia enviou uma carta a todas as principais redações do estado comunicando que "ficavam sujeitas à censura policial as publicações referentes à influenza espanhola". Justificava-se dizendo que falar da gripe, e da catástrofe por ela gerada, só ajudava, mesmo, a causar pânico na população. E, se o *Correio do Povo* não se dobrou, os periódicos governistas, além de aprovarem a medida, exaltaram a sua correção. Na ocasião, *A Federação* endossou as ações das autoridades afirmando que a censura era inevitável. "Certa imprensa pouco escrupulosa assumiu uma atitude francamente inconveniente, fazendo-se o veículo de boatos alarmantes e, sobretudo, o órgão de uma crítica irreverente, descomedida e tendenciosa aos atos do governo do estado."

O tema da censura não estava sujeito a litígio apenas na capital gaúcha. A revista carioca e anarquista *A.B.C.* do dia 2 de novembro provocava já no título: "Rolha, — a bem da saúde pública". No texto, o autor anônimo se referia à censura posta em prática no Rio Grande do Sul, alertando para a "macabra e abundantíssima informação que os grandes órgãos cariocas prodigalizam sobre a marcha da epidemia, sobre o número de mortos, sobre a fisionomia

MASCARA

„A Influenza espanhola"

(Censurada)

Página em branco e homem com tesoura denunciam como o governo tentou censurar matérias que versavam sobre o número de mortos por espanhola, visando evitar qualquer problema nas eleições de 15 de novembro de 1918. Mascara, *23 de novembro de 1918.*

dos mortos, sobre o cheiro dos mortos, sobre os mais dolorosos detalhes da condução de cadáveres". O articulista desaprovava, igualmente, a cobertura jornalística, que lhe parecia exagerada, e ainda asseverava: "Mas o que ninguém poderá negar é que essas descrições trágicas são um fator de desmoralização sanitária do país no estrangeiro e, o que é mais grave, do pânico intensíssimo que passa, como uma rajada de destruição e de morte, através das cidades e aldeias da República". Louvava, por fim, o exemplo dos Estados Unidos, segundo ele "um país essencialmente democrático e o mais liberal do mundo".

Ia ficando clara a intenção do caudilhismo borgista, que procurava constranger as redações e seus jornalistas. Mas, como retórica não salva ninguém, na contramão das notícias mais alvissareiras, o clima geral estava mais para a crença nos boatos que se multiplicavam e lotavam a cabeça dos gaúchos. A revista *Mascara* de 23 de novembro, numa matéria desaconselhando que se desse ouvido ao que não passavam de notícias falsas entre os porto-alegrenses, publicou uma conversa entre dois porto-alegrenses que teriam dito que viram com "estes olhos cinco mortos na rua dos Andradas", e que os "coveiros cavam noite e dia as sepulturas". Outras pessoas diziam ter visto que "Fulano (que está vivo e um poucochinho doente) acaba de morrer".

Era o medo que tomava conta da realidade e da imaginação da população. Mas a gripe não se limitaria à capital do estado; no mesmo novembro, apareciam notícias sobre a chegada da peste a Passo Fundo, São Leopoldo, Gravataí, Bagé, Caçapava, Guaporé e outras cidades. Não adiantava continuar a tapar o sol com a peneira, pois os dados iam ficando fortes demais. Tanto que, a partir da segunda metade do mês, a epidemia fugiu a qualquer controle e a relação dos óbitos fornecida pela Diretoria de Higiene voltou às páginas dos diários.

Notícias enviadas pelos correspondentes do interior traziam agora dados de mortalidade em Passo Fundo, Santa Maria, Rio Grande, Pelotas, Arroio Grande, Tapes, São Gabriel, Encruzilhada, Carlos Barbosa, Rio Pardo, Taquari, Cruz Alta, Ijuí. O comandante do 7º Regimento de Cavalaria de Quaraí cometeu suicídio desferindo um tiro de revólver na cabeça. Segundo o correspondente, o militar "se achava doente, atacado de forte neurastenia, tendo ficado muito impressionado com o número de soldados enfermos na unidade que comandava, e ainda pela falta de recursos". A pequena Cacequi estava "transformada num vasto hospital. Há ali um número superior a 150 doentes, não havendo sequer uma pequena farmácia de campanha". Cada local tinha sua história para contar, e a intensidade do surto epidêmico variava em função das condições sanitárias, da densidade populacional e do clima, embora praticamente nenhum município do estado tivesse escapado ao flagelo.

E, na mesma velocidade com que chegou e interrompeu qualquer normalidade, de repente a gripe foi embora. Assim como em outros locais, não parecia haver lógica ou explicação para o súbito declínio e depois desaparecimento da espanhola. No dia 21 de novembro, os diários da capital já falavam em "progressivo recuo". E no fim do mês os números da epidemia simplesmente tombaram. Diante da evidência das estatísticas, as pessoas começaram a frequentar novamente espaços públicos. Com a afluência de transeuntes, as lojas abriram, os bondes retornaram, os guardas de trânsito voltaram com seus apitos. Casos novos eram cada vez mais raros, e a mortandade andava em queda livre. Por isso, os clubes Monte Carlos, Brazil Club e o Clube dos Caçadores também tornaram a funcionar. O teatro Apolo anunciou uma matinê com episódios de a *Garra de ferro* e, à noite, "uma grandiosa obra americana em sete belíssimos atos: *New York*". O cine-teatro Coliseu, o Petit Casino, o Hipódromo, todos comunicaram que haviam reiniciado as atividades. Repartições públicas reabriram, os colégios avisaram aos pais que era hora de os alunos regressarem a suas classes, os cafés lotaram no centro, e a rua da Praia retomou sua antiga movimentação.

Um anúncio publicado na capa do *Correio do Povo* parecia atestar a retomada da velha e boa rotina: "Leitaria. Previno a minha distinta freguesia que reabri minha leitaria pelo nome Barroza Número 4. O motivo de estar fechada foi meu empregado estar doente".

No dia 29 de novembro, apenas oito óbitos foram registrados em 24 horas, e finalmente, em 3 de dezembro, a Diretoria de Higiene afirmou não ter conhecimento de nenhum novo caso da doença. Como veio, ela partiu. Foram 57 longos dias, com a cidade sitiada. Também por lá a moléstia denunciou as desigualdades, e trouxe pobres, vítimas da fome e da indigência, a Porto Alegre. Eram cidadãos anônimos, desempregados, operários, comerciários, biscateiros, moradores dos bairros São João, Navegantes, Colônia Africana, no Quarto Distrito; as principais vítimas da influenza espanhola.

Também no caso da capital gaúcha é impossível precisar as taxas de morbidade e de mortalidade, visto que muitos casos não foram notificados pelas autoridades sanitárias. Oficialmente ocorreram 1316 óbitos em Porto Alegre causados pela influenza, dos quais 1209 na zona urbana e o restante na zona rural. Há quem também tenha calculado na base da subtração. Em 1918 atingiu-se a cifra de 30219 óbitos, com um excedente de 6639 sobre o ano de 1917. Nos três últimos meses de 1918, quando a gripe grassou na cidade, faleceram ao todo 12811 pessoas. Por isso, a Diretoria de Higiene calculou que o total de óbitos decorrentes da epidemia seria de 3971.

Mas esses não parecem ser números comprovados; jamais se soube a quantidade exata, ou mesmo aproximada, das vítimas causadas pela gripe espanhola de 1918 em Porto Alegre. Se as estatísticas oficiais falam em cerca de 70 mil infectados e pouco mais de 1300 óbitos em todo o município, incluem nessa conta as mortes que aconteceram longe das vistas das autoridades sanitárias, em casebres, cortiços ou em esquecidas casinhas da zona rural, sem contar os enterros clandestinos — comuns numa sociedade em que nem todos tinham documento. Além do mais, apenas aqueles cuja morte os médicos reconheciam ter sido ocasionada pela epidemia entravam nas listas, excluindo-se destas os que faleciam, quem sabe, de doenças cardíacas ou tuberculose, para ficarmos com dois exemplos que, entretanto, poderiam ter sua origem no vírus da própria gripe.

Tomando-se apenas o Livro de Óbitos da Santa Casa de Misericórdia, já se conclui como o número está subestimado. De 21 de outubro de 1918 a 11 de janeiro de 1919, 2420 mortes foram registradas e a Diretoria de Higiene do Rio Grande do Sul contabilizou naquele ano 30219 falecimentos no estado. Nos últimos três meses de 1918, aconteceram 12811 óbitos, dos quais 5840 na capital. Ainda segundo o governo, 42% das mortes decorreram de moléstias transmissíveis.

Difícil mesmo chegar a um número rigoroso de falecimentos. De toda maneira, para aqueles que sobreviveram, o início do verão de 1918-19 parecia anunciar uma página virada. A espanhola, no entanto, ainda não morrera em definitivo. Depois de deixar Porto Alegre e outras cidades afetadas simultaneamente, dirigiu-se para localidades da Serra, por lá fazendo um novo grupo de vítimas. Mas a ordem agora era "lembrar de esquecer", e as festas de fim de ano chegavam. No clube do Jocotó, frequentado pelo dr. Mário Totta — tão conhecido médico como bon vivant —, com uma alegria redobrada homens e mulheres da sociedade porto-alegrense participaram da festa nos saraus elegantes do arrabalde da Tristeza. À beira do Guaíba, embalados por orquestras típicas e especialmente contratadas, com muitas batalhas de confetes, poucos tiveram tempo de pensar na epidemia que, de modo sorrateiro, em menos de dois meses, fizera mais vítimas do que todos os combates da guerra federalista e causara inúmeros prejuízos econômicos.

Entretanto, como muitas vezes uma crise pode virar uma saída, para a capital do Rio Grande do Sul sobrou, ao menos, um efeito benéfico. Desde o final da espanhola, passou-se a dar mais atenção à qualidade da água servida à população, com a construção de uma grande hidráulica ainda no governo de José Montaury.

O escritor Erico Verissimo fez referências à gripe em alguns de seus livros, mostrando como a espanhola chegou tarde porém forte a Porto Alegre. Em *Incidente em Antares*, a peste aparece matando muita gente na cidade: "durante a gripe espanhola, em 18, houve um dia em que dez antarenses bateram as botas...". Já no livro *O arquipélago*, a moléstia "levou o velho Stein 'para o seio de Abrão' — conforme expressão usada pelo redator de *A Voz da Serra* encarregado da seção intitulada 'Vida Necrológica'".

Mas é em *Solo de clarineta*, o primeiro volume de suas memórias, que Verissimo recorda sua experiência pessoal diante da doença:

> Em 1918 a influenza espanhola atirou na cama mais da metade da população de Cruz Alta, matando algumas dezenas de pessoas. Não se dignou, porém, contaminar-me. Lembro-me da tristeza de nossas ruas quase desertas durante o tempo que durou a epidemia, e dos dias de calor daquele dramático novembro bochornoso. Era como se os próprios dias, as pedras, a cidade inteira estivessem amolentados pela febre. A escola achava-se em recesso e eu podia passar dias inteiros a ler romances. [...] Foi durante a influenza em 1918 que li pela primeira vez Eça de Queirós (*Os Maias*), Dostoiévski (*Recordação da Casa dos Mortos* e *Crime e castigo*) [...]. Passada a epidemia, a cidade entrou em lânguida e trêmula convalescença.

9. A espanhola na terra da borracha

Quem porventura, a enfrenta à alegria não volta
Segue-lhe o passo errante uma fúnebre escolta
De micróbios letais e de invisíveis dardos
A cena inspira à tela uma pintura forte...
Álvaro Maia

BELÉM, PARIS DO SOL

A "era da borracha" durou um pouco mais de meio século no Brasil — de 1840 a 1910 —, mas alterou radicalmente a feição de cidades como Belém e Manaus. Se até então a Amazônia mantinha o monopólio sobre a produção mundial de caucho, essa posição começou a declinar em 1908, quando, em Nova York, 407 companhias e 231 firmas internacionais agruparam-se na Rubber Growers Association, que passou a financiar pesquisas de desenvolvimento do cultivo racional da seringueira na Malásia, de melhor qualidade, em contraposição ao extrativismo mais tradicional realizado na região amazônica. A produção de borracha no Oriente, que era a princípio pouco significativa, chegou a 28 milhões de quilos em 1912, e a 48 milhões no ano seguinte. Essa guinada importante levou à decadência da economia da borracha do Norte do Brasil.

Em 1918, no entanto, apesar de findo o período de bonança, a cidade de Belém ainda convivia com os sinais de seu auge, lutando para não deixar transparecer o declínio. Em 1910, a população do Pará girava em torno de 783 845 habitantes, e em 1920 aumentaria para 960 mil, dos quais um pouco mais de 25% viviam em Belém.

Durante o ciclo de extração da borracha, a cidade passara por um movimento semelhante ao que ocorrera na capital do país, e em tantas cidades brasileiras. Implantou um plano de modernização urbana que incluiu um projeto de saneamento e de higiene pública: usina de incineração, um novo necrotério municipal, a reorganização do serviço sanitário, uma política de distribuição e limpeza dos locais públicos onde se vendiam produtos perecíveis, a regulamentação de leis que dispunham sobre hábitos e posturas públicas — por exemplo, não escarrar em público —, a instalação de novos mercados e quiosques mais ventilados.

Tratava-se de uma renovação higienista e estética da cidade e de seu porto. O projeto vinha ao encontro dos novos gostos das recentes elites endinheiradas do látex, que agora queriam praticar a arte do ver e ser visto em plena Paris do Sol, como era então chamada a capital dos paraenses. Também se pretendia fazer da cidade um modelo de urbanização e assim demonstrar aos investidores estrangeiros que Belém era não só segura como salubre; um centro financeiro e cultural.

As ruas estreitas dos bairros da Cidade Velha e da Campina mantiveram o velho estilo colonial português, mas se fizeram acompanhar pelo bulevar da República. Erguido segundo o gosto europeu, e próximo ao cais do porto, ele facilitava o escoamento e a transação comercial da borracha. As novas avenidas e as ruas do centro foram calçadas; instituiu-se um serviço de transportes públicos; planejaram-se bosques, quiosques e praças. Desde 1864, Belém possuía iluminação a gás e, desde 1870, bondes puxados por mulas. Já a implantação de uma rede de esgotos moderna ficou a cargo da empresa londrina The Amazonia Development Company Limited. Outro problema agudo da cidade era o abastecimento de água, vendida até então pelos aguadeiros de porta em porta. Encomendaram-se, assim, dos Estados Unidos aparelhos para criar poços artesianos em vários locais da capital. Ao mesmo tempo, o governo deu início a uma política de recolhimento de lixo e a campanhas de vacinação, com direito a visitas domiciliares.

No bulevar da República inaugurou-se um grande mercado, o Ver-o-Peso, todo construído em ferro ao estilo art nouveau, que logo se transformou num dos símbolos visuais da cidade. Um matadouro público foi aberto, para resolver problemas relativos ao local de abate e à comercialização de carne. Barraquinhas onde se vendiam certas comidas e bebidas, como a popular garapa (feita com caldo de cana-de-açúcar, mel e algumas gotas de limão) e a jacuba (café engrossado com farinha de mandioca, açúcar e mel), foram sumariamente proibidas, pois eram consideradas pouco higiênicas e definidas como pontos de ajuntamento de "desocupados".

Criaram-se áreas verdes, incrementou-se o Horto Municipal, praças foram embelezadas, o Bosque do Marco da Légua (depois nomeado Bosque Rodrigues Alves) foi remodelado, bem como proibiu-se, com o rigor da lei, cortar árvores, pisar ou atirar pedras nos gramados e estragar as flores.

A renovação do centro comercial levou, também, à ampliação das casas aviadoras (que abasteciam seringais, deles recebendo em troca a borracha produzida e na posse dela realizando as operações de venda para o exterior), dos bancos e das lojas elegantes, que transformaram Belém num núcleo de consumo de tecidos que seguiam a última moda de Paris e Londres. Lojas como a Paris n'América (que vendia alimentos importados, entre eles carne, vinagre, champanhe, manteiga) davam uma dimensão nova à capital, de alguma maneira conectando-a aos centros internacionais com os quais comercializava.

Belém já contava com o Teatro da Paz, inaugurado em 1878. Entretanto, o boom da borracha possibilitou que viessem ao Pará importantes companhias teatrais e musicais, e que o teatro se convertesse num ponto de circulação internacional e de grande sociabilidade interna. Os jornais da época não só enchiam suas páginas comentando o desempenho dos artistas, como também documentavam a presença de autoridades, ricos comerciantes e intelectuais, sempre notando como se vestiam. Tudo servia como símbolo de prestígio para as companhias e para a elite local.

Remodelação do bulevar da República, hoje bulevar Castilhos França: uma Belém europeia no meio da Amazônia.

Entretanto, como toda moeda tem o seu reverso, para imprimir tais ideais de moral, limpeza e higiene, o poder público implementou na cidade uma disciplinarização do espaço, regulando o cotidiano urbano. Era proibido tomar banho nas praças e chafarizes ou aparecer nas janelas com trajes "indecentes". Assim como ocorreu em outras capitais, foram determinados o fechamento e a demolição dos cortiços situados no centro, considerados "focos" de epidemias e de desordem. Ademais, passou-se a exigir que as plantas das novas residências fossem aprovadas pela intendência.

Definitivamente, as benesses do "progresso" não alcançavam a maior parte dos habitantes, que não possuíam dinheiro sequer para comprar peixe. A cidade também ficou mais dividida, com a expulsão da população de mendigos que outrora vivia nas cercanias da Basílica de Nazaré e com o esvaziamento do centro. Tudo em nome do discurso civilizador que tomava de assalto a capital paraense.

No entanto, em Belém e no restante do estado do Pará, a despeito das melhorias urbanas, os índices sanitários continuavam muito ruins, e ali grassavam constantes epidemias de febre amarela, malária, cólera, varíola e peste bubônica. Além disso, o controle ineficiente do serviço sanitário marítimo não protegia a capital das doenças que vinham de fora, e apenas um terço da cidade dispunha de calçamento, de modo que no inverno o acúmulo de água nas vias públicas, quintais e áreas pantanosas era tão frequente quanto insalubre.

Foi com o advento da República que se institucionalizou a medicina no Pará. As reformas pelas quais o serviço sanitário passou, de 1891 a 1914, mostram o intento do governo no sentido de melhorar as condições de saúde da população local. Difícil ter certeza do número de médicos ativos na região nesse período. Em 1901 havia 67 profissionais registrados na Sociedade Médico-Farmacêutica do Pará. Em 1914, a Sociedade Médico-Cirúrgica se referia a setenta associados presentes numa reunião. Já em 1921, num relatório sobre o serviço de fiscalização do exercício da medicina, registra-se a presença de 98 médicos no estado, sendo 62 formados na Faculdade de Medicina do Rio de Janeiro; trinta na Faculdade de Medicina da Bahia; e seis em escolas estrangeiras. O reduzido número de médicos contribuía para a precariedade do quadro sanitário da região.

Em 1914, com a criação da Sociedade Médico-Cirúrgica do Pará, teve início a formação de um novo perfil de médico, afinado com as recentes perspectivas científicas. A associação estabeleceu regras de conduta que deveriam pautar a profissão. Buscou-se, igualmente, combater práticas de cura que disputassem com a ciência institucionalizada nos cursos de medicina. O projeto visava, num primeiro momento, erradicar os assim chamados curandeiros e charlatões, que eram, por sinal, muitos na cidade. A associação também advogava contra a prática dos pajés e procurava dar aos médicos o lugar daqueles que monopolizavam saberes; os únicos capazes de reger as ações estatais no campo da saúde.

Como mostra o pesquisador José Maria de Castro Abreu Júnior, Belém contava, na época, com alguns hospitais de atendimento geral e outros de isolamento. O maior era a Santa Casa, cujas instalações dispunham de trezentos leitos. O Hospital Dom Luís I, pertencente à Sociedade Beneficente Portuguesa, fora modernizado em 1912, e tinha capacidade para receber 120 doentes. A Ordem Terceira de São Francisco podia atender 75 enfermos, extensíveis a cem. Havia ainda o Hospital Militar e o Hospício dos Alienados. Os hospitais de isolamento não faziam jus a tal designação. O Hospital Domingos Freire possuía somente cinquenta leitos e poucos recursos. Já os demais eram antes uma espécie de "hospitais-barracas"; feitos de concreto, erguidos e demolidos no calor das circunstâncias epidemiológicas. Segundo os especialistas, essas instituições acabavam funcionando apenas como depósitos de micróbios.

O Hospital Domingos Freire e a Santa Casa localizavam-se ambos no atual bairro do Guamá. Ali perto estava instalado o leprosário do Tucunduba — o terreno murado mais parecia uma colônia para reclusão dos pacientes do que um hospital. À exceção desse lazareto, que fora construído em inícios do século XIX, todos os hospitais datavam dos anos de 1900 e tinham diferentes funções: o Domingos Freire destinava-se ao isolamento dos pacientes com febre amarela, o São Sebastião cuidava de variolosos e de portadores de doenças venéreas, e o São Roque dedicava-se sobretudo a tratar de casos de peste bubônica. E, à medida que tais endemias iam desaparecendo ou se alternando, eles passavam a atender pacientes com outras enfermidades: tifo, impaludismo e gripe espanhola. Tudo dependia da emergência da vez. No final de 1910, por exemplo, tuberculosos em isolamento ocupavam todos os estabelecimentos, afora o São Sebastião.

Foi esse o quadro médico-sanitário que a influenza encontrou ao desembarcar na cidade de Belém em outubro de 1918. Àquela altura, ela não era uma doença desconhecida, e aparecia ao lado das notícias da guerra.

Para se antecipar ao problema, no dia 2 de outubro uma comissão médica reuniu-se com o presidente do estado com o objetivo de traçar medidas profiláticas contra, como dizia o jornal *Folha do Norte*, "a possível entrada deste mal". Mas não deu tempo; dois dias depois do encontro, à tarde, atracou na capital paraense o vapor *Ceará*, vindo do Rio de Janeiro, com escalas, e trazendo 129 passageiros, dos quais 25 acometidos pela influenza, sendo que doze a tinham adquirido entre o Maranhão e o Pará. Os estivadores no porto de São Luís se recusaram a descarregar o paquete, que foi forçado a subir para Belém. Aí, as autoridades declararam não haver motivo para preocupação, uma vez que a enfermidade era "desconhecida", mas em sua forma benigna.

Diminuir a importância da doença não era novidade. A tendência inicial das autoridades foi sempre essa: tentar associá-la a uma gripe corriqueira. O jornal *O Estado do Pará* afirmou, inclusive, que o médico interino da Inspetoria de Saúde dos Portos do Pará, Othon Chateau, trocara telegramas com seus colegas do Maranhão e recebera deles a informação de que a moléstia era, de fato, "benigna", a despeito de recusarem o desembarque. Em Belém, contudo, a história foi outra: tão logo a embarcação ancorou ali, subiram a bordo o médico da saúde do porto (Othon Chateau) e o da Junta de Higiene do Estado (Albino Cordeiro), que conversaram com o profissional de saúde do navio. Este explicou que a doença teria se manifestado entre os tripulantes após a partida do Recife e que, usando meios profiláticos, ele teria contido a sua propagação. Segundo o jornal *O Estado do Pará*, dos 42 acometidos, havia "apenas catorze em estado menos lisonjeiro". Este último passageiro tinha vinte anos e viria a falecer no dia 4 de outubro de "caquexia palustre": síndrome em que o doente perde peso e que está associada à malária e à insuficiência cardíaca.

Tendo conhecimento do quadro a bordo, Othon Chateau e Albino Cordeiro determinaram que só os passageiros com destino ao Pará teriam direito de desembarcar; o navio ficaria ao largo. Além do mais, a carga restaria sob vigilância da Saúde; e todas as bagagens, malas dos Correios e dos viajantes, passariam por minuciosa supervisão. Por fim, os passageiros do navio permaneceriam num alojamento especial durante doze dias, sob observação dos médicos da Junta de Higiene. De pronto, enviaram-se as bagagens para serem desinfetadas na estufa da Junta. Nesse meio-tempo, o estado de outros seis tripulantes piorou, e eles foram imediatamente internados no Hospital São Roque. Por fim, no dia 8 o *Ceará* partiu de Belém rumo a Manaus.

No entanto, apesar de o navio ter sido submetido a "rigoroso expurgo", a doença conseguiu desembarcar na cidade. Em nota, a *Folha do Norte* de 8 de outubro informou que o passageiro português de terceira classe Antônio A. dos Santos, de 65 anos, residente na travessa Campos Sales, estivera pela manhã no Serviço Sanitário do Estado, queixando-se dos sintomas de gripe, e fora logo recolhido ao Hospital São Roque. Para piorar a situação, no dia seguinte, o *Norseman*, um vapor inglês vindo do Recife, chegou a Belém trazendo 31 tripulantes contaminados, alguns em estado grave, enquanto o vapor *Uberaba* aportava com cinco doentes. Nesse ponto não havia mais como esconder: tratava-se mesmo da espanhola. Ainda assim, as notícias não eram muitas, e buscavam, a todo custo, evitar o pânico social.

A epidemia seguiu seu curso. Em 10 de outubro os jornais davam conta do aumento dos casos de gripe, sendo mais de trinta só a bordo do paquete *Bahia*, que acabara de chegar. Dele desembarcou Miguel Arcanjo dos Santos, praça no 58º Batalhão de Caçadores de Niterói. Ele adoecera depois que o navio saíra do porto do Ceará; foi então que começou a sentir fortes dores no corpo e apresentou febre. Veio a falecer em Belém, e o laudo médico indicou gripe em sua forma respiratória.

Como se pode imaginar, o grosso dos contaminados estava entre os passageiros da segunda e da terceira classe, e incluía os maquinistas, que trabalhavam em condições insalubres: falta de espaço, calor excessivo e ausência de esquema de rodízio. Por conta disso, o *Bahia* ficou fundeado a mil metros de distância do porto. Porém, os demais passageiros foram desembarcados, e dezesseis deles e dois tripulantes transferidos para o Hospital São Roque. Enquanto o registro de casos ia crescendo, as medidas sanitárias pareciam ficar mais rigorosas, tendo o médico da saúde do porto, Othon Chateau, multado o comandante do *Bahia* pelo fato de este haver consentido que seu imediato viesse a terra sem passar pela desinfecção.

Mas a medida era tardia. A primeira vítima registrada foi o citado Miguel Arcanjo dos Santos, praça e também cabo-telegrafista, transferido de Niterói para Belém como ordenança do coronel Raimundo Rodrigues Barbosa. Como vimos, ele estava a bordo do *Bahia* e morreu no dia 9 de outubro. Diferente foi o caso de Manuel Monteiro Amoroso Lima, caixeiro-viajante, residente do Hotel América no quarto número 17. Manuel viera do Rio de Janeiro igualmente a bordo do *Bahia* e havia sido atacado pela gripe. Segundo *O Estado do Pará* de 15 de outubro de 1918, ele não se comportou como devia: foi para as ruas, adquirindo uma pneumonia dupla gripal. Para piorar, comeu "algumas talhadas de ananás", abusou de "gelados" (sorvetes) e bebeu "água gelada", o que teria lhe causado um forte acesso de febre com desfecho fatal. No entanto, logo mais seria impossível comentar cada óbito, e a imprensa publicaria longas sequências de nomes nas páginas dos diários, já que a doença teria entrado em cheio no cotidiano da população de Belém. A espanhola dividiria a cidade em duas: de um lado o centro e de outro as áreas mais distantes, entre elas um local conhecido como Vila Podrona, e regiões também empobrecidas, que ficavam mais apartadas dos cuidados da saúde.

E, diante das desigualdades promovidas pelo crescimento acelerado da cidade, a doença apenas aguçou o que existia. *O Estado do Pará* de 31 de outubro escreveu: "o nome por si já dá a entender o que seja aquilo — Vila Podrona" — localizada perto do Curro, é o atual Curro Velho. "Curro", em espanhol, refere-se ao cercado onde ficam os touros antes e depois da tourada. Nesse lugar, foi construído o primeiro matadouro de Belém.

Vila Podrona não era a origem da pandemia de espanhola, porém, com sua estrutura deficitária, ela decerto favoreceu a proliferação da doença. Segundo as teorias de época, o local seria considerado como uma fonte responsável por miasmas que propagavam os mais diversos males, incluindo a nova influenza. A vila virou alvo de uma campanha de saneamento; os periódicos a chamavam de "depósito de vísceras" e pediam o fechamento "daquela imundície". Ainda no dia 31, podia-se ler no *Estado do Pará* que "o ar que ali se respira é o mais infecto possível", que quase todos os locatários estariam doentes e que "dali escorre uma borra que se espalha por um capinzal próximo, indo infeccionar moradores das vizinhanças". Foi até organizado um abaixo-assinado pedindo a imediata destruição da Vila Podrona, que se converteu em símbolo das casas "anti-higiênicas" espalhadas pelos arredores da cidade. O jornal passou a denunciar, também, pessoas que criavam porcos em suas residências ao longo da avenida Vinte e Dois de Julho. Para alguns leitores esses chiqueiros seriam igualmente responsáveis pela vasta expansão da peste. *O Estado do Pará* noticiava ainda a existência de suínos próximo ao Gasômetro, onde havia "um velho tanque cheio de água e matérias pútridas, que exalam um cheiro insuportável".

Mas, se a espanhola dividiu, também pôs em contato. A Comissão Maçônica de Socorro aos Gripados Indigentes começou a visitar bairros então considerados distantes, como Marco da Légua e Pedreira, distribuindo esmolas, xaropes, purgantes e remédios. A *Folha do Norte*, num artigo publicado no dia 10 de novembro, e de claro tom apelativo, afirmou que por lá encontraram casas onde viviam "doze ou mais pessoas, das quais duas ou três adultas, e o resto menores, mesmo de tenra idade. Os adultos caídos, ardendo em febre, enfraquecidos pela ausência completa de alimentos [...] sendo-lhes portanto impossível atender às pobres crianças que pedem água, pão, leite... Fácil é de deduzir o que espera estes desgraçadinhos".

O Estado do Pará percorreu diversos bairros na periferia, como Canudos e o do Ladrão, e mais uma vez constatou a pobreza local: crianças pedindo dinheiro ou remédio para os pais, moradias cobertas de palha, casas com quartos pequenos que acomodavam vários doentes em estado terminal. E completava: "jaziam cinco enfermos, homens e mulheres, todos em estado grave [...] sem água, sem remédios, nem leite nem comida".

Como ocorrera em outras cidades, a Cruz Vermelha, as igrejas e a maçonaria intermediavam doações diárias fornecidas por pessoas físicas, associações, estabelecimentos comerciais, compostas de remédios (desde o quinino até laxantes e homeopáticos), roupas, alimentos, folhas de papel, caixas de fósforo e até dinheiro. Cumprindo a orientação do diretor-geral da Saúde Pública, Carlos Seidl, que, por sinal, era paraense, o governo do estado resolveu tomar algumas medidas profiláticas. No entanto, nesse caso, a experiência e a observação do andamento da epidemia em outros estados foram positivas, e as autoridades do Pará julgaram que a gripe nada tinha de corriqueira. Por isso, acharam por bem mostrar algum serviço em vez de simplesmente permanecer no compasso de espera. Reunidos no dia 19 de outubro, o presidente Lauro Sodré, médicos do Serviço Sanitário do Estado e outros clínicos de Belém chegaram às seguintes conclusões: a população deveria ter cuidado com picadas de mosquitos (pois acreditava-se na época que a doença provinha também deles); escolas públicas e privadas deveriam ser fechadas; os enfermos indigentes receberiam na farmácia do Serviço Sanitário do Estado os medicamentos de que necessitavam.

No dia 21 de outubro, o Serviço Sanitário do Estado reuniu-se com o Serviço Sanitário Municipal com o objetivo de criar postos de socorro para as vítimas da espanhola. Foram escolhidos 24 lugares diferentes, entre grupos escolares, farmácias, penitenciárias, cobrindo várias partes da cidade. Ficavam abertos durante uma ou duas horas por dia, e alguns médicos trabalhavam em mais de um local. Os postos só atendiam indigentes, que recebiam gratuitamente a medicação.

Nesse contexto entraram em Belém 10 mil litros de óleo especial, que o Serviço Sanitário do Estado utilizou para extinguir mosquitos e desinfetar os Correios, a delegacia, os quartéis de polícia e dos bombeiros. Quarenta homens foram contratados para trabalhar na profilaxia da cidade. Também em 21 de outubro suspenderam-se as atividades escolares por tempo indeterminado, e no dia 31, diante da disseminação da doença, o Serviço Sanitário do Porto lançou novo pacote de medidas preventivas, avisando que a enfermidade era como uma "invasão brusca"; que se tratava de um mal de "três dias" que poderia se prolongar por algumas semanas; que era uma gripe epidêmica cuja propagação se fazia pelo ar e que por isso era necessário evitar aglomerações; e que os médicos do porto eram agora obrigados a emitir declarações por escrito de todos os casos que por lá passassem.

Conforme destaca José Maria de Castro Abreu Júnior, porém, que tal comunicado das autoridades sanitárias não possuía caráter preventivo; pretendia sobretudo explicar ao público o que era a doença. O intendente municipal, Henrique Santa Rosa, vendo que a epidemia avançava, decidiu baixar nova portaria proibindo a visitação aos cemitérios no Dia de Finados. E o posto médico instalado na Associação Comercial do Pará publicou duas séries de medidas. A primeira, denominada "O que devemos evitar", delimitava e restringia as visitas aos doentes; aglomerações; cuspir ou escarrar no chão; tossir sem proteger a boca, fosse com lenço ou com o uso da mão; o consumo de bebidas geladas ou de qualquer bebida alcoólica sob qualquer pretexto; o aperto de mão ou beijo, sobretudo nas crianças; comer excessivamente; ir ao trabalho sem estar se sentindo forte. E completava: "excessos de qualquer natureza" deveriam ser refreados. A segunda série de medidas intitulava-se "O que devemos fazer" e mencionava ser necessário: lavar a casa com frequência utilizando solução de creolina; abrir as janelas e portas dos aposentos; escarrar em lenços (caso não houvesse bacia e escarradeiras à disposição); ferver os lenços após o uso; evitar bebidas geladas e alcoólicas; comer sobriamente; e, diante de qualquer complicação, chamar o médico mais próximo.

Mas, mesmo com a gripe instalada em Belém, no começo de outubro a cidade pretendeu guardar sua rotina. Por exemplo, a epidemia não impediu que saísse a tradicional procissão do Círio de Nazaré, a qual, de acordo com *O Estado do Pará* do dia 14, reuniu 50 mil pessoas. Ela envolvia uma peregrinação inicial de romeiros interioranos e, já no âmbito urbano, a procissão propriamente dita. Era, sem dúvida, uma fonte de propagação da infecção; todavia, a imprensa e o governo nem ao menos cogitaram a hipótese de adiar o préstito, que ocorreu sem nenhuma alteração, no segundo domingo de outubro. A única diferença foi que, na véspera, os bombeiros jogaram água no trajeto.

Também o tradicional arraial de Nazaré ignorou solenemente o contexto sanitário daquele ano e seguiu com sua programação, que contava com "fantoches", ventríloquos, e o Pavilhão de Vesta (obra de 1891) — grande coreto situado no centro do largo —, com apresentação dos Mignons Clowns. Evento famoso na cidade, e muito arraigado à cultura local, ele transformava as noites calmas num momento de intensa circulação de pessoas de diversas origens, classes, e regiões do estado. Tudo parecia normal, não fosse o fato de as barracas do arraial, pontos de venda de bebida e comidas típicas, passarem a fechar em razão da falta dos trabalhadores, que acabaram sendo contagiados pela espanhola.

Começava a ficar difícil não prestar atenção na doença. Um espetáculo teatral, a revista *O Tapioca*, foi suspenso porque seus atores estavam acometidos pela moléstia. Por fim, até mesmo o arraial de Nazaré teve suas atividades paralisadas no dia 24 de outubro. O surto epidêmico marcou a própria imagem de Nossa Senhora de Nazaré, que foi associada à pandemia e tomada como um aviso da chegada da gripe. A narrativa popular, prontamente reproduzida pelos jornais locais, dizia que, em fins de agosto de 1918, na igreja de São João Batista, situada no bairro da Cidade Velha, a imagem de Nossa Senhora da Consolação vertera uma lágrima, gerando grandes romarias.

Diante disso, o arcebispo de Belém, d. Santino Coutinho, convocou a presença de vários médicos, além de farmacêuticos, bacteriologistas e químicos, para colherem amostras do material, que foi submetido a exames no laboratório do estado.

A notícia da lágrima derramada pela imagem ultrapassou logo as fronteiras do Pará, conquistando espaço em publicações de outros estados. Revela José Maria de Castro Abreu Júnior, em sua dissertação, que um jornal de Florianópolis chegou a afirmar que a santa havia chorado copiosamente na presença do arcebispo e de grande número de fiéis. No Rio de Janeiro a imprensa, mais incrédula, afirmou que o fato tinha a vantagem de fazer a população esquecer as angústias da crise da borracha.

Os exames laboratoriais esclareceram, porém, o assunto. A lágrima era, na verdade, parafina ou outra substância cerosa usada pelo escultor para dar retoques na fixação do olho de vidro da santa. Mas o resultado da análise científica do material não fez muita diferença, pois a devoção, àquela altura, já estava disseminada, e a lágrima foi interpretada como um aviso do flagelo. O episódio mostra, de toda maneira, como epidemias eram logo associadas a intervenções divinas. No Brasil, uma série de santos foram convocados, a depender da região, para ajudar no combate à peste: Nosso Senhor do Bonfim em Salvador; são Sebastião, Nossa Senhora das Dores e são Pedro da Gamboa na cidade do Rio de Janeiro. Isso sem esquecer de Omulu, também em Salvador; orixá que protege da varíola e de outras doenças.

A população de Belém já se acostumara a, em tempos de crise, sair em romarias, que em geral ganhavam as ruas nas primeiras horas da noite e se prolongavam até a madrugada. À frente, iam as imagens de são Roque e são Sebastião, os "santos advogados das pestes", acompanhadas por grande número de populares portando velas acesas. E era difícil convencer o povo a abrir mão do hábito, pedindo-lhe que professasse sua fé nas igrejas, mais amplas e higienizadas. Por sua vez, a Igreja Católica tentava boicotar eventos religiosos não organizados por ela. O embate se dava também entre as "beatas benzedeiras" e os padres, invejosos da popularidade delas. Existiam ainda rixas entre os "amos de boi-bumbá", sobretudo na Vila Podrona, onde as disputas terminavam quase sempre nas delegacias de polícia. Jornais diziam que os cortejos eram formados pelos "valentes mais famosos dos bairros", cujo encontro com o boi rival levava a um desfecho de "mortes, ferimentos graves e destruição".

Mesmo com tantos fervores religiosos à solta, a frequência às igrejas diminuiu muito no período epidêmico. Os ritos fúnebres também foram abandonados ou ao menos reduzidos: recomendava-se que os sepultamentos fossem feitos com rapidez e sem aglomerações. Até os velórios de crianças, os chamados "anjinhos", cujos cortejos fúnebres representavam um tipo de ritual quase sagrado em Belém, foram abolidos durante os tempos da espanhola.

Como em São Paulo e Porto Alegre, por exemplo, em Belém sobraram muitas lendas urbanas. Um caso conhecido é o do sr. Felisberto Antônio de Jesus, um pescador e lavrador que vivia na ilha dos Patos e que, acometido pelo mal, foi tomado por morto. Acabou registrado como "um morto-vivo da Vila Pinheiro", atual Icoaraci. Enquanto os moradores do lugar carregavam o caixão, notaram, segundo *O Estado do Pará* de 26 de novembro, que "o cadáver parecia gemer ou procurar torcer-se. Quiseram abrir o caixão para verificar, mas ou pelo receio de uma averiguação policial, ou pavor costumeiro dos supersticiosos, simplesmente chegaram ao acordo de deixarem-no à porta da capela da necrópole, enquanto saíam à procura da autoridade competente que fizesse as averiguações necessárias". Nesse meio-tempo, os coveiros, vendo que a noite se aproximava e aquele corpo continuava insepulto, decidiram colocá-lo num dos túmulos abertos. Quando o caixão tocou o fundo da cova, eles perceberam um ruído abafado, que julgaram ser o ranger das cordas. Ao voltarem e perguntarem por Felisberto, os moradores receberam a resposta de que ele havia sido enterrado, e os coveiros confessaram ter ouvido "solavancos e gemidos violentos dentro ou embaixo do caixão", mas não deram importância por não "suspeitarem semelhante ocorrência".

Uma epidemia sempre mexe com a sensibilidade das pessoas, e foi nesse clima que se registrou, na *Folha do Norte* de 12 de novembro, uma história de suicídio na linha do trem. O vendedor ambulante Manuel Barbosa, de cinquenta anos de idade e português de origem, acometido pela gripe, encontrava-se em tratamento na Sociedade Beneficente Portuguesa. Por volta das seis horas da manhã, num delírio de febre, fugiu do hospital, rodou pela cidade, e tomou o rumo da travessa Carlos de Carvalho, a trezentos metros da estação da Estrada de Ferro Belém-Bragança. Em torno das oito horas, quando caminhava pelos trilhos, foi apanhado pela locomotiva *Benevides*, a caminho de Belém. O maquinista Luís Bandeira bem que apitou várias vezes, mas Barbosa não saiu dos trilhos. Diz o jornal que "uma velha procurou afastar o infeliz do perigo; ele repelindo-a, porém, permaneceu sobre os 'rails'". Talvez Manuel tivesse ido parar debaixo do trem por outros motivos, até mesmo por perturbações mentais causadas pelo abuso de quinino, que costuma ocorrer quando o doente se automedica. De toda maneira, o "delírio da gripe" passou a ser uma explicação comum para tragédias desse tipo.

A *Folha do Norte* de 6 de novembro já informara que a epidemia estava gerando episódios extremos: foram vistos dez ou mais cadáveres sendo transportados numa mesma canoa, todos de vítimas da espanhola que moravam na ilha das Onças, situada em frente a Belém, e que seriam enterrados na cidade. O certo é que, àquela altura, uma série de notícias diárias reforçava o sentimento de abandono vivido pela população, abalando, igualmente, a confiança das autoridades sanitárias.

Enquanto isso, a movimentação nos cemitérios da capital paraense era imensa, a ponto de a Santa Casa de Misericórdia, em nota pública, anunciar que, devido ao alto número de enterros, seus carros fúnebres aguardariam por apenas quinze minutos a chegada do corpo para levá-lo ao cemitério. Ademais, diante da proibição da visita aos cemitérios, embora se desconheçam relatos de reação civil, descreve-se a existência de um aparato policial guardando esses locais: um sargento e seis praças da Brigada Militar, além de alguns vigias e um subprefeito de polícia.

Em Belém, a população também correu para as farmácias, tentando evitar o pior. Em reportagem da *Folha do Norte*, o farmacêutico César Santos afirmou que no auge da epidemia seu estabelecimento aviava cerca de setecentas receitas por dia para doentes de gripe, a maioria das quais prescrevia quinino misturado com outros sais, como fenacetina combinada com paracetamol (substâncias presentes em medicamentos populares) e cafeína. Eram solicitados igualmente vários xaropes, fórmulas sudoríferas, e água oxigenada, mentolada, glicerinada ou boricada para gargarejos. A farmácia vendera ainda muitos laxantes, mostrando como era forte a crença de que um intestino limpo ajudava o corpo a ficar livre de doenças.

Os diversos itens farmacêuticos alardeados pelos jornais, além de serem caros, não ofereciam benefícios concretos. Para tentar se proteger, as pessoas lançaram mão dos saberes populares, oriundos de suas experiências, práticas comuns que herdaram de outros tempos e acomodaram com novos hábitos e costumes. Receitas caseiras passaram a disputar espaço nos periódicos com os produtos medicinais; xícaras de limão cozido com casca e quatro dentes de alho, esfregaços com azeite na garganta, chá de raiz de ipecacuanha (uma planta da família do café), gotas de iodo, purgantes como Água de Queiroz, e clister de água morna para as crianças eram mais usados pela população mais pobre, devido a seu baixo custo. Também o chá de eucalipto entrou na lista dos mais vendidos, sendo considerado um potente "destruidor de micróbios".

A pajelança, tanto a cabocla como a indígena, tornou-se ainda mais popular em Belém. A primeira integra crenças e práticas católicas a indígenas, xamânicas e afro-brasileiras. A segunda se refere a rituais milenares dos encantados indígenas — seres mágicos, criaturas da natureza, que detêm poder de cura e entregam a um membro da tribo uma semente que carrega a força mágica do encantado para preservar a saúde de todos na comunidade — combinados com técnicas de cura dos xamãs. Mas, diferentemente do que ocorria em cidades onde as autoridades sanitárias desautorizavam outras práticas, com o tempo e o aumento de casos de espanhola chama atenção a inexistência em Belém de registros sobre conflitos entre a classe médica e indivíduos que ofereciam formas distintas de cura, apesar das regras claras emitidas pela Sociedade Médico-Cirúrgica do Pará. Valia tudo e ao mesmo tempo.

O preço dos gêneros alimentícios aumentou muito, conforme aconteceu em outras cidades brasileiras acometidas pelo surto de espanhola. O limão, o leite e a carne foram os principais produtos sujeitos à especulação, desaparecendo da mesa da população de baixa renda. O leite, por exemplo, subiu de mil-réis para 2 mil-réis. A Associação Comercial do Pará buscou reunir seus membros, visando controlar e contornar a questão, bem como organizou uma comissão para elaborar uma tabela de preços para os vários gêneros — a medida mostrou-se, porém, totalmente inócua. Também os remédios foram alvo de abuso. O problema relativo ao custo do quinino foi tão grave que obrigou o governo federal a considerar o produto como de primeira necessidade e fixar seu preço. Os purgativos, por sua vez, passaram de mil-réis para 3 mil-réis. Não bastassem os preços elevados, há relatos de farmácias que agiam de má-fé, vendendo cápsulas com pó de tapioca no lugar do sal de quinino e da fenacetina. Muito polvilho local era comercializado como quinino ou aspirina.

Durante a pandemia, urnas funerárias ganharam um valor especial, havendo testemunhos da existência de um mercado paralelo, que conseguia caixões doados por instituições de caridade e os vendia por preços exorbitantes. Funerárias aproveitaram a epidemia para negociar serviço a preço reduzido utilizando material importado, com a ressalva: "É bom notar que os caixões fúnebres feitos nesta casa são enterrados com as respectivas alças". Mas a demanda era tal que há registros de pedidos de caixões que só foram entregues horas depois do enterro.

Numa tarde chuvosa, foi realizada uma partida de futebol pelo Campeonato Paraense: Nacional versus Paysandu. No *Estado do Pará* de 28 de outubro, o repórter comentou: "deve ter sido um excelente elemento à gripe para infecção dos assistentes e em especial dos jogadores". Pouco depois, a Liga Paraense de Sports Terrestres (LPST), organizadora do torneio, sem alternativa, cedeu às pressões: cancelou o campeonato, até porque faltava público para acompanhar os jogos.

Enquanto isso, a Estação Telefônica recomendava à população que fizesse uso do telefone somente em caso de extrema urgência — em decorrência da gripe faltavam funcionários para completar as ligações. Na direção oposta, o Cinema da Natureza anunciou em 24 de outubro que iria abrir as portas; funcionava ao ar livre. Mesmo assim, logo ficou claro que não adiantava deixar o cinema funcionando, pois a população amedrontada abandonou esse tipo de lazer. No dia 30 de outubro todos os cinemas de Belém estavam fechados.

Também no interior do estado as notícias eram alarmantes. Da ilha de Marajó, chegavam informes de que os moradores viviam uma situação desoladora. Na região de Cametá, por exemplo, faltavam remédios. A doença se alastrou ainda por Bragança, havendo relatos da propagação da gripe pelas cidades de Salinas e de São João de Pirabas.

As autoridades faziam o que podiam, por exemplo, mas o uso de máscaras não perseverou em Belém. Talvez por conta da dificuldade de obter tal produto; ou, então, como resultado de opinião médica. Uma corrente considerava o uso da máscara perigoso: aumentava a temperatura e a umidade do ar respirado, comprometendo as barreiras respiratórias que defendiam o organismo. Numa região de clima quente e úmido, não seria indicado utilizar o acessório.

No entanto, logo no início de dezembro, os jornais começaram a alardear que a gripe estava "quase extinta em Belém" e também no Pará. A *Folha do Norte* do dia 17 explicava que o Hospital Benjamin Constant cerrara suas portas em 15 de dezembro, quando foram transferidos para o São Sebastião os quatro últimos pacientes. Durante sua existência, recolhera 82 pacientes — "cinquenta do sexo masculino, e 32 do feminino. Deles faleceram dezessete, convindo dizer que cinco entraram em estado agonizante".

Em Belém existem poucas referências ao número de óbitos. Uma é o Relatório do presidente Lauro Sodré, que menciona 575 falecimentos por gripe nos três meses de pandemia. Em 1922, outro documento, redigido pelo diretor do Serviço Sanitário do Pará, José Ciríaco Gurjão, se refere a 544 óbitos. Também o pintor e historiador paraense Teodoro Braga deixou registros pessoais relativos à passagem da espanhola pela capital, e aponta 580 óbitos decorrentes de gripe. Mas é possível suspeitar que os dados tenham sido subestimados, até mesmo para não expor as deficiências estruturais na área da saúde e ainda mais durante a epidemia.

O desejado final da pandemia também foi noticiado precocemente várias vezes. Porém, uma hora o mal acabou de verdade. Em 26 de novembro a imprensa do Pará declarava triunfante: "não há mais gripe". Mais animado, um repórter de *A Palavra*, no dia 1º de dezembro, cravava, categórico, que já se podia afirmar "que a pandemia está debelada". De toda maneira, um sinal forte foi emitido pela Cruz Vermelha: em 29 de novembro, ela deu por encerradas suas atividades voltadas para a espanhola. Logo depois, despediram-se do Hospital Benjamin Constant as Filhas de Maria, da paróquia de Santana, que durante a vigência da gripe cuidavam dos doentes. O próprio hospital, criado por ocasião da espanhola, encerrou suas atividades em meados de dezembro.

Prontuário da Sociedade Beneficente Portuguesa durante a gripe espanhola. Belém, 9 de novembro de 1918.

A espanhola deixara de ocupar todo o espaço dos jornais, e agora era possível homenagear (algumas) vítimas da gripe. Em 11 de dezembro foi celebrada na Basílica de Nazaré uma missa pela alma dos soldados federais mortos, contando com a presença do presidente do estado. Já com relação aos civis vitimados pela peste, se ocorreu alguma homenagem a eles, não apareceu na imprensa.

Um decreto lançado no fim de 1918 dispensava os estudantes de todos os exames, com aprovação automática para o ano seguinte. A medida gerou, porém, grande reação na cidade, com os jornais ironizando a medida e comentando que a gripe trouxera a morte e também o analfabetismo. De todo modo, aqueles que escaparam da doença tinham agora motivo forte para retornar ao curso de suas vidas. O maior sinal foi a retomada do arraial de Nossa Senhora de Nazaré entre 22 e 29 de dezembro.

E, como muitas vezes a crise abre também algumas novas possibilidades, é possível dizer que por conta da espanhola tomou impulso a ideia de fundar a primeira escola médica do Norte. Se não foi a única causa, a doença animou a abertura da Faculdade de Medicina e Cirurgia do Pará, em 9 de janeiro de 1919. Nesse mesmo mês, entretanto, quando a gripe havia praticamente desaparecido, ela pregou ainda um susto. Morreu o médico Crasso Barbosa, cujos funerais foram "concorridíssimos". Como no resto do mundo, a peste passou pela capital, mas não construiu memória: não se criaram feriados, narrativas celebratórias ou efemérides. A exceção é o culto ao médico "milagreiro" Crasso Barbosa, cujos devotos de hoje continuam a acender velas em honra e homenagem aos mortos pela espanhola.

MANAUS, PARIS N'AMÉRICA

A orgulhosa capital do Amazonas também conheceu sua belle époque, entre 1890 e 1920, totalmente financiada pela borracha. Esse período teve início em 1871, quando Manaus passou a ser conhecida como Paris n'América, em virtude da pujança e da velocidade de sua modernização. A cidade sofreu uma remodelação vertiginosa, com a construção de bulevares, praças, bosques, mercados e um grande porto flutuante. Manaus e Belém eram mesmo as capitais da borracha; ambas contavam com luz elétrica, água encanada, rede de esgotos e telefonia, bondes elétricos e avenidas vistosas, sobre pântanos aterrados.

Arquitetos, urbanistas, paisagistas e artistas foram levados a Manaus, todos financiados por governantes e pelos próprios comerciantes enriquecidos. As construções também se sucederam de forma ligeira: o Palacete Provincial foi inaugurado em 1875, a Catedral Metropolitana em 1877, em 1883 foi concluído o Mercado Municipal Adolpho Lisboa. Em 1888 abriram-se as portas da igreja de São Sebastião, e a ponte Benjamin Constant, que contava com engenharia inglesa, foi inaugurada em 1895. No ano seguinte, a cidade ganhou o luxuoso Teatro Amazonas; em 1900 o Palácio da Justiça; em 1909 a Alfândega de Manaus; a Biblioteca Pública em 1910. O Palácio Rio Negro foi construído em 1903 por um milionário alemão, e adquirido pelo estado em 1918. A capital do Amazonas tornava-se, então, uma "cidade moderna", com cerca de 50 mil habitantes e se valendo da lucrativa produção da borracha, que chegou a perfazer um total de 61% da produção mundial e 28% das exportações nacionais. A presença do produto de exportação era tão magnânima que sua moeda passou a ser a libra esterlina do Reino Unido — forma de pagamento utilizada para a exportação da borracha.

Mas há outro aspecto relevante a ser considerado. O comércio da borracha crescia e, como decorrência, aumentavam as levas de migrantes que chegavam a Manaus em busca de oportunidades para trabalhar e enriquecer. Nesse processo, também a miséria se alastrava. No entanto, para se vestir de moderna, a capital passou a controlar a vigilância sanitária, impondo às populações de baixa renda uma série de novas medidas. Na época, ganhava força a teoria miasmática, a qual determinava que alguns agentes eram absolutamente nocivos para a saúde da população; entre eles, o ar, a alimentação deficiente, os excessos, a intemperança. E por causa da reunião desses fatores tomou impulso a ideia de sanitarizar a cidade.

O processo segmentou Manaus em duas partes. Foi na gestão do presidente Eduardo Ribeiro que se aterraram igarapés — o nome indígena para os riachos que ligam uma ilha fluvial a outra ou a terra firme —, derrubaram-se árvores, bem como foram destruídas construções mais insalubres. A remodelação da cidade, forjada pelo discurso combinado da modernidade e da higienização, trouxe consigo novos serviços urbanos, como água, esgoto e iluminação. Mas estes não deram conta de contornar a péssima situação sanitária vivida pela população em várias regiões da cidade. Segundo relatório do dr. Figueiredo Rodrigues, inspetor de saúde no ano de 1916, a febre amarela grassava de forma alarmante, sendo que, de 1905 a 1913, 1386 pessoas morreram da doença. Depois dela vinham os casos de malária e beribéri, enfermidades que atingiam mais as zonas carentes e fora do registro em óbitos oficiais.

No mesmo relatório, adiantava-se que, com a baixa gradativa do preço da borracha, a cidade não conseguia mais manter suas finanças equilibradas, e destinava poucos recursos ao combate das moléstias que se tornaram epidêmicas no Amazonas. Jornais da época alardeavam que se vivia uma crise econômica sem precedentes na região, afetando grandes e pequenas empresas; o comércio estava paralisado. A partir de 1914, quando eclodiu a Primeira Guerra Mundial, que acentuou a decadência do comércio da borracha, a situação só piorou.

E foi nesse cenário que Manaus entrou no ano de 1918: com a cidade e a população à beira de um colapso. Mesmo assim, e como a negação do perigo foi uma reação comum e generalizada, o jornal *A Capital* noticiou que a doença não passava de uma criação dos "técnicos espanhóis", os quais teriam transformado a influenza numa moléstia capaz de "superar os climas e todas as qualidades tétricas" para a sua propagação. Insistiam, ainda, que ela era benigna e não acarretava perigo algum. A informação não trazia nenhuma comprovação e parecia apenas responder aos anseios dos políticos locais, que, a qualquer preço, evitavam assustar a população. Por sinal: o tom geral dos pronunciamentos dos médicos e das autoridades amazonenses era um só: procurar pôr panos quentes e discordar do que diziam ser um "exagero" da imprensa estrangeira. Em meados de setembro, porém, as notícias chegavam de várias partes do Brasil, e a cobertura jornalística foi obrigada a se alterar e anunciar o "terrível mal", que vinha agora das cidades portuárias, como Salvador, Rio de Janeiro, Recife e Belém, onde aportavam navios procedentes do continente europeu e africano.

No dia 9 de outubro, o jornal *Imparcial* informava que no estado do Pará já havia mais de 3 mil infectados, e comentava, com preocupação, a chegada prevista do vapor *Ceará*, que antes aportara em Belém e trazia gêneros alimentícios e muitas pessoas contaminadas. Ainda assim, as autoridades públicas acharam por bem não se posicionarem frontalmente contra o desembarque, temendo que a recusa desse provas de que Manaus não contava com as condições sanitárias necessárias para controlar a contaminação. A medida era estranha, mas deixava clara a postura titubeante das autoridades. No mesmo mês, chegariam os vapores *Bahia* e *São Salvador*; com destino ao Acre, e com mais uma leva de infectados.

Para oferecer a seu público informações especializadas sobre a epidemia, o *Imparcial* de 22 de outubro entrevistou os médicos Jorge de Morais e Adriano Jorge. O primeiro disse "que se tratava de uma gripe comum, não havendo motivos para grandes sustos"; o segundo, além de concordar com o colega, teceu elogios às condições sanitárias da cidade. Valente, disse mais: que, se a "tal gripe" viesse, o estado estaria preparado para recebê-la. Mas o perigo era iminente; os jornais de oposição passaram a fazer campanhas contra o mau estado em que Manaus se encontrava, trazendo reclamações diárias sobre os esgotos, as péssimas condições da água e a falta de medidas profiláticas contra o terrível "morbos". Já o superintendente municipal, Aires de Almeida, procurou desdenhar da gripe; afirmou que era muito difícil fazer a vigilância contra um inimigo invisível.

Mesmo assim, e sem fazer alarde, começou-se a realizar reuniões visando articular os médicos locais com as equipes do serviço sanitário. A primeira delas aconteceu no dia 22 de outubro, e nela a classe médica do Amazonas, juntamente com o presidente Pedro de Alcântara Bacelar, debateu formas de tratar a gripe espanhola e de obstar sua propagação pelo estado. Na ocasião, foi solicitado a Bacelar que pedisse autorização ao governo federal para expurgar o porto de Manaus das embarcações vindas de Belém.

Mas essa orientação gerou incidentes no comércio e para a população local. Os comerciantes reclamavam que, dessa maneira, os barcos não viriam mais para Manaus e, quando viessem, trariam apenas produtos que abarrotavam a praça de Belém e já com preços exorbitantes. Dizia-se também que a ausência diária de tais embarcações forçava a população a aceitar os preços exorbitantes dos produtos. O descontentamento, que surgia por todo canto, ocasionou manifestações dos dois lados, no porto: havia aqueles que pediam que os barcos procedentes do Pará não atracassem na cidade, e outros que defendiam sua entrada.

A data oficial da chegada da espanhola a Manaus, segundo o pronunciamento do presidente Pedro de Alcântara Bacelar, é 24 de outubro de 1918, através do vapor *Valparaizo*, que atracou com dezessete enfermos no porto do Igarapé do Educandos. No entanto, o jornal *A Capital* logo desmentiu as autoridades, dizendo que no dia 22 de outubro a cidade já registrava vários casos de gripe, que o vapor *Valparaizo* trazia passageiros com uma versão muito letal da espanhola — a segunda onda, a mais perigosa —, e que um deles já havia morrido no porto de Parintins e dois se achavam em estado grave. Conforme o *Imparcial*, o mesmo vapor não teria sofrido expurgo, ficando a tripulação de primeira classe no porto do centro, e a de terceira classe no porto do Educandos; não fora tomada nenhuma providência para impedir o desembarque dos viajantes e da tripulação.

O Conselho Sanitário de Manaus se reuniu, então, em 29 de outubro, para avaliar as medidas que seriam tomadas pelo governo, após a chegada do que chamaram de "a verdadeira influenza". Entre as determinações, estavam: o cancelamento da comemoração do Dia dos Mortos, e a suspensão de jogos desportivos e de visitas aos hospitais. Foi nomeada, também, uma comissão que dialogaria com as autoridades eclesiásticas para tratar da cessação das festas religiosas no período da epidemia. Já os médicos Galdino Ramos, Franco de Sá, Madureira de Pinho e Miranda Leão, integrantes de uma comissão nomeada pelo presidente do estado, adotaram os seguintes procedimentos: limite do acesso a reuniões; volta da quarentena; isolamento de doentes; desinfecção de roupas; irrigação de ruas; distribuição de guias de profilaxia individual; desinfecção de correspondências; e suspensão de todos os exercícios que produzissem estafa ou facilitassem os resfriamentos.

A despeito de essas ideias de cerceamento e controle da mobilidade humana serem aprovadas, de uma maneira geral, internacionalmente, em Manaus logo viraram motivo de piada, sendo, ademais, qualificadas de "estapafúrdias". O jornal *O Minimo*, órgão humorístico, publicou nota satirizando as medidas contra a influenza: "é proibido toda e qualquer reunião de mais de uma pessoa". Apesar do humor, ao desembarcar na região a espanhola encontrou uma cidade muito vulnerável: havia uma clara crise financeira nos cofres do estado, o sistema de saúde era deficitário e a pobreza reinava por todos os lados. E, se a capital do Amazonas estava à beira de um colapso, já a sua população pobre continuava jogada à própria sorte. Além da pobreza e da fome, predominavam as doenças, sobretudo nos bairros mais desassistidos e tomados por habitações insalubres.

O elegante edifício do Hospital da Sociedade Beneficente Portuguesa em Manaus, 1915.

O nível de negação da realidade era, entretanto, elevado; embora informada da evidência da chegada de navios com tripulação contaminada, a classe médica de Manaus continuava garantindo em entrevistas que aquela gripe não era a mesma que estava devastando a Europa. Mas por fim os fatos falaram mais alto; nos primeiros dias de novembro, o número de vítimas aumentou assustadoramente na cidade. A Santa Casa de Misericórdia, o maior hospital de Manaus, a partir do dia 2 daquele mês deixou de aceitar "gripados ou qualquer outra doença infectocontagiosa" — já não tinha leitos disponíveis. Ainda assim, nenhuma medida emergencial foi tomada, como, por exemplo, o isolamento em prédios adequados dos doentes contaminados pela influenza. No caso da Santa Casa, a justificativa era que o estabelecimento estava com sua "capacidade excedida, pelo acúmulo de doentes", e que, aliás, sete das irmãs de caridade que ali trabalhavam tinham sido infectadas e que não havia auxílio das autoridades.

Apesar das críticas, o governo do estado insistia em afirmar que a doença não era forte e que só pegavam "a verdadeira influenza" aqueles que mais tomavam sol, pois este modificava as características da gripe comum: ou seja, a população trabalhadora. Se o argumento era falso, a verdade era que, segundo informou o *Imparcial* de 2 de novembro, quem estava morrendo na cidade, naquele início da epidemia, eram justamente "as pessoas sem recursos".

Os casos de gripe aumentavam a cada dia; em 7 de novembro estimava-se que havia mais de mil infectados em Manaus. Mas, por mais incrível que pareça, tratar da espanhola nos jornais da situação não parecia ser conveniente — as matérias sobre a epidemia milagrosamente desapareciam da primeira página e passavam para a segunda. Estávamos nas vésperas da eleição para a Assembleia Legislativa do Estado e ninguém queria abordar tema "antipático". Primeiro porque nenhum plano de enfrentamento fora apresentado; e ninguém queria ser cobrado por isso. Segundo porque medidas de prevenção são sempre impopulares e atraem a pressão de comerciantes e empresários. Terceiro porque, ao não tratar do assunto, passava-se para a população a impressão de que tudo estava sob controle.

Mas "controle" não era a palavra certa para o momento. A espanhola, quando mencionada, acabava virando instrumento para as brigas entre os grupos políticos. As matérias também eram unânimes em afirmar o declínio da moléstia — até porque a maioria dos médicos envolvidos no tratamento da epidemia concorria a uma vaga na Assembleia, na oposição ou na situação. E mais: em Manaus, os médicos-políticos eram figuras conhecidas. Nomes como Alfredo da Mata, Miranda Leão, Jorge de Morais e Adriano Jorge estavam envolvidos tanto nos projetos urbanísticos como naqueles na área de saúde. Vários deles, ainda, participavam diariamente na imprensa.

E assim, enquanto o presidente do estado se gabava dizendo que todas as medidas contra a gripe espanhola haviam sido tomadas, tanto em nível preventivo como no decorrer da epidemia, com a suspensão de diversas atividades, já a intendência de Manaus dava sinais de estar totalmente despreparada para a peste. Os hospitais de isolamento, os postos de assistência e de socorro, não estavam equipados para atender aos que chegavam em barcos infectados e nem sequer aos cidadãos acometidos pela doença.

Quando afinal a administração pública resolveu encerrar as atividades comerciais e instalar postos de saúde, a cidade já estava tomada pelo caos, e a falta de medidas governamentais foi logo sentida. Imediatamente após as eleições de 15 de novembro, todas as tentativas de esconder a epidemia deixaram de dar resultado.

Além do mais, o cenário político era instável, com a cidade de Manaus muito dividida, desde as eleições de 1909, entre o grupo oligárquico da família Nery e o do então presidente do estado, Antônio Clemente Ribeiro Bittencourt. Intrigas, ações violentas, fraudes eleitorais e abuso da máquina estatal eram comuns na região. Tal conjuntura levou também a confrontos armados, entre eles o bombardeio de Manaus, em 1910, quando a oligarquia liderada por Silvério Nery e auxiliada pelas forças de terra e mar abriu fogo contra a capital do Amazonas para depor Antônio Bittencourt. O episódio surtiu, todavia, um resultado às avessas, contribuindo para fortalecer ainda mais a facção da oligarquia que se pretendia enfraquecer. Após o bombardeio, assumiu o cargo o vice Sá Peixoto, e a cidade permaneceu em estado de sítio. Antônio Bittencourt retornou ao posto no dia 31 de outubro de 1910, via habeas corpus, sendo novamente deposto pelas forças policiais no final de seu mandato. E a situação não se alterou muito: conflitos armados entre políticos estouraram, em 1918, em todo o estado.

Eleito em julho de 1916 e empossado em janeiro de 1917, Pedro de Alcântara Bacelar tomou posse com apoio de Silvério Nery e das forças federais de Venceslau Brás. O novo presidente do estado formara-se em medicina na Bahia e mudara-se para Humaitá, no interior do Amazonas, em 1905, onde atuou como médico e foi o superintendente da cidade. Segundo o jornal *A Lanceta*, tratava-se de um "homem que conduzia a população de Humaitá com arma em punho" e assim sufocava qualquer manifestação da oposição. Em períodos tensos como aqueles era comum os órgãos de imprensa se digladiarem — os jornais da situação tentando apresentar um quadro estável e os de oposição procurando desestabilizar o poder vigente. É esse comportamento que explica por que, quando a gripe espanhola bateu nas portas de Manaus, reinou um grande silêncio por parte dos jornais oficiais, diferentemente dos demais órgãos, que aproveitaram o momento para divulgar a deficiência do estado sanitário, a pobreza e a contaminação da população.

E com a chegada de novas embarcações, trazendo mais infectados, que eram logo liberados e podiam circular livremente pela cidade, os conflitos recrudesceram. Para além das acusações sobre a falta de medidas em relação aos infectados, o *Imparcial* continuava denunciando o péssimo estado sanitário de Manaus, o serviço ineficiente de limpeza urbana, acompanhado de um mau cheiro que impregnava as pessoas, principalmente nas ruas do centro e nas praças da capital.

Definitivamente a gripe se transformara num instrumento para mediar e fazer explodir conflitos políticos. Nesse sentido, acabou sendo uma forte aliada para a oposição, que passou a pedir intervenção federal. Não era a primeira vez que uma epidemia acabava sendo utilizada pela imprensa antigovernista para conseguir intervenção federal, buscando desestabilizar o poder local. A sensação de que havia uma lacuna no poder foi sentida não só pela oposição ao governo, mas também pela população. A cidade já tinha sofrido esse tipo de intervenção, em 1913, no governo de Jônatas Pedrosa, por causa da saúde pública. Na ocasião, o estado tivera que aceitar o "apoio" do governo federal, através de uma comissão de profilaxia contra a febre amarela. Chefiavam tal comissão o ministro do Interior, Rivadávia Correia, e Carlos Seidl.

A imponência das novas construções aparece contrastada às carroças de tração animal. A elegância do dono do estabelecimento também se destaca quando comparada com os trajes dos transeuntes. Armazéns Machado, Manaus, 1918.

Somente no dia 14 de novembro morreram, segundo dados oficiais, 33 pessoas. Mesmo assim, havia muita fraude e subnotificação, e a trégua política foi breve. Nessa véspera de eleição, o *Imparcial* fez duras críticas, expondo a situação de cadáveres insepultos no cemitério São João. Uma greve de coveiros de uma empresa contratada pela superintendência de Manaus durante o mandato de Aires de Almeida causou enorme transtorno. Os grevistas reclamavam do excesso de trabalho e queixavam-se do contágio: antes da gripe, o registro no cemitério era de no máximo cinco corpos por dia, e em dias anormais, na época de epidemias de febre amarela e malária, dez corpos. Contudo, com a epidemia de espanhola os coveiros passaram a enterrar uma média de quarenta corpos por dia. Como resultado, muitos cadáveres ficavam insepultos, e se convocavam praças policiais para cavar valas, e presos para enterrá-los.

Cadaveres abandonados

A miseria pelo bairro do Bilhares

Alguns moradores do bairro dos Bilhares contando a miseria que reina por ali a par da "influenza" que vae infelicitando todos os habitantes daquelle local, relatam que já começaram os casos de desespero. Os indigentes que são acossados pela epidemia inclemente não têm a quem recorrer: morrem a mingua. Hoje, debaixo de u'a mangueira, appareceram mais dois cadaveres que foram depositados, naturalmente á noite, atirados assim á vista dos passantes, certamente por parentes que nenhum meio possuem de transportal-os para os cemiterios. Ninguem poderá dizer de quem são os corpos encontrados.

Com os dois de hoje sobe a tres o numero dos depositados aos olhos da caridade alheia, num momento em que a propria morte ha de sorrir de um modo sarcastico para os que podem, e abandonam os mais fracos.

Com a Superintendencia

Cadaveres que permanecem insepultos

Diversas pessoas que merecem fé, informaram-nos de que no cemiterio de S. João, na tarde de hontem, viam-se muitos cadaveres de indigentes, mortos durante a noite do dia passado, já em adiantada decomposição, e que não tinham recebido ainda, por um descaso, que se não justifica, a ultima uncção de seus semelhantes, que é o dever humanitario e christão de enterrarem os restos mortaes dos qeu morrem acossados pela miseria e pela peste.

O nosso informante disse-nos ainda que os coveiros fizeram greve, em virtude de não serem pagos, e de serem poucos para o trabalho que é muito.

Julgamos que esse facto não é do conhecimento do dr. chefe da Communa, para cujos sentimentos humanitarios appellamos.

O jornal Imparcial, *em 14 de novembro de 1918, denunciava o estado sanitário calamitoso da cidade e a falta de incentivos do governo.*

Foi só depois das eleições que se concluiu pela necessidade de adotar medidas para, de fato, evitar a proliferação da doença. Frente ao aumento de casos e das críticas acaloradas ao governo estadual, formou-se, no dia 17 de novembro, um Comitê de Salvação Pública; tudo cercado de imensa propaganda oficial. O Comitê resolveu inaugurar postos de assistência, distribuídos em seis distritos na cidade, onde seriam doados medicamentos, alimentos e, para quem havia contraído a espanhola e não tivesse onde dormir, seriam indicados lugares de repouso devidamente higienizados. O governo estadual criou também hospitais para atender os doentes que chegavam à cidade por via fluvial, tendo sido instalados hospitais flutuantes. Eram soluções provisórias e começaram a funcionar apenas em meados de novembro.

Médicos empreenderam, finalmente, uma série de campanhas públicas recomendando medidas profiláticas e de higiene de praxe. E, com o alastramento da epidemia pelos vários bairros de Manaus e a falta de médicos para atender os infectados, a primeira atitude da Saúde Pública foi a distribuição de panfletos educativos e informativos nos jornais, com ordens expressas para toda a população: nariz e boca deveriam ser higienizados, já que o micróbio da gripe entrava pelas vias aéreas; indicavam-se mentol e água oxigenada para desinfetar essas vias. Beijos, abraços e apertos de mão deviam ser evitados, bem como beber água fora de casa, a não ser em copo próprio. Por fim, era necessário abrir mão de reuniões, abstendo-se também de ir a teatros, cinemas e botequins.

O diretor do Serviço Sanitário, dr. Miranda Leão, fez publicar receitas simples para tratamento da gripe espanhola; recomendava o uso do calomelano — um cloreto ou protocloreto de mercúrio que se apresenta sob a forma de pó branco e insípido, utilizado em crianças como purgante, desinfetante intestinal e vermicida. Já se usava o produto no combate à sífilis e outras doenças venéreas, sob a forma de pó, pomada ou óleo. Dizia-se que o calomelano era "abortivo da influenza" e que, se aplicado a tempo, evitava a febre. Para quem estava convalescendo da gripe, o dr. Miranda Leão indicava outros medicamentos e repouso de oito dias. Também se alertava para o risco de recaídas; pedia-se atenção aos sintomas: "língua suja, corpo dolorido". Nesses casos, o médico aconselhava os doentes a se alimentarem de caldo de frango ou de carne, caldo de cereais e de legumes, mingau, café, leite, chá-mate, pão torrado, bolacha de água e sal. Era necessário fiscalizar o funcionamento do intestino; em caso de prisão de ventre, recomendava o uso regular de lavagens intestinais com água fervida. Também circularam muitos anúncios de práticas curativas. O Serviço Sanitário da cidade encarregou o dr. Basílio Seixas de indicar a melhor forma científica de combate à moléstia. Para o médico, o principal tratamento consistia, num primeiro momento, em ministrar uma dose de laxativo, a fim de desinfetar o aparelho gastrintestinal, seguida de estimulantes "diaforéticos" (acetato de amoníaco), de um analgésico associado a um tônico que se chamava febrífugo, e de uma mistura de aspirina, quinino e guaraná.

Mas eram poucos os que podiam gastar tanto com as práticas recomendadas, e por isso as pessoas acabavam fazendo um uso muito próprio das receitas. Ademais, passaram a adotar curas alternativas. As indicações de remédios surtiram também o efeito oposto, ocasionando uma procura demasiado grande por determinadas drogas e levando-as a simplesmente sumir das prateleiras. Como medida paliativa, após o fim do estoque de medicamentos na capital, o presidente do estado, Alcântara Bacelar, e o diretor do Serviço Sanitário, Miranda Leão, começaram a sugerir formas alternativas de tratamento, como chás e infusões. Prescreveu-se então um chá chamado de "grog", criado no século XVIII pela Marinha inglesa: uma mistura de bebida alcoólica (originalmente o rum), açúcar e limão, acrescentando-se, na versão amazônica, outras ervas para dar força, aumentar a quantidade de urina e diminuir a tosse.

Por sinal, para cada sintoma receitava-se uma erva diferente, além de práticas como o famoso escalda-pés. Segundo a Comissão, a febre alta da influenza cedia

> com a administração de um grog feito com uma xícara de água quente açucarada, o sumo de quatro limões e quatro colherinhas de qualquer bebida alcoólica. [...] Se apesar disso não houver melhoras é porque há sérias complicações para os pulmões, as meninges e etc., neste caso o escalda-pés pode prestar serviços. Para sustentar as forças dos doentes, recorro ao chá de canela, casca-preciosa e principalmente às folhas de puxio ou de cravo-da-índia. Para provocar o aumento da urina (diurese) façam chá da folha de embaúba, das

> folhas de rinchão, do cipó-tuíra, etc. Nos sítios do interior existe abundantemente o pinhão-de-purga, ou purgueira. Cada fruto contém três sementes ou pevides e dentro uma amêndoa branca, oleosa, adocicada e um tanto ocre. É nesta semente que reside a substância purgativa, e é suficiente pisar a metade de uma para se obter o efeito desejado [...] Para as náuseas e mesmo para os vômitos uma colher de água quente pura tem produzido bom resultado. Para a tosse o cozimento das folhas do malvaísco (malva-branca) e da casca do paricá ou angico e as do jutaizeiro.

Infusão de folhas ou das "cascas da quinaquina" levava diversas medicinas a se encontrarem.

Num contexto de tanta incerteza, ganhou força a homeopatia. Nos jornais amazônicos não faltavam anúncios de remédios homeopáticos contra a gripe. Um dos preceitos básicos para prevenção consistia em "cânfora, para os que tinham necessidade de andar fora de casa e Arsenicum", para aqueles que podiam ficar em casa. O medicamento mais utilizado foi o gelsêmio. Nos casos mais graves, eram indicados arsênico, beladona e briônia, todos juntos. Ficaram igualmente famosas as receitas caseiras advindas da medicina popular. Elas sugeriam, essencialmente, as mesmas fórmulas, modificando-se apenas a dosagem de açúcar, ou a infinidade de plantas e ervas com que se podia fazer chá. Os mais recomendados eram os chás de sabugueiro, canela, olho da goiabeira, capim-limão ou capim-santo, carmelitana, malvaísco, embaúba, cipó-tuíra e eucalipto. A receita que mais fazia sucesso: tomar de duas em duas horas um chá de cabeça de alho com a metade de um limão espremido. Segundo as propagandas, bastavam duas xícaras para controlar a febre. Também se informava que banhos demorados faziam mal, sendo aconselhados somente aqueles rápidos e com folhas de cipó-alho.

Outra receita popular, muito difundida, foi criada por um médico que atuava no bairro do Tarumã e repassada para os jornais pelo Serviço Sanitário. O método de cura consistia num purgante de resina de jalapa, gargarejo com chá de olho da goiabeira e suco de limão. Os rapés entraram na lista de indicações advindas dos saberes indígenas. Sem esquecer do sucesso que faziam os "feiticeiros", na cidade e nos seus arredores. Entre rezas e chás de plantas que podiam ser colhidas no quintal das casas, o manauense mais desfavorecido sobreviveu ou tentou sobreviver à epidemia.

Mas os medicamentos tratavam apenas os sintomas comuns da gripe, como febre e dores no corpo. Em Manaus, não se morria, porém, somente da doença e das receitas enganosas; morria-se de fome, da escassez de alimentos e do aumento de seus preços. Obter alimentos de primeira necessidade virou um problema para aqueles que estavam contaminados ou em convalescença. Como boa parte do comércio estava fechada, faltavam alimentos; e faltavam também recursos financeiros para comprá-los. No final da epidemia, o leite chegou a custar quase 3 mil-réis, o triplo do valor praticado, por exemplo, na cidade de São Paulo, no mesmo período. A carne era a fonte de proteína mais consumida, pois quem estivesse gripado fora proibido de comer peixe. Os médicos argumentavam que a conservação do pescado se dava de forma muito precária (na base do gelo e sal), provocando apodrecimento rápido. Peixes deveriam ser substituídos, então, por café, açúcar, leite, limão, mingau de farinha e derivados, folha de canela em chás e caldos e, sobretudo, por carne. Entretanto, até por uma questão de orçamento, o peixe continuou sendo a fonte de proteína animal mais consumida pela população carente.

Denúncias de produtos adulterados passaram a ser corriqueiras durante esse período. Enquanto o *Jornal do Commercio* destacava a venda de leite estragado na cidade, o *Imparcial* sugeria a existência de leite de gado adulterado, pois feito com a mistura de leite de castanha, maisena e água, e vendido na rampa do Mercado Público.

Outro gênero alimentício bastante procurado pelos convalescentes era a farinha de mandioca, que chegou a ser comercializada a um preço mais alto que o do leite. Seu valor tornou-se tão exorbitante que o governo estadual solicitou ao Tesouro Público uma verba extraordinária para comprar toda a farinha existente na praça de Janauacá e trazê-la à capital, onde seria distribuída para ser empregada no preparo de caldos. O caldo da caridade era utilizado pelas indígenas, de uma forma geral, para restabelecer as forças após o parto. Levava-se ao fogo farinha de mandioca, sal, alho, pimenta-do-reino, cebola e água, e deixava-se ali até formar um pirão de consistência fina. Por muito tempo a ingestão desse caldo ficou restrita às mulheres no pós-parto. Contudo, no contexto da epidemia, ele começou a ser consumido também por pessoas gripadas e convalescentes.

Uma infinidade de produtos apareceu no mercado, prometendo combate seguro à doença. Nos jornais, anúncios de artigos variados, que iam de cigarros e roupas a bebidas e desinfetantes, todos inócuos, garantiam prevenção e tratamento da gripe. As propagandas acompanhavam a demanda e usavam o nome "espanhola" para aumentar as vendas de medicamentos que pouco, ou nada, faziam contra a moléstia. Foram os casos do antisséptico Aniodol e do Ferro Bravais. Contando com o mesmo poder apelativo das outras propagandas, medicamentos antes utilizados para outros males, como Biotônico Fontoura, Bromil, Carlol, Emulsão de Scott, pastilhas Valda e Tricalcine, passaram a ser empregados para combater e, principalmente, aliviar os sintomas da gripe. Também aumentaram as propagandas de desinfetantes, e notícias de reclamações sobre desinfetantes falsificados tornaram-se correntes.

O certo é que os anúncios usavam e abusavam da espanhola, estando disponíveis no mercado até mesmo sapatos antigripais! "A sapataria Bota Inglesa, acaba de receber pelo vapor *Olinda* um grande sortimento de calçados impermeáveis para evitar a umidade, causadora da GRIPE. Rua Municipal, 91 — Telefone 363." No bar do XPTO era vendida a bagaceira do cacau, e no do Azevedo, uísque e bagaceira, com a propaganda: "A influenza com seu baque não nos faz perder a estribeira:/ A enfrentamos sem ter medo/ Bebendo do bom conhaque/ Do bom Uísque e bagaceira/ Que só vende o Azevedo". Pastilhas eram anunciadas por aromatizar o hálito e tornar a "boca perfeitamente asséptica, impedindo assim a entrada e proliferação do micróbio da gripe (bac Pfeifer)". Até a cerveja virou bebida de combate à gripe, "mesmo na terrível fase pestilenta". As vacinas antivariólicas foram vendidas como preservativos contra a moléstia: "Finalmente, ofereço à consideração do público brasileiro o meio profilático contra a gripe epidêmica preconizado pelo dr. Goldschmidt, citado pelo professor G. André, da Universidade de Toulouse, meio facílimo e ao alcance de todos". Comentava-se que, mal as farmácias abriam, as pessoas corriam para seus balcões pedindo qualquer remédio, com a esperança de driblar a espanhola a todo custo.

Ao mesmo tempo, o cotidiano da cidade mudava drasticamente; pânico e medo começaram a ditar as novas relações. No início de novembro e com a divulgação de tantos casos confirmados, a tranquilidade de meados de outubro pareceu ruir. O comércio, nos meses de novembro e dezembro, ficou quase "totalmente" paralisado, salvo alguns pontos de venda de gêneros alimentícios básicos. Os jogos desportivos foram suspensos, assim como as aulas. Estabelecimentos tradicionais fecharam suas portas, uma vez que os empregados e os próprios donos estavam doentes. O jornal *Nação Portuguesa* parou de circular em 21 de novembro, só retornando após o dia 10 de dezembro; o restaurante Veneza interrompeu suas atividades, bem como o Café Marques, e a fábrica Mimi, que deixou de produzir pães. A padaria Lusitana, da rua dos Andradas, o botequim Porto Artur, na avenida Epaminondas, e o hotel Ship-Chandler também pararam de funcionar. As repartições públicas municipais, estaduais e federais cerraram as portas em 19 de novembro. Mas, entre tantos transtornos, o que mais conturbou o cotidiano manauense foi o fechamento do Mercado Público Municipal e do Matadouro.

Outro sinal da crise veio com o não pagamento de aluguéis. Os inquilinos pediram ao governo que interviesse junto aos proprietários de casas e comércios, para que a despesa fosse comutada durante o mês de novembro. Após longa negociação, entre inquilinos, senhores e os órgãos competentes, ficou estabelecido o não pagamento dos aluguéis daquele mês.

Médicos da capital pediram à população manauense que comemorasse as festas juninas tradicionais de São João e São Pedro em pleno novembro. Ou seja, as pessoas deveriam manter uma fogueira em frente às suas casas para que o governo lhes fornecesse ramos de alcatrão, medida também adotada em outros estados. Esses seriam queimados e ajudariam na profilaxia das residências.

A vida em Manaus não estava fácil. Além da epidemia, na última semana de novembro uma tempestade desabou, dificultando o acesso das ambulâncias aos bairros mais periféricos, o que acarretou um número maior de mortes. E, como ocorreu em outros locais, não foram poucos os boatos e verdadeiras lendas urbanas que surgiram. Ficou famoso o "causo" de Carriça (Manuel Freixo Carriça), que era dono de uma pequena embarcação e tinha o hábito de, após as refeições, tomar de meio litro a um litro de vinho verde, ou, como ele dizia, de um "verdusco truz" que ajudava em tudo; até na cura da espanhola. Certo domingo, ele bebeu demais e, cambaleando pela cidade, viu o defunto de um gripado. Logo entabulou uma "conversa" com o morto e pegou no sono. No mesmo dia, o caminhão de coleta de cadáveres levou Carriça e seu "colega". Diz a lenda que ele foi enterrado vivo dois dias depois.

Muitos costumes pareciam revirados por conta dos meses da epidemia. A população teve que se habituar a largar na rua os corpos de seus entes queridos, à espera da passagem do caminhão que recolhia os cadáveres. Sem ritual, sem enterro, todos sofreram vendo os corpos dos familiares expostos e em decomposição. Por isso, passaram a embrulhá-los em redes à espera do "caminhão da morte".

Também houve atos de solidariedade naquele contexto. A Sociedade da Federação Espírita, por exemplo, foi uma das associações que prestaram serviços à população carente dos bairros suburbanos, distribuindo diariamente quatrocentos pratos de sopa nos bairros de Bilhares, Educandos e São Raimundo.

Muito se falou sobre a prostituição de luxo existente em Manaus, sobretudo na fase da belle époque, quando vários forasteiros iam até lá por essa razão. A atividade, que já vinha sofrendo reveses desde o início da crise da borracha e durante a Primeira Guerra Mundial, acabou ainda mais prejudicada pelas inúmeras campanhas que pretendiam retirá-las do centro da cidade. Na época também tomou força a noção de que as prostitutas transmitiriam doenças. Chamadas de "rameiras" pelos jornais locais, elas passavam a ser entendidas como sinônimo de "degeneração hereditária", eram associadas à sífilis e outras doenças venéreas, e por isso entravam no foco das medidas higienistas. Tal situação tendeu a piorar quando a espanhola chegou a Manaus. Muitas conheceram a mendicância, uma vez que os fregueses agora tinham medo de visitá-las e contrair a gripe.

Com a falta da clientela, as prostitutas puseram-se a ocupar outras vielas, para assim conquistar novos fregueses. E, com o propósito de impedir esse tipo de circulação, foi baixada uma portaria proibindo que algumas "toleradas" percorressem certas ruas ou ficassem à janela ou à porta de suas casas. Na prática, os poderes competentes, a polícia e até mesmo instituições de caridade não só omitiram socorro às prostitutas, como trataram de torná-las invisíveis durante a gripe. Dizem que, com o fim da epidemia, muitas delas abandonaram a profissão, e outras se mudaram para o lado mais carente e afastado da cidade.

No início de dezembro, dados oficiais afirmavam que 1500 pessoas tinham morrido só no mês de novembro, e que a epidemia não deixara de vez a cidade. Mesmo assim, o governo estadual negou-se a prestar novos auxílios, alegando falta de recursos. Também deixou de financiar o Comitê de Salvação Pública, criado justamente para atender a população carente. O Comitê foi extinto no dia 5 de dezembro, como se doenças acabassem por decreto. Diante da reação generalizada — e uma vez que continuavam a aparecer novos casos de "espanholados" e havia ainda muitos corpos espalhados pelas ruas — a instituição prorrogou seus serviços até o dia 15. Era domingo, e apenas nesse dia foram atendidas 1300 pessoas acometidas pela gripe.

E de repente, em meados de dezembro, em plena vigência da doença, a imprensa oficial começou a publicar diariamente notas sobre o declínio da peste, a despeito de os jornais de oposição prosseguirem com a campanha de denúncia até fins de março de 1919, quando a gripe, de fato, desapareceu da cidade.

Ainda assim, em fins de dezembro, restaurantes, casas comerciais, fábricas e teatros começaram a reabrir suas portas. Mas não foi tarefa fácil fazer a cidade voltar à normalidade. O governo e órgãos de imprensa tiveram que animar a população a deixar seus lares e ganhar o espaço das ruas. Até o Natal virou isca para que se tentasse retornar ao cotidiano de outrora. No dia 25 de dezembro foram realizadas várias programações nos bairros: festas de arraial, músicas e uma série de atividades que visavam ultrapassar o verdadeiro abatimento moral dos manauenses. Pior foi a sorte dos donos de salas de cinema: reabertas só no dia 10 de janeiro de 1919, de início, amargaram um público tímido.

Ao que tudo indicava, a espanhola havia ido embora. Álvaro Maia, um poeta local, publicou no *Imparcial* de 28 de novembro de 1918 um poema intitulado "Dias de peste":

Quem porventura, a enfrenta à alegria não volta
Segue-lhe o passo errante uma fúnebre escolta
De micróbios letais e de invisíveis dardos
A cena inspira à tela uma pintura forte
Vê-se ao fundo, ao luzir de fulvos refletores,
A férrea picareta à mão dos cavadores,
Que abrem valas triunfais nos canteiros da morte…
Vão os defuntos, como os bois para os mercados,
Em tardos caminhões, às dúzias carregados
[…]
Será alma de Chopin compondo outros noturnos?
Não! São os vários sons de soluços e escarros,
O rouquenho ranger dos funerários carros
E as patas dos corcéis batendo o calçamento…

Era chegada a hora, porém, de esquecer as cenas dantescas e apurar os dados sobre as mortes. Numa epidemia esse pode ser considerado um ato de reconhecimento e respeito. Os dados do estatístico Paulo Eleutério, que trabalhava a pedido do governo, foram desacreditados — o comentário geral era que eles se baseavam exclusivamente nos mortos enterrados no cemitério São João, não levando em conta outros cemitérios afastados do centro da cidade, nem os mortos sepultados nos quintais.

A quantificação de mortes por gripe espanhola também foi manipulada — nas estatísticas, incluíram-se doenças como tuberculose pulmonar e infecção intestinal no intuito de demonstrar que a epidemia não fora tão letal. Conforme alega a pesquisadora Rosineide de Melo Gama, outro dado que não fez parte da contagem oficial dos mortos relaciona-se aos enterros ocorridos em cemitérios não registrados. Somaram-se apenas números retirados dos cemitérios oficiais, dos hospitais flutuantes, do hospital público da Santa Casa de Misericórdia e da Sociedade Beneficente Portuguesa. Ficaram de fora aqueles corpos que foram sepultados nas margens dos rios e em valas comuns abertas nos bairros mais carentes de recursos. Há muita oscilação nas estatísticas: alguns pesquisadores mencionam de 6 mil a 8 mil mortos pela gripe, outros calculam 2288 baixas. Esses números só reforçam a tese de que os dados oficiais de Manaus devem estar aquém da real letalidade da espanhola.

De toda maneira, o ano de 1919 nasceu trazendo muitas expectativas em Manaus. A gripe parecia dar seus últimos suspiros na cidade e, com o fim da Primeira Guerra, o Amazonas pensava em se reerguer financeiramente a partir da reestruturação do mercado internacional e um possível aumento na venda da borracha. Já a espanhola, mesmo aparecendo esporadicamente nas matérias jornalísticas, ainda fazia parte da história dos bairros mais distantes e carentes. Os jornais locais pareciam fartos de tratar da espanhola e começavam a pensar na alegria do Carnaval. No entanto, em inícios de fevereiro alguns hospitais flutuantes, como o Santa Bárbara e o Marapatá, apresentaram registros de novas mortes e contaminações. Eram muitos os doentes que entravam na cidade em barcos ou canoas, vindos dos municípios interioranos do Amazonas. Existem informações de que uma nova onda teria chegado em fevereiro de 1919 a Manaus, castigando a população até o mês de março. De uma forma ou de outra, ia ficando claro como a epidemia tinha largado da capital mas continuava a grassar no interior do estado.

Ao que tudo indica, a gripe foi terrível entre vários grupos indígenas, não só aqueles que viviam nos estados do Amazonas e do Pará, mas também outras nações espalhadas pelo Brasil. Todavia, se os registros são escassos quando se referem às mortes de um modo geral, são ainda mais falhos no que diz respeito à população indígena. Segundo alguns documentos, em Goiás a epidemia foi particularmente intensa. O padre José Francisco Wand, em suas crônicas, explica: "na Epidemia da Gripe em 1918 morreram milhares deles; atacados pela febre alta, muitíssimos, em procura de alívio, lançam-se nas águas frias do rio e lá encontram morte instantânea". Dizem que a espanhola poderia ajudar a esclarecer o desaparecimento abrupto de algumas etnias indígenas no início do século XX, como os avá-canoeiro, por exemplo. Em 1919 grupos guarani foram vencidos pela epidemia de gripe espanhola, provocando o quase despovoamento do Posto Indígena Araribá no Mato Grosso do Sul. Há notícias esparsas de que a gripe dizimou parcialmente muitos grupos, como os kaingang no estado do Paraná, os atoraid na fronteira com a Guiana, os seruini e os pojichás no Alto Amazonas, os uru-eu-wau-wau bem ao norte do estado. Sobre esses casos, infelizmente, faltam ainda dados e estudos.

Localidades como Maués, Parintins, Tefé, Coari, Manicoré, Lábrea e Borba, no Amazonas, estavam também sendo muito prejudicadas pelos efeitos da gripe e buscavam na capital um lugar para a cura. Se os dados são poucos para a população da cidade, o que dizer dos vários grupos indígenas e ribeirinhos? E novamente um sentimento de desolação foi tomando conta dos moradores, que temiam ver seu cotidiano outra vez alterado.

Por tudo isso, ninguém apostava muitas fichas no Carnaval manauense de 1919. Entretanto, em março logo tiveram início os arrasta-pés nas casas particulares e nos clubes fechados. Também se iniciaram as festividades oficiais, ou, como eram chamadas, as "gordas do Carnaval". Mas não houve bloco que deixasse de dramatizar a morte. No dia 3, em plena segunda-feira de Carnaval, as notícias locais davam conta da passagem dos carros carnavalescos Pierrots, Papagaios e Nacional; todos encenavam a cidade durante o surto epidêmico. O carro dos Pierrots, organizado pelo popular bar XPTO, representou a gripe espanhola através destes versos cantados: "Todo médico que cura;/ E as moléstias todas vence;/ Aos seus remédios mistura;/ A cerveja Amazonense./ A baratinha Iaiá, a baratinha Ioiô, a baratinha dos contos da minha avó./ XPTO espanca a morte;/ Afugenta ilusões;/ Faz de cada fraco um forte;/ Dos maricas valentões".

Mas o medo da morte cedeu lugar à festa em Manaus, com a "Dona Espanhola, essa megera que apareceu vestida de nu" e "estava acompanhada da Dona Crise, essas mulherzinhas de braços dados, não deixaram o povo se divertir". Irônicas, matérias de jornais chamavam a atenção para o fato de que as duas "megeras" foram presas várias vezes pela polícia, porém fugiam sempre para entrar na avenida e amedrontar os brincantes.

Embora uma parte grande da cidade não tenha podido acompanhar a alegria do Rei Momo, outra foi ao encontro de uma festa inesquecível. Conforme escreveu o *Imparcial*: "Aqueles que tinham forças, não perderam uma só contradança, queriam dançar, dançar, por todo o ano".

10. Quem matou Rodrigues Alves?

A morte é corisco que sempre já veio.
João Guimarães Rosa

"A nação de luto". Foi dessa maneira que a *Gazeta de Noticias* abriu sua edição de 17 de janeiro de 1919. Título grande, fotos pungentes: a multidão que se reuniu para prestar a última homenagem ao estadista cujo corpo partia do Rio de Janeiro para Guaratinguetá, em São Paulo, onde ele nascera. Logo abaixo, em foto um pouco menor, a família de Rodrigues Alves, com o conselheiro sentado no centro como verdadeiro patriarca da terra do café paulista e, ao mesmo tempo, da própria República. A homenagem fazia parte de um esforço deliberado de construção de uma memória voltada para fixar o sentido mais exatamente republicano do cerimonial fúnebre que estava em andamento: transformar um indivíduo em herói nacional, no momento do seu enterro.

"Morto o rei, viva o rei", era essa a frase que completava o rito medieval, ao qual, diante do anúncio da morte de um rei, sempre

GAZETA DE NOTICIAS

A NAÇÃO DE LUTO

A trasladação do corpo do presidente Rodrigues Alves para Guaratinguetá

As homenagens do governo

Os geraes sentimentos de pezar

A apotheose funebre de hontem

A Gazeta de Noticias *de 17 de janeiro de 1919 dedicou sua capa para elevar a morte do "ex-futuro presidente" Rodrigues Alves, que não chegou a tomar posse no dia 15 de novembro de 1918. No alto, o ritual do funeral; abaixo, o conselheiro cercado por sua extensa família. Tudo grandioso: do título às imagens.*

se seguia a sagração de seu sucessor. Sendo assim, um monarca "não morre jamais", pois vive na memória de seu povo e na manutenção de seu lugar simbólico. Não estávamos mais na época do Império, mas a eficácia simbólica do ritual fúnebre permanecia ativa. Os ritos fúnebres numa Monarquia são um instrumento dinástico. Eles pretendem assegurar a continuidade da realeza e, em torno do corpo místico e sagrado do soberano, os jogos simbólicos — políticos, sociais e discursivos — ganham lugar na imaginação dos súditos. A força política do ritual monárquico está sustentada na liturgia da ininterrupção do poder, cujo cerimonial insere o corpo do rei na dimensão de um tempo e de uma história que lhe são anteriores e prosseguirão no futuro — morto, ele é o dínamo que mobiliza as forças sociais de um Reino ou Império.

Já a República, ao contrário, transformou o culto dos mortos célebres em expressão de patriotismo. A liturgia é cívica e sua celebração intenciona despertar no homem comum o sentimento de cidadão, isto é, de que todos pertencem a uma mesma comunidade política. Tal como ocorre no ritual monárquico, também o funeral republicano intenta produzir uma ritualização do tempo. Mas o significado é de certa maneira distinto: o tempo dos homens é momentaneamente abandonado para que a população possa experimentar o tempo eterno da Pátria e da República.

Rodrigues Alves foi o primeiro presidente a ser eleito pela segunda vez na história brasileira. Ocupou o cargo entre 1902 e 1906 e realizou um projeto ambicioso de governo. Em seu mandato ele comandou uma revolução urbanística no Rio de Janeiro com desdobramentos em todo o país, implantou um programa inédito de saúde pública e controle de epidemias na capital da República, e consolidou as fronteiras da nação republicana, por assim dizer, solucionando, através do seu ministro das Relações Exteriores, o barão do Rio Branco, as disputas em torno dos limites territoriais com Bolívia, Argentina, Peru e Equador. O seu governo foi também marcado por um alto custo social e muita turbulência política — a Revolta da Vacina e o levante da Escola Militar da Praia Vermelha, ambos ocorridos em 1904.

Onze anos depois de encerrar seu primeiro mandato, no dia 1º de março de 1918, Rodrigues Alves seria novamente eleito presidente da República. Mas, dessa feita, não conseguiu tomar posse em 15 de novembro, conforme determinava a Constituição de 1891. Estava doente — o vice-presidente, o mineiro Delfim Moreira, assumiu o cargo interinamente. Tampouco chegou a se restabelecer. Rodrigues Alves morreu na madrugada de 16 de janeiro de 1919, confinado em sua casa, no Rio de Janeiro, situada na rua Senador Vergueiro, no bairro do Flamengo. Delfim Moreira seguiu na condição de presidente interino, convocou novas eleições para 13 de abril do mesmo ano e entregou o cargo ao sucessor, Epitácio Pessoa, em 28 de julho; tudo de acordo com o figurino constitucional.

Morria assim, antes da posse, um presidente que saíra de seu primeiro mandato aplaudido pela população. Rodrigues Alves tinha prestígio político, gozava da simpatia popular, e seu funeral foi organizado nos moldes de uma cerimônia cívica. Os ritos fúnebres são parte do esforço de construção de uma cultura política republicana — e foram fartamente mobilizados na República romana, nas repúblicas italianas do Renascimento, na França e nos Estados Unidos, onde se constituíram matrizes da tradição do republicanismo. No Brasil, os funerais cívicos tiveram início na Primeira República e foram utilizados como ferramenta simbólica pela qual o novo regime tentava alcançar a imaginação popular, ao mesmo tempo que criava uma pedagogia voltada para formar o cidadão e expandir sua própria base de legitimidade.

Na morte de Rodrigues Alves não poderia ser diferente, e o jornal *Gazeta de Noticias* cobriu todos os detalhes. Comentou cada minuto do funeral, a grandiosidade da câmara-ardente, as honras militares, as salvas, a homenagem do Itamaraty, os "gerais sentimentos de pesar", a "apoteose fúnebre", os sinos que dobravam e a emoção da população, que acompanhou a tudo, silenciosamente. A cobertura despertou especial interesse, pois, se todos sabiam que Rodrigues Alves estava doente havia pelo menos dois meses, desde 15 de novembro, quando não conseguiu tomar posse no cargo de presidente, pouca gente conhecia seu estado real de saúde. Então, a condição do paciente era grave?, as pessoas se perguntavam, diante do noticiário da morte.

Comemorar o morto é comemorar a República — essa é a base da conversão do ritual fúnebre em liturgia cívica. Um funeral republicano é um ritual de celebração que procura estabelecer o vínculo entre o indivíduo de consideração excepcional e a glorificação da República e da nação. As meticulosas ordenações cerimoniais dos ritos fúnebres ocorridos durante a Primeira República representam um momento deliberado de construção memorialística com duplo objetivo: sagrar o grande homem e vincular sua obra a um valor do mundo público que precisa ser cultivado pela sociedade. O ritual fúnebre de Rui Barbosa, por exemplo, cuidou de vincular o político baiano à Justiça; Pinheiro Machado, à Ordem republicana; Rio Branco, ao Território, finalmente demarcado, da nação brasileira.

Rodrigues Alves estava associado à Conciliação. Essa associação se mostrou útil tanto ao homem público como ao regime republicano — não foi por acaso que ele fez questão de conservar, durante sua vida política, o título de conselheiro. A honraria vinha do Império e significava integrar o Conselho de Estado, órgão consultivo do imperador, responsável por aconselhá-lo em casos estratégicos da administração. Manter o título durante a República, contudo, fez toda a diferença.

Evidentemente, os monarquistas e os adversários enxergavam o que havia de pior na carreira política de Rodrigues Alves: o republicano de última hora, traidor do imperador. Mas foi a República quem o consagrou e, nesse caso, o título de conselheiro que ele ostentava, tinha outro significado. Simbolizava a prudência, a capacidade de pactuar e mediar interesses divergentes, a disposição para negociação diante das disputas políticas entre as oligarquias regionais e as relações federativas. Representava igualmente o esforço necessário e urgente de formar composições hegemônicas voltadas para a estabilização do novo regime. O título de conselheiro também permitia a Rodrigues Alves ser o portador de uma espécie de chamamento político aos republicanos e monarquistas, além de um convite para atuarem em aliança — exprimia o oposto do radicalismo jacobinista que expulsou a família imperial do país.

Os principais órgãos da imprensa cuidaram de destacar o significado do título de conselheiro na biografia do personagem. Na extensa cobertura jornalística que realizou sobre o funeral de Rodrigues Alves, *O Paiz* enalteceu os elementos que acentuavam o sentido de conciliação que se procurava atribuir à sua consagração fúnebre. O jornal sublinhou a "figura eminente do grande cidadão", que ocuparia um "lugar especial, como o vínculo entre duas épocas [o Império e a República], a ponte que ligou o presente ao passado, o elo que manteve contínua a cadeia da evolução constitucional da nação".

Aos 45 minutos do dia 16 de janeiro de 1919 "faleceu o conselheiro Rodrigues Alves, após uma agonia calma de meia hora". A narrativa de *O Paiz* não destoava, em linhas gerais, do tom adotado pela imprensa. Visava elevar a figura do estadista, o qual, com uma morte serena e resignada, abriu espaço no panteão de heróis nacionais. Os jornais trataram de fazer sua parte para celebrar a República através da consagração do grande homem público, garantindo vida eterna ao político redimido em seus erros e engrandecido nos seus feitos. A calma, a altivez, o desapego, virtudes atribuídas ao presidente eleito, destacam-se na cobertura jornalística, de maneira a elevar o indivíduo na hora de seu perecimento. O falecimento em situação pública pretendia conferir uma espécie de eternidade ao presidente eleito, morto com a "exata compreensão de seus deveres". E *O Paiz* concluía, em tom trágico: "Desgraçadamente para o Brasil, uma implacável enfermidade, que já impedira a posse presidencial a 15 de novembro último, e, agora, a morte arrebatara todas as grandes esperanças que rodeavam o novo governo Rodrigues Alves".

Esse rito de glorificação explica, ao menos em parte, o que estava acontecendo em torno da morte de Rodrigues Alves. A Primeira República organizou a cerimônia fúnebre como uma espécie de grande evento-ritual, marcado por um cerimonial rígido, repleto de pompa e simbolismo. O funeral de Floriano Peixoto foi provavelmente o momento exemplar em que a liturgia cívica republicana teve seu início. Conta o historiador Luiz Antonio Simas, em *Floriano Peixoto e o mito de salvador da República brasileira*: "em um caso até hoje único no País, o corpo de Floriano permaneceu exposto em câmara-ardente durante três meses, sendo velado dia e noite por grupos que se revezavam e não deixavam em nenhum momento a capela vazia, até o dia 29 de setembro, um domingo, quando baixou à sepultura".

Nenhum outro funeral da República brasileira recebeu o tratamento cerimonial concedido a Floriano Peixoto. No conjunto, porém, as características rituais se repetiam — como ocorreu nas circunstâncias fúnebres de Afonso Pena, Joaquim Nabuco, Rui Barbosa, o barão do Rio Branco ou Pinheiro Machado. A liturgia dessas solenidades buscava elaborar uma pedagogia cívica para a sociedade brasileira. Longos cortejos com hierarquia bem estabelecida; ruas repletas de povo; participação de autoridades e pessoas de destaque da capital da República; carro funerário luxuoso, cortejo de automóveis, marcha fúnebre ao som de banda militar; tiros de canhão nos navios e nas fortalezas militares; nas calçadas, postes cobertos com crepe preto.

O ritual republicano também se diferenciava dos ritos fúnebres monárquicos ao sagrar seus homens notáveis pelos méritos, e não pelo nascimento. A República distinguia o feito de um cidadão, e esse reconhecimento permitia aproximar o herói republicano da gente comum. No caso de Rodrigues Alves era fácil executar a aproximação com o povo. O conselheiro costumava ser visto como um político experiente, austero, mas bonachão; exibia a imagem de um sujeito simpático, bem-humorado, sem afetação alguma. Baixinho, de pince-nez, cavanhaque bem cuidado e roupas fora da moda, ele assumiu a Presidência da República em 1902, usando calças cor de pinhão e chapeuzinho-coco; daí por diante, fez a festa dos caricaturistas da época. Entediado, cochilava nas reuniões técnicas ou durante longos discursos — ganhou o apelido de Soneca.

Mas tinha fama de homem valente. Em 1904, o levante da Escola Militar da Praia Vermelha conduziu os revoltosos até as portas do Palácio do Catete — e a deposição do presidente da República pareceu iminente. Rodrigues Alves, contudo, se recusou a abandonar a sede do governo e se refugiar num dos navios da Marinha, ancorados na baía da Guanabara, como recomendavam com insistência os aliados. Irredutível, ele permaneceu entrincheirado no palácio com um punhado de assessores, enquanto tropas leais ao governo combatiam os rebeldes desde a rua da Passagem, em Botafogo, e os navios de guerra bombardeavam a Escola Militar. Algum tempo depois, explicou as razões de sua decisão aparentemente temerária: "Tive a visão do que ia acontecer, caso me retirasse para bordo. Correria a notícia de que o presidente tinha fugido. A cidade seria talvez dominada pelos revoltosos. E a única solução que se me apresentaria seria a da renúncia vergonhosa".

O cortejo fúnebre de Rodrigues Alves parou o Rio de Janeiro, como se pode notar a partir das fotos e dos relatos de época. Chovia e, em meio às pessoas, sobressaem os guarda-chuvas abertos, que deixavam as ruas ainda mais lotadas, como se não restasse nenhum espaço livre para ser ocupado.

Mas o cortejo é parte dos ritos; o funeral começou na madrugada de 16 de janeiro. O corpo de Rodrigues Alves foi velado em casa. Ainda no quarto de dormir, compareceram o vice-presidente, Delfim Moreira, e todo o ministério para se despedir do líder. A câmara-ardente estava armada no salão: o catafalco posicionado no centro, encimado por uma imensa cruz de prata e cercado por dezoito tocheiros enormes. Ao fundo, a parede coberta por uma cortina de veludo negro com as iniciais R. A. em ouro. Uma luz sem brilho completava a cena: todos os lustres estavam embrulhados em crepe negro. Muita gente se acotovelou pelos jardins e na rua, à espera do momento de entrar e permanecer por alguns instantes na câmara-ardente — uma multidão desfilou na frente do caixão. O cortejo em direção à Estação Central do Brasil só teve início após a missa e a encomendação solene do corpo. Com as ruas repletas de populares, o trajeto consumiu mais de duas horas; o carro fúnebre avançava lentamente, escoltado por lanceiros a cavalo, trajados de gala, e seguido pelos automóveis e carruagens.

Funeral do presidente Rodrigues Alves em registro fotográfico da revista Fon-Fon, *25 de janeiro de 1919. A pompa do ritual eternizava o homenageado.*

O trem parou em todas as estações — do subúrbio do Rio até Guaratinguetá, terra natal de Rodrigues Alves e onde ele começou sua vida pública. Ali, o comércio e as escolas fecharam, e as janelas das casas estavam cerradas. Se as manifestações de pesar tomaram conta do país, Guaratinguetá não podia falhar. A cidade se preparou para bem receber o filho celebrado e cumpriu todos os detalhes do ritual da morte. As exéquias se iniciaram na estação de trem, em cuja plataforma, enfeitada por grinaldas, estacionaria o comboio trazendo os filhos e o vagão funerário. De lá, o cortejo rumou até a igreja matriz, onde, setenta anos antes, Rodrigues Alves fora batizado e onde seria celebrada a missa de réquiem. O enterro confirmou o grande ritual-evento, prestigiado pelas autoridades, familiares e uma multidão de conterrâneos, que lotavam as ruas da pequena cidade. Dizia-se que, naquele momento, não havia ninguém em casa; todos correram para a calçada na hora em que se realizavam as derradeiras homenagens ao conselheiro. Só então, na manhã seguinte, o corpo deixou a igreja matriz e ocorreu o sepultamento — dois dias depois da morte.

Resta, porém, o grande mistério que envolve essa história: qual a causa da morte de Rodrigues Alves? A imprensa, em geral, deixou meio de lado a divulgação da informação sobre a doença que provocou o óbito. Com algumas exceções. O jornal *O Combate*, por exemplo, trouxe, na primeira página, o registro da enfermidade tal como consta no atestado de óbito; *O Paiz* deslocou a informação para uma página interna, mas repetiu o documento mortuário. Porém o que mais impressiona é como, mesmo assim, e desde então, a causa da morte do presidente eleito para assumir o governo em novembro de 1918 aparece constantemente referida, até hoje — em reportagens jornalísticas e nos livros de história —, como sendo a gripe espanhola. Não é o que se lê no atestado de óbito. Rodrigues Alves foi assistido por três médicos: Miguel Couto, Matias Valadão e Raul Leitão da Cunha. O documento está assinado por um deles,

Raul Leitão da Cunha, especialista em histologia e anatomia patológica, além de professor da Faculdade de Medicina do Rio de Janeiro. E registra como a causa básica — aquela que conduziu diretamente à morte — uma doença sem relação com a espanhola ou suas complicações: "assistolia aguda no curso de anemia perniciosa". Vale dizer: parada cardíaca causada por uma anemia perniciosa.

Assistolia, ou ausência de sístoles, segundo os médicos, significa a cessação de batimentos do coração. É capaz de provocar uma parada cardíaca e pode acontecer a qualquer pessoa no momento da morte. A assistolia de Rodrigues Alves não foi diferente. Diferentes são as causas de assistolia. A anemia perniciosa que acometeu o presidente eleito pode levar à assistolia, quando muito grave, assim como o infarto, a desidratação, as neoplasias e a covid-19, entre tantas outras. Anemia, de maneira geral, é uma condição clínica em que os níveis de glóbulos vermelhos do sangue ficam abaixo

Dr. Altino Arantes, presidente de São Paulo, em companhia do vigário da matriz, dos secretários de Estado, do senador Lauro Müller e de representantes locais, aguardando a chegada do féretro do estadista a Guaratinguetá. O Malho, *25 de janeiro de 1919.*

O fallecimento

A's 24 horas e 45 minutos falleceu o conselheiro Rodrigues Alves, após uma agonia calma de meia hora. S. Ex. expirou cercado de todos os membros de sua familia, achando-se tambem presentes, além dos seus medicos assistentes, o Dr. Eloy Chaves, o coronel Lejeune, o Dr. Sylvio Rangel de Castro, official de gabinete da presidencia da Republica; Dr. Cesario Pereira e Carlos Olyntho Braga, genros; capitão Pedro Cavalcanti, ajudante de ordens, e Dr. Oscar Silva Araujo.

O Dr. Sylvio Rangel communicou a infausta noticia pelo telephone ao Dr. Delfim Moreira.

— A *causa-mortis* attestada foi — asystolia aguda no curso de anemia perniciosa.

O jornal carioca O Paiz *foi um dos poucos que trouxeram o atestado médico da morte de Rodrigues Alves, logo em 16 de janeiro de 1919.*

do normal. Já a anemia perniciosa é um tipo de anemia que ocorre devido à deficiência de vitamina B12. Ela é provocada pela incapacidade do organismo em absorver a quantidade de vitamina B12 necessária à geração de glóbulos vermelhos. A anemia perniciosa é uma doença de baixa prevalência — com risco de 0,1% na população geral e 1,9% em pessoas com mais de sessenta anos. A progressão é lenta, os sintomas pouco agressivos: fraqueza, dores de cabeça, dor no peito e perda de peso. Portanto, a considerar os médicos que o assistiram e o registro no atestado de óbito, Rodrigues Alves já estava doente havia algum tempo.

A imprensa da época dedicou enorme atenção à gripe espanhola. Mesmo quando reduzidos a edições magras, como aconteceu em São Paulo ou no Rio de Janeiro, onde as redações não foram poupadas pelo ataque do vírus, os jornais continuaram a circular com muita informação diária sobre a doença. Multiplicaram-se as reportagens de primeira página mais ou menos sensacionalistas para enfrentar a concorrência e atrair o interesse do público. Também não faltaram notícias acerca das personalidades vitimadas pela gripe, e os repórteres esquadrinhavam a cidade buscando as falhas, brechas e deslizes no discurso das autoridades sobre a condução das medidas de saúde pública.

Por meio dos jornais é possível acompanhar, dia após dia, o desenvolvimento da epidemia, que matou em massa na capital da República: sua velocidade de expansão desde o centro da cidade até os subúrbios, o número espantoso de mortos e de doentes, o medo que se instalou, e a completa ruptura no cotidiano da cidade. Apesar disso, nenhuma manchete anunciou aos leitores a suposta notícia impactante: Rodrigues Alves, presidente do Brasil, tinha sido vítima da gripe espanhola. No entanto, a versão de que o conselheiro "pegou a espanhola e morreu" começou a pipocar aqui e ali como rumor público — um tipo de informação ainda desconexa sobre uma determinada situação. O rumor adquiriu fôlego suficiente para se transformar em boato, encontrou um caldo de cultivo favorável na sociedade para crescer e se espalhar pelo país, e conquistou tamanha força que se transmitiu no tempo até os dias de hoje.

Difícil saber de quais elementos o boato extrai sua substância, como ele nasce, ganha vida, se amplifica. A doença de Rodrigues Alves tornou-se, de fato, pública em 15 de novembro. Ele estava em Guaratinguetá nessa data e com problemas de saúde. Delfim Moreira assumiu, então, em sessão solene no Senado, como vice-presidente em exercício. Para essa cerimônia, Rodrigues Alves enviou uma carta ao Congresso Nacional:

> Na qualidade de presidente da República eleito para o quatriênio de 1918 a 1922, cumpre-me comunicar a vossas excelências que não poderei, por motivo de força maior, tomar posse daquele cargo e assumir a Presidência da República na data fixada pela Constituição, 15 do corrente. Faço igual comunicação ao dr. Delfim Moreira, vice-presidente eleito, a quem compete, nos termos do § 1º do artigo 41 da Constituição, assumir o exercício da Presidência, enquanto durar meu impedimento.

A essa altura, Rodrigues Alves devia estar bastante doente: a carta, manuscrita, não trazia a caligrafia dele. Delfim Moreira tomou posse e assinou os primeiros decretos nomeando o ministério escolhido pelo presidente eleito. O mundo político se alvoroçou com os rumores, sobretudo em Minas Gerais e São Paulo.

Na semana seguinte à posse de Delfim Moreira, a revista *Careta* semeou algumas pistas para quem quisesse entender melhor a origem e a essência do boato. Em um texto disposto no espaço reservado ao editorial, *Careta* desancou o ambiente de mistério em torno da saúde de Rodrigues Alves. A revista condenava a encenação do poder e as informações desconexas e contraditórias acerca da saúde do conselheiro, com uma abordagem jornalística crítica que vale a pena considerar:

> Discutida em longos artigos da imprensa diária, comentada pela voz humorística das revistas, revolvida secretamente nos conciliábulos da politiquice, examinada com irritação pelos conversadores de rua, a negra dúvida relativa à saúde do sr. Rodrigues Alves aumenta de negror, e a cada dia, fazendo-se mais espessa, mais escurece os ares da pátria.

Careta não matizou sua condenação ao mundo do segredo e do impublicável. Se esse mundo era parte do campo da disputa pelo poder, argumentava o editorial, ele só seria possível, no caso de Rodrigues Alves, se contasse com a colaboração da família: "Os indivíduos que mais deviam prezá-lo, os seus filhos [...] espalham as peremptórias declarações em que se estriba a interesseira política para afirmar a excelência da saúde do presidente enfermo". A revista alertava os leitores de que tinha gente boicotando a verdade para atender ao jogo dos interesses políticos:

> Se, como se afirma, o conselheiro Rodrigues Alves deixou de assumir o poder na data constitucional por ter recaído de gripe, por que motivo, até o dia 12, os seus filhos anunciaram a sua vinda e sempre contestaram que s. ex. estivesse atacado desse mal? A negativa que opuseram a quem afirmou que o senhor Rodrigues Alves estava gripado, autoriza e alimenta a falta de crédito com que se recebem as declarações de que a enfermidade do presidente eleito não é mais do que gripe.

A revista *Careta* ia direto ao ponto: "A impressão de todos os brasileiros é que o venerando paulista [...] está sendo vítima da política de São Paulo, do interesse de amigos, da ambição de filhos impiedosos".

Faltou, de fato, alguém falar a verdade. A ausência de explicações claras embaralhava o ambiente político, estimulava a proliferação de informações desencontradas e impedia a imprensa de obter dados objetivos sobre o real estado de saúde de Rodrigues Alves. Cerca de um mês antes da data da posse, o jornal *A Noite*, do Rio de Janeiro, despachou um repórter a Guaratinguetá para tirar a limpo "os boatos relativos ao seu estado de saúde". O jornalista voltou para casa, no mínimo, assustado: "O estado de saúde do conselheiro Rodrigues Alves não [é], como se diz, desesperador; mas é, todavia, melindroso. [...] Efetivamente, há dez dias, mais ou menos, o conselheiro Rodrigues Alves teve uma crise muito grave, crise que alarmou, e muito, os que o cercam".

Em Guaratinguetá, ninguém era bobo de dizer ao repórter exatamente de que se tratava, mas as informações que ele obteve não combinavam com o quadro de uma doença inócua. Mais grave: a posse estava ameaçada:

> O conselheiro Rodrigues Alves poderá, com algum esforço, assumir a Presidência em novembro, se até lá não lhe sobrevier uma nova crise séria, como a última; mas, infelizmente nenhuma dessas pessoas [que com s. ex. convivem, que conhecem perfeitamente o seu estado de saúde] nutre dúvidas sobre a possibilidade de se agravarem muito os seus padecimentos. [...] A última crise sofrida pelo conselheiro foi muito séria e — esta informação também nos foi dada por pessoa de confiança — não será de estranhar que ela se repita, prendendo-o, como agora, ao leito, vários dias.

O problema, contudo, era mais complicado. O jornalista desconfiou da existência de uma doença que vinha sendo tratada havia algum tempo e estava se agravando. Anotou na reportagem que ela não era nem leve nem recente e que seus sintomas teriam surgido possivelmente em 1913: "As causas do seu abatimento físico são remotas e já determinaram seu afastamento do governo de São Paulo. Por aquela ocasião s. ex. esteve à morte. Conseguiu, depois disso, restabelecer-se, mas não de todo". Os acontecimentos sugerem que o autor da reportagem tinha razão e faro jornalístico. Em 1912, Rodrigues Alves disputou, com sucesso, pela terceira vez, a presidência do estado de São Paulo. Mas esse seu mandato foi marcado por um demorado período de afastamento causado por problemas de saúde. O diagnóstico era "anemia perniciosa" e ele se viu forçado a licenciar-se do cargo em 11 de outubro de 1913 — só iria reassumir o posto em 4 de janeiro de 1915. Ao longo de um ano e quatro meses, São Paulo foi governado interinamente por Carlos Guimarães, o vice-presidente do estado.

O ESTADO DO SR. RODRIGUES ALVES

O que conseguimos saber em Guaratinguetá sobre a saude do presidente eleito

Quando chegámos a Guaratinguetá era madrugada. Chovia. O movimento na estação e na cidade era nenhum. Acerca-se de nós um homem cuja identidade foi facil estabelecer: era um empregado do Hotel Freire.

— Muita gente no hotel? — indagámos.

— Assim, assim...

— O pessoal politico agora não deixa commodos para a gente...

— Não é tanto como o senhor diz.

— Então não tem vindo ahi muita gente do Rio e de S. Paulo?

— Alguns, continuou o homem friamente. Ha dias o Dr. Delfim esteve aqui. Veiu falar ao conselheiro. Tambem esteve aqui o senador Azeredo. De gente importante é só isso.

— E o conselheiro, como vae?

— Agora está melhor. O empregado delle me disse que já está fóra de perigo...

Era uma boa informação. Si o conselheiro Rodrigues Alves "já estava" fóra de perigo era porque tinha estado em perigo, concluiria o mais conhecido dos personagens do Eça. Não era, como se vê, a opinião de um medico abalisado, mas de quem ouve, vê, comprehende e diz sem querer.

Pela manhã continuámos a nossa syndicancia. Como chegámos a uma conclusão, permittam os leitores que occultemos os nomes.

* * *

Pelas informações que colhemos em Guaratinguetá temos sobejas razões para affirmar que o estado de saude do conselheiro Rodrigues Alves não seja, como se diz, desesperador; mas é, todavia, melindroso.

Aliás, isso não é segredo. As causas do seu abatimento physico são remotas e já determinaram o seu afastamento do governo de São Paulo. Por aquella occasião S. Ex. esteve á morte. Conseguiu, depois disso, restabelecer-se, mas não de todo

Daquella época para cá tem vivido num regimen absoluto, sob a vigilancia permanente de suas extremosissimas filhas, que delle não se afastam um instante siquer. S. Ex. estava assim, quando o escolheram mais uma vez para occupar a presidencia da Republica. Eleito, começaram a correr os boatos relativos ao seu estado de saude.

Ha tempos que o conselheiro Rodrigues Alves foi para a casa de seu irmão, em Guaratinguetá, onde se acha.

Ultimamente, os boatos diziam que S. Ex. se encontrava em estado desesperador.

Ha nisso, decerto, algum exagero.

Effectivamente, ha dez dias, mais ou menos, o conselheiro Rodrigues Alves teve uma crise muito grave, crise que alarmou, e muito, os que o cercam. Foi ella de tal caracter que necessitou da presença de um facultativo, que não era do local.

Ainda desta vez, porém, a medicina e o regimen jugularam, pelo menos momentaneamente, o perigo. S. Ex., quando chegamos a Guaratinguetá, era realmente considerado fóra de perigo, tanto que nessa noite o Dr. Rodrigues Alves Filho e outros parentes seus, que ali estavam desde o inicio da crise, desceram, de nocturno, para o Rio.

Lá em Guaratinguetá ficaram suas filhas, que não o abandonam nunca, e seu outro filho, o Dr. Oscar Rodrigues Alves, secretario do governo de S. Paulo.

Isso, entretanto, não quer dizer que S. Ex. esteja completamente bom e muito menos em condições de assumir o poder.

Pelo contrario, os que com S. Ex. convivem, que conhecem perfeitamente o seu estado de saude, acham que o conselheiro Rodrigues Alves poderá, com algum esforço, assumir a presidencia em novembro, si até lá não lhe sobrevier uma nova crise séria, como a ultima; mas, infelizmente, nenhuma dessas pessoas nutre duvidas sobre a possibilidade de se aggravarem muito os seus padecimentos, si, no governo da Republica, não puder o venerando politico obedecer cegamente ao severo regimen que os medicos lhe prescreveram.

A ultima crise soffrida pelo conselheiro foi muito séria e — esta informação tambem nos foi dada por pessoa de confiança—não será de estranhar que ella se repita, prendendo-o, como agora, ao leito, varios dias.

Si não se fizesse um grande segredo em torno do conselheiro Rodrigues Alves, talvez os boatos não tivessem sido tão exagerados; mas até agora seus parentes affirmam que S. Ex. está forte e robusto, quando em Guaratinguetá ninguem ignora o que com elle occorreu ha bem poucos dias.

Como complemento de nossa reportagem e por amor á verdade, devemos accrescentar que, apezar de tudo, o Sr. Rodrigues Alves passa as manhãs cuidando pessoalmente de sua correspondencia, encargo que S. Ex. nunca confiou nem a secretarios, nem a seus proprios filhos: e que está acompanhando com grande cuidado a marcha dos orçamentos no Congresso.

* * *

E, colhidas essas notas, partimos para Santa Rita de Sapucahy, onde se encontra o Sr. Delfim Moreira, vice-presidente eleito.

O jornal A Noite *mandou um repórter até Guaratinguetá para apurar a verdade sobre o estado de saúde de Rodrigues Alves. A matéria saiu em 5 de outubro de 1918.*

Difícil saber como a doença evoluiu desde então; *A Noite* argumentava que Rodrigues Alves não mais conseguiu se recuperar de todo. Pouco se falou do assunto em público, mas seu estado de saúde continuou intrigante. Ele foi eleito senador, em 1916, e assumiu a presidência do Partido Republicano Paulista (PRP), uma das pernas que sustentava o núcleo do poder nacional durante a Primeira República — a outra perna estava no Partido Republicano Mineiro (PRM). O mandato de Venceslau Brás, contudo, iria terminar em 1918 e, em junho de 1917, as oligarquias regionais chegaram a um acordo sobre a sucessão presidencial. A Convenção que indicou o futuro presidente ocorreu no dia 7 de junho às oito horas da noite no edifício do Senado e reuniu membros das duas Casas do Congresso — 192 deputados e 52 senadores — para praticamente ungir Rodrigues Alves. A votação foi unânime.

A partir daí, o mundo do segredo e do impublicável deu o tom das conversas em torno da saúde do conselheiro. Em 3 de novembro de 1917, um dos filhos de Rodrigues Alves, Oscar, um médico, escreveu, em sigilo, ao presidente de São Paulo, Altino Arantes, para explicar que o pai estava mal de saúde e que não deveria ser escolhido candidato à Presidência da República. No dia 29 de novembro de 1917 foi a vez do deputado federal do PRP, Palmeira Ripper, também médico e que já havia atuado como sanitarista na capital paulista, apelar a Altino Arantes alertando sobre o risco de lançar a candidatura de Rodrigues Alves. Se eleito, ele tinha grandes chances de não tomar posse em novembro de 1918, por conta do seu estado de saúde, argumentou, meio bruscamente, no decorrer de uma conversa em circuito fechado, com Arantes, na sede do governo.

Mas, se as condições de saúde eram precárias, qual a razão da escolha rápida e da insistência de São Paulo — e também de Minas — em sustentar, a qualquer custo, a candidatura de Rodrigues Alves? A considerar a pista sugerida por *Careta*, o motivo ganha sentido pela importância dos interesses políticos em disputa, sobretudo numa conjuntura sucessória. Durante a Primeira República, mineiros e paulistas se empenharam para ocupar e manter sob controle a arena do governo federal, vale dizer, a ferramenta de poder decisiva capaz de viabilizar os interesses da agroexportação, em especial da cafeicultura e do comércio do café. A engenharia política, porém, era complexa. Periodicamente, Minas e São Paulo precisavam construir composições com outros estados de base econômica diversa e peso considerável na formação dessas alianças sucessórias — o caso de Rio Grande do Sul, Bahia, Pernambuco e Rio de Janeiro.

A razão da escolha de Rodrigues Alves foi o resultado mais vistoso da estratégia concebida pelos paulistas para vencer o xadrez sucessório. A lógica do arranjo federalista da Primeira República se sustentava numa renegociação que ocorria em intervalos regulares. A cada quatro anos o equilíbrio entre as oligarquias regionais precisava ser recomposto. A formação de uma aliança para a escolha de um novo candidato à Presidência do país tinha início em conversações a portas fechadas que aconteciam entre as principais lideranças estaduais e comportavam todo tipo de maquinação para atrair aliados e eliminar possíveis competidores. Cabiam vetos, aproximações, retaliações, reaproximações. Esse jogo de xadrez periódico, contudo, era o único dispositivo político capaz de garantir o relativo equilíbrio entre as facções oligárquicas durante a Primeira República.

Às vésperas da sucessão de Venceslau Brás, entretanto, o jogo não fechou. Minas até se arvorava em exercer novo mandato; só não dispunha de nomes palatáveis às elites políticas com capacidade de articulação em outros estados — além disso, os mineiros não se arriscariam a perder, mas avisavam aos paulistas que tampouco aceitariam fazer papel coadjuvante na combinação sucessória. São Paulo, por seu lado, desejava retornar à Presidência da República; no entanto, desconfiava de que os mineiros andavam confabulando em sigilo e por conta própria. Já as elites do Rio Grande do Sul e da Bahia cresciam o olho na direção do Palácio do Catete; Pernambuco era contra e trazia consigo os demais estados do Norte.

Foi então que São Paulo dobrou a aposta. Acenou no rumo da conciliação e apresentou o nome de Rodrigues Alves. O conselheiro garantia segurança a um acordo político: era reconhecida sua habilidade para tricotar articulações entre os diversos interesses regionais envolvidos no processo de escolha. Artur Bernardes, na presidência de Minas Gerais, acatou sem obstáculos; e introduziu Delfim Moreira na chapa, na condição de vice-presidente. Rodrigues Alves fez um esforço sistemático de convencimento político e foi preciso na costura da base de sustentação da aliança sucessória: compôs o novo governo prestigiando os estados responsáveis pela escora do equilíbrio federativo, sem abrir mão de opções pessoais mas incluindo nomes indicados por Pernambuco, Maranhão, Rio de Janeiro; além, claro, de Minas e São Paulo. Acenou aos gaúchos e aos baianos, que optaram por ficar de fora do governo, sem se posicionarem como forças contrárias. No fim do jogo, a investidura de Rodrigues Alves estava consolidada.

Porém, entre novembro de 1918 e janeiro de 1919, o rumo da conjuntura política que parecia manter-se em relativo equilíbrio, sofreu alteração. O estado de saúde do conselheiro não apenas se agravou; tornou-se público. Apesar dos desmentidos, das informações oficiais desconexas e incompletas, o país inteiro tomou conhecimento de que um problema de saúde impediu sua posse.

As elites políticas de São Paulo e de Minas estavam enredadas numa situação difícil. A Constituição de 1891 não previa a alternativa de incapacidade para o exercício do governo, nem o impedimento. Rodrigues Alves teria de renunciar. A imprensa da época continuava mantida sem referências, contudo em 24 de novembro o senador paulista Álvaro da Costa Carvalho, casado com uma filha de Rodrigues Alves, Marieta, procurou Altino Arantes, aconselhando que se explicasse ao sogro a conveniência da renúncia. No dia 3 de janeiro, foi a vez de Oscar, já citado, enviar ao presidente de São Paulo a informação sigilosa de que não havia possibilidade de o pai assumir o governo. Arantes comunicou a Artur Bernardes, em Belo Horizonte. Mas ficou por isso mesmo; a iniciativa não se concretizou.

A renúncia foi postergada por força das circunstâncias, sugerem historiadores como Helio Silva ou Joseph Love — paulistas e mineiros precisavam ganhar tempo. É possível. A partir de 5 de janeiro de 1919 a tensão política ficou nítida. Delfim Moreira começou a brigar com os ministros, sobretudo com o escolhido para a pasta da Fazenda, Amaro Cavalcanti; o vice reclamava mais poderes e ameaçava "se retirar para Minas", um eufemismo usado pelos mineiros durante a Primeira República para exprimir a intenção desestabilizadora da parceria com São Paulo. Por outro lado, no Rio de Janeiro falava-se abertamente tanto na morte do conselheiro como na renúncia de Delfim Moreira — e, a essa altura dos acontecimentos, alguém alardear a hipótese da renúncia do vice indicava que tinha gente disposta tanto a fortalecer as dissidências regionais como a isolar politicamente mineiros e paulistas. Pior: diante da anunciada morte de Rodrigues Alves, surgiu a primeira notícia de fissuras entre as elites, com a composição de uma aliança entre Rio Grande do Sul e Bahia e a indicação de Borges de Medeiros e Rui Barbosa para a nova sucessão presidencial.

A conjuntura se agravava e, de fato, seria preciso tempo e muita negociação. Mas cabe questionar. Como reagiriam as oligarquias regionais, em estados com peso considerável na formação das alianças sucessórias, caso concluíssem que São Paulo manipulara as informações sobre a doença de Rodrigues Alves com o objetivo de manter o controle do governo federal para se utilizar dele em seu próprio benefício, ameaçando os interesses federativos em seu conjunto? Uma renúncia expunha de forma crua a realidade de uma enfermidade antiga que vinha sendo administrada em segredo e continuava piorando. Havia um potencial desestabilizador da lógica federativa que dependia da maneira como a causa da morte de Rodrigues Alves ganharia sentido na cena pública — para que fosse possível recompor com sucesso o relativo equilíbrio do jogo das oligarquias. A alternativa da morte ao cabo de uma longa doença — a anemia perniciosa — não garantia segurança ao mundo político e poderia inviabilizar as possibilidades de negociação de paulistas e mineiros em torno de uma nova sucessão. Porém, se o presidente eleito estivesse habilitado para o cargo e fosse vítima de uma fatalidade — a alternativa da gripe espanhola —, havia chance de entendimento. Num ambiente político permeado de desconfianças, é necessária alguma credibilidade. São Paulo e Minas tentariam aplacar as dissidências e até mesmo assegurar hegemonia na composição de nova rede sucessória envolvendo os demais estados da federação.

Não existem dados empíricos, mas *Careta* forneceu informações sobre um episódio que dificilmente se esgota em si mesmo e é esquecido logo depois. Às vésperas da posse, os filhos de Rodrigues Alves justificaram sua ausência por ter recaído de gripe — "a enfermidade do presidente eleito não é mais do que gripe", disseram aos jornais na ocasião. A revista cobrou transparência; a informação era ambígua. Ninguém na família afirmou se o conselheiro contraiu uma gripe banal, uma broncopneumonia ou foi atacado pela espanhola. Todavia, a declaração de que o presidente eleito realmente tinha gripe talvez fosse suficiente nas condições do momento em que ela começou a circular. A informação fazia sentido — era algo crível. É só um palpite, mas convenhamos: a fatalidade da morte provocada pela epidemia contribuía para reduzir o risco que ameaçava as pretensões de paulistas e mineiros na forma como se distribuía o poder em vigor na época.

E invalidava de vez a acusação, feita inclusive então pela revista *Careta*, de que a família de Rodrigues Alves manipulou a doença para atender aos interesses políticos dominantes em São Paulo e Minas. Talvez ajude a compreender, igualmente, e ao menos em parte, o motivo pelo qual o biógrafo de Rodrigues Alves, Afonso Arinos de Melo Franco, reduziu a causa da morte do conselheiro a uma nota seca, de rodapé: "o atestado de óbito foi firmado pelo professor Raul Leitão da Cunha, dando como causa mortis leucemia (assistolia aguda no decurso de anemia perniciosa). Na verdade, a morte proveio da gripe". Arinos era casado com Ana Guilhermina Rodrigues Alves Pereira, e escreveu uma biografia alentada, em dois volumes, sobre o avô de sua esposa. Faltou informar ao leitor as razões de o atestado de óbito de um presidente da República não corresponder à verdade factual.

Um boato é um meio informal de circulação de ideias e comunicação de massa — aliás, um dos mais antigos da história. Brota em situações ambíguas e corre em paralelo ao noticiário e ao discurso oficial: as pessoas se sentem desinformadas, buscam compreender um fato concreto que não parece estar claro, as declarações fornecidas pelas autoridades são desencontradas ou incompletas. Boato é a mídia gerada numa conjuntura de desconfiança em que versões inventadas entram em curso porque o dado real está inacessível ou foi falsificado. Vive do indefinido, cresce no silêncio oficial, se espalha com grande velocidade e necessita de uma sociedade disposta a acreditar nele.

Em janeiro de 1919 a gripe espanhola já tinha ido embora da capital da República, mas continuava devastando o extremo norte, o centro-oeste e algumas regiões no interior do país. Seu impacto estava vívido no cotidiano e nos sentimentos da população. Na imaginação das pessoas a morte causada pela epidemia era uma realidade, e o boato reflete tanto as preocupações como a ansiedade e o medo da sociedade no momento em que circula. Por outro lado, a aleatoriedade da espanhola deixou a população vulnerável. A peste atingia de maneira indiscriminada e os jornais atualizavam diariamente o noticiário sobre as inúmeras personalidades que contraíram o mal — políticos, artistas, milionários, jogadores de futebol, poetas, cantoras famosas. Todos conheciam alguém no bairro, em seu quarteirão ou dentro de casa vítima da epidemia; e cada um tinha sua história pessoal e singular para contar ao outro.

Quando existe uma realidade partilhada com tal intensidade por trás do boato, não é difícil compreender de onde vem sua credibilidade e durabilidade no tempo. Em 30 de outubro de 1918, a cidade de Salvador vivia o período mais espinhoso de disseminação da epidemia. Foi então que o *Jornal de Noticias* publicou os versos de um poeta popular famoso na Bahia, conhecido por Lulu Parola. Dizia o seguinte: "Rodrigues Alves, consta, está doente.../ Mas se a 'influenza' ataca toda a gente,/ Andaria ilegal,/ Se num regime assim, de igual-igual,/ Desse isenção ao novo presidente...".

Os versos do poeta não deixam de sugerir uma ironia da História. Mas pode ser que exista outra. O governante que mais duramente combateu as epidemias no Brasil teria sido abatido por uma delas. Durante seus mandatos no governo de São Paulo e na Presidência da República, Rodrigues Alves batalhou contra febre amarela, varíola e peste bubônica. Em São Paulo, fundou a Faculdade de Medicina e Cirurgia e o Instituto Butantan, o primeiro no país a atuar na pesquisa de soros antiofídicos e na criação de vacinas. Talvez a explicação seja essa. Quando o boato é maior que o fato, engole a História.

Cem anos depois, o escritor e jornalista Ruy Castro e o historiador José Murilo de Carvalho resolveram dar voz ao fato. Ruy Castro havia recém-publicado um livro sobre o Rio de Janeiro nos anos 1920, estava armado com um repertório extraordinário de informações que lhe permitiu reconstituir o cotidiano da cidade entre 1918 e a Revolução de 1930. Apresentou fatos; bastou um deles para contestar a força do boato ainda em curso: "Rodrigues Alves esteve doente por quinze meses [...]. A Espanhola [...] matava em quatro dias". De quebra, Ruy Castro deixou no ar mais uma pista ao leitor: Rodrigues Alves não morreu *de* gripe espanhola, mas *com* a espanhola. Ele mesmo se encarregou de contar essa história: em janeiro de 1919, a epidemia tinha ido embora e o Rio de Janeiro redivivo já refletia a disposição de se atirar freneticamente ao Carnaval. "O Carnaval de 1919 seria o da revanche — a grande desforra contra a peste que quase dizimara a cidade", escreveu em seu livro.

José Murilo de Carvalho, por sua vez, chamou a atenção para o outro lado do problema. A história é a arte de narrar um acontecimento com documentos primários devidamente coligidos e rastreados. E sempre há um referencial concreto e rigoroso para averiguação dos fatos que se relatam: "Não existe nenhum documento de época que diga que Rodrigues Alves morreu de gripe espanhola. Essa versão, portanto, não passa de uma lenda urbana", disparou, em entrevista ao Arquivo S, da Agência Senado, em abril de 2020.

Nas asas da imaginação, o conselheiro nunca esteve tão vivo como quando vestiu seu manto da morte, que o aproximou derradeiramente de seu povo sofrido. Foi dele a última morte, o último suspiro da espanhola, que desapareceu levando (quiçá) o presidente eleito pelos brasileiros. Se não na realidade, ao menos na representação. Ficou esquecido o líder conservador, que durante o Império defendeu a grande propriedade e o trabalho escravo; que era chamado de "mulato" mas foi embranquecido nos desenhos e fotos que traziam seu retrato; que exerceu todo tipo de cargo político numa República oligárquica; que construiu uma dinastia de "alvistas", como ficaram conhecidos os sobrinhos, cunhados, primos e sogro que ocupavam seus cargos de confiança; que no Segundo Reinado fora um ferrenho antiabolicionista e favorável à libertação apenas gradual dos escravos. A morte — e a República — liberou sua biografia.

Brito Broca, cronista e crítico literário, assistiu ao cortejo fúnebre de Rodrigues Alves e o registrou em suas *Memórias*, referindo-se ao acontecimento como um dia que abalou Guaratinguetá:

> Logo depois, aquela manhã úmida e meio chuvosa, em que o sol custou muito a aparecer. Levantei-me às pressas, quando soube que o trem especial, trazendo o corpo do Conselheiro, já estava chegando à estação. Na rua, ia um grande movimento. Do largo da Matriz pude apreciar toda a grandiosidade do espetáculo fúnebre, que não parecia, no entanto, infundir nenhuma tristeza [...] O enterro aproximava-se lentamente da igreja onde devia ser rezada a missa de corpo presente. [...] Quando o povo começou a precipitar-se para dentro da igreja, reconheci o vulto de Lauro Müller, de sobrecasaca e guarda-chuva, ao lado de Rodolfo Miranda, de fraque. [...] Dentro de uns quarenta minutos, o enterro saía em direção ao cemitério [...] Muita gente, porém, querendo tirar melhor partido do espetáculo único na vida da cidade, depois de ver o enterro numa esquina, corria a vê-lo mais adiante. Ficamos longo tempo à espera de que chegasse onde nos encontrávamos, porque a urna, muito pesada e carregada à mão, impunha um ritmo excessivamente vagaroso ao desfile e constantes paradas para o revezamento dos que disputavam a honra de conduzi-la. [...] Foi, em suma, um grande dia em Guaratinguetá. E minha mãe que tinha horror a enterros e ficava profundamente nervosa, quando acontecia vê-los, passara a dizer mais tarde:
>
> — Ah! Enterro bonito como o do Rodrigues Alves, isto sim, não impressiona a gente.

Conclusão

No tempo da espanhola

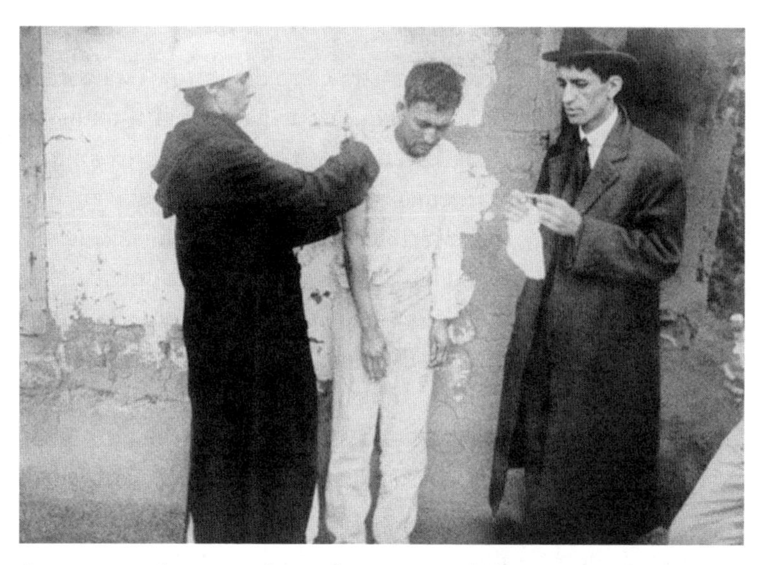

Socorro a um homem enfermo da gripe espanhola no morro da Mangueira. Inscrição no verso da fotografia: "O socorro do Posto da Assistência no morro da Mangueira; o dr. Otávio de Barros e a enfermeira Adozinda Maia acodem a um gripado a morrer". Rio de Janeiro, 1918.

Tudo o que o homem podia ganhar no jogo da peste e da vida era o conhecimento e a memória.
Albert Camus

Não sabemos o nome ou a identidade do rapaz que aparece, constrangido, nessa foto tirada no ano de 1918. Sabemos, porém, que ele morava no morro da Mangueira, era pardo e estava contaminado pela gripe espanhola. Como nos dias de hoje, uma infecção respiratória particularmente severa se abateu sobre nós e escancarou a desigualdade brasileira, atingindo de modo mais duro as regiões e vizinhanças que contavam com menos equipamentos urbanos; em geral os subúrbios e periferias das grandes cidades e localidades carentes.

Na imagem, o paciente mostra claro desgosto e está vexado diante da equipe de sanitaristas que o vacinam e registram o momento da ação. Não existia remédio contra a gripe espanhola, muito menos vacina; os médicos no Rio de Janeiro o estavam inoculando com a vacina antivariólica, mas sem uma ideia concreta sobre sua eficiência. Ou, talvez, tentassem mitigar a gravidade da doença, não sabemos ao certo. Na fotografia, contudo, constam os nomes de todos os profissionais envolvidos; apenas o enfermo não teve sua identidade revelada. Aqui, quiçá, ele é somente um "caso".

De um lado do paciente está a enfermeira Adozinda Maia, cujo casaco escuro esconde a roupa branca, entrevista pelas fendas do manto. Ela usa um chapéu, igualmente branco, com a provável intenção de impedir que seu cabelo contamine a aplicação da vacina. A touca de cabeça era também ícone máximo de distinção e honra das enfermeiras, funcionando ainda como símbolo de sua atuação profissional no local que parece ser provisório — a casa de pau a pique, a parede rebocada parcialmente, as rachaduras da construção — e onde a pobreza dá o tom.

Tudo em Adozinda contrasta fortemente com o lugar. Com sua postura séria e compenetrada, ela parece representar a higiene da ciência sanitária, oposta ao ambiente, em que a terra batida ocupa todos os espaços: do reboco da casa até o revestimento do solo. Do outro lado do paciente vemos o médico Otávio de Barros, vestido de terno e gravata, com sobretudo e chapéu. Ele observa a cena e leva uma máscara nas mãos. Conforme explica a legenda da foto, o rapaz está "gravemente enfermo".

A cena parecia muito natural não fossem alguns detalhes significativos presentes no documento visual. Em primeiro lugar, chama atenção a expressão de sofrimento do doente. Ele veste roupas de algodão muito simples, está descalço e olha para o chão, como se não quisesse fazer parte daquela cena montada. À esquerda, no quadro, vê-se ainda a perna, coberta por uma calça branca, de uma pessoa que segura uma garrafa. Seria uma garrafa de álcool? Ou ela conteria o líquido da vacina? Ou o intruso seria o fotógrafo com seus equipamentos? Não há como saber.

Uma segunda foto, do mesmo lote, traz em destaque a figura do dr. Maurity dos Santos cuidando de um infectado pela espanhola.

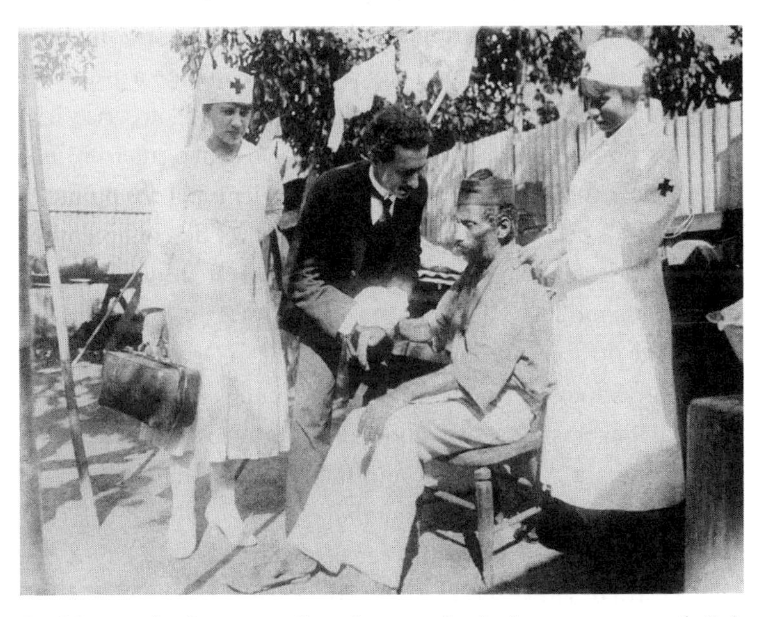

Dr. Maurity dos Santos e enfermeiras atendendo doente no morro do Salgueiro durante o surto de gripe espanhola. Inscrição no verso da fotografia: "O Socorro do Posto de Assistência à Infância no morro do Salgueiro: o dr. Maurity dos Santos e as enfermeiras Joana Silva e Leonor Lemmert cuidando de um afetado em estado gravíssimo". Rio de Janeiro, 1918.

A foto foi tirada em outro morro que circunda a cidade do Rio, o morro do Salgueiro. Ali as enfermeiras Joana Silva e Leonor Lemmert auxiliam o médico, que trata de um paciente. Na época, habitava o local uma comunidade negra muito ativa, cuja sociabilidade se expressava através das casas religiosas, do samba e dos serviços de apoio mútuo. Mas a favela do Salgueiro era igualmente famosa por não contar com a mesma estrutura urbana do "centro da cidade".

Uma das enfermeiras que aparece nessa segunda foto, a que carrega a maleta do médico, olha para a câmera. A outra compõe melhor a cena, pousando suas mãos no ombro do paciente e observando-o com ar caridoso. O doente é negro e também dirige o olhar para o chão. Mas parece mais resignado que o da foto anterior. Ele tem vestes simples, calça um chinelo improvisado e traz um boné de nação na cabeça — o qual indica o pertencimento a grupos de ancestralidade africana. O sol atrapalha um pouco a foto, cria várias sombras, porém ilumina o contato do médico com o enfermo: uma espécie de compressa destaca a atividade higienizada dos profissionais tomados pelas lentes em ação. Mais uma vez desconhecemos o nome do doente; apenas dispomos da informação de que seu "estado é gravíssimo".

Parte do acervo fotográfico da Fundação Oswaldo Cruz, essas e outras fotos de época funcionam como registro da história da medicina brasileira, que atuou fortemente no sentido de debelar a epidemia. Mas elas servem também para dar rosto (pois nome não há) às vítimas da espanhola.

Todo drama coletivo carrega seu lado pessoal e é esse que Pedro Nava descreve, no mesmo ano da gripe:

> Comecei a sentir o troço numa segunda-feira de meados de outubro em que, voltando ao colégio, encontrei apenas onze alunos do nosso terceiro ano de quarenta e seis. Trinta e cinco colegas ti-

> nham caído gripados de sábado para o primeiro dia da semana subsequente. Chegamos ao colégio às nove horas. Ao meio-dia, dos sãos, entrados, já uns dez estavam tiritando na Enfermaria e sendo purgados pelo Cruz [...]. Às duas, [...] entrou o próprio Chefe de Disciplina. Disse umas palavras ao nosso professor que logo declarou sua aula suspensa e que, por ordem do Diretor, devíamos [...] [ir] o mais depressa possível para nossas casas. O Colégio fechava por tempo indeterminado [...]. Voltei rapidamente para Major Ávila, 16. Quando eu saíra de manhã, tinha deixado a casa no seu aspeto habitual. Quando cheguei, tinham caído com febre alta e calafrios [...].

O mistério que envolve o sofrimento e a morte dessas pessoas ainda causa grande preocupação, curiosidade e identificação. Estava-se muito longe da descoberta da cura da epidemia que grassava no Brasil e no mundo, e a insegurança era disfarçada em tais fotos, que colocam em primeiro plano o protagonismo dos médicos e deixam a morte apenas como uma sombra possível.

A incerteza diante da doença representa um tipo de situação que sempre gera comoção e ansiedade, especialmente em sociedades que não costumam lidar bem com a morte e o luto. Sobretudo no contexto do início do século XX, que já levou o nome de "era da ciência", lidava-se muito mais com as possibilidades de alongar a vida do que com a realidade de morrer cedo, e em pleno vigor. A Primeira Guerra Mundial e a pandemia da gripe espanhola abalaram as certezas da época, que apostavam no controle absoluto da humanidade sobre o seu destino.

Quando a morte acontece em momentos de graves crises sociais, como guerras, fome e epidemias, ela se torna ainda mais perturbadora, pois escapa do curso considerado "normal" nas sociedades. Diante da morte coletiva, das perdas que afetam milhares de pessoas e das quebras da rotina, o sentido dos ritos se dissipa, e as reações sociais tomam novo rumo. Visões do apocalipse, a procura do milagre, parecem tomar conta do imaginário social, que oscila então, e com grande rapidez, entre a ciência e a sabedoria popular. Nessas horas, o receio da morte, a perda de referenciais afetivos, levam a muita desagregação social, e não poucas vezes escancaram a falência das instituições, dos recursos e das políticas de saúde.

As epidemias acompanharam a trajetória humana e sempre provocaram reflexão, expressa sob a forma de memórias, crônicas, poemas e romances. Giovanni Boccaccio, no século XIV, registrou em *Decameron* a ação da peste negra na Europa, quando muitas pessoas morreram pelas ruas ou no interior de suas casas, sem auxílio algum:

> levavam os seus vizinhos a não se manifestarem, mais por causa do mau cheiro dos próprios corpos em decomposição, do que por outro motivo [...] Tão grande era o número de mortos que, escasseando os caixões, os cadáveres eram postos em cima de simples tábuas. Não foi um só o caixão a receber dois ou três mortos simultaneamente. Também não sucedeu uma vez apenas que esposa e marido, ou dois e três irmãos, ou pai e filho, foram enterrados no mesmo féretro.

Tão longe e tão perto, a história da peste desorganiza estruturas, desafia concepções arraigadas. Outro observador arguto de uma epidemia foi o escritor Daniel Defoe, que no livro *Um diário do ano da peste* se refere àquela que paralisou Londres em 1665: "o cadáver sempre ficava abandonado até os funcionários serem avisados e virem buscá-lo ou até a noite, quando os carregadores dos carros dos mortos o recolheriam e o levariam embora. Aquelas criaturas sem medo que desempenhavam esta função não deixavam de revistar seus bolsos e algumas vezes retirar suas roupas".

Episódios epidêmicos viraram, muitas vezes, mote de romances, mostrando como, não raro, a realidade é que parece copiar a ficção. O livro *A peste*, de Albert Camus, cuja primeira edição data de 1947, trata da pequena cidade litorânea de Orã, localizada na Argélia, que é atingida por uma terrível epidemia, a qual vai dizimando a população. Na época, o enredo do romance foi associado à ocupação nazista da França, durante a Segunda Guerra Mundial. Camus alude, no entanto, a valores caros à modernidade e que não se resumem a uma circunstância: a morte, a solidão e os gestos de solidariedade em momentos de crise. O narrador, o médico Rieux, menciona a certa altura do romance o que aprendeu com a peste; os homens não são santos, mas podem descobrir como aliviar o sofrimento e a dor uns dos outros. Ele tampouco ignorava o que se pode ler nos livros, diz Camus: "o bacilo da peste não morre nem desaparece nunca, pode ficar dezenas de anos adormecido nos móveis e na roupa, espera pacientemente nos quartos, nos porões, nos baús, nos lenços e na papelada". Rieux sabia também que "viria talvez o dia em que, para desgraça e ensinamento dos homens, a peste acordaria os seus ratos e os mandaria morrer numa cidade feliz".

Outra obra que seleciona um contexto epidêmico como mote é *Ensaio sobre a cegueira*, de José Saramago. Publicada em 1995, conta a história de uma epidemia que apareceu primeiro numa grande cidade, cujo provável modelo é Lisboa, e depois pelo mundo, contaminando as pessoas com a "doença da cegueira". Tratava-se de uma cegueira branca, que não escolhia gênero ou raça; os casos envolviam médicos, ladrões, famílias inteiras ou indivíduos isolados, idosos, crianças, prostitutas e até cachorros. As pessoas e animais infectados eram postos em quarentena, num antigo manicômio. O autor retrata de forma brutal como uma série de comportamentos precedentes se exacerbavam, para o bem e para o mal, naquele ambiente tomado pela realidade magnânima da moléstia. A metáfora da doença é clara: respostas mesquinhas, mas também solidárias, são reações comuns nessa "cegueira branca". Há uma alusão direta à nossa sociedade, que tem gerado muita alienação e consumo descontrolado. Como diz o ditado, citado por Saramago no livro, "o pior cego é aquele que não quer ver".

Vale a pena mencionar, também, *O amor nos tempos do cólera*, de Gabriel García Márquez. Datado de 1985, o livro explora o amor de Florentino por Fermina, que ultrapassava 53 anos, mesmo que, nesse meio-tempo, eles pouco tenham se encontrado. Cria-se um triângulo amoroso com o personagem Juvenal Urbino, médico que conhece a moça justamente quando ela carregava a suspeita de ter contraído o cólera — doença que na época em que se passa o romance foi considerada pandêmica. Mas na obra do escritor colombiano não é a enfermidade que mobiliza a maior parte do enredo, e sim o amor de quem sabe esperar, e cujo tempo perde hora e calendário. Nesse caso, a doença, a despeito de absoluta, não passa de pretexto.

O certo é que existe um tipo de literatura sobre a peste que foi se formando no decorrer dos séculos. O gênero tem início com o relato de Tucídides acerca da epidemia que se abateu sobre a cidade de Atenas, em 431 a.C. Mas continua a se desenvolver até os dias de hoje e pode assumir diferentes formatos — romance, crônica, ensaio, conto. Púchkin compôs um estudo dramático, "O festim nos tempos da peste", publicado em *Pequenas tragédias*. Katherine Porter lançou o romance *Cavalo pálido, pálido cavaleiro*, em 1939; William Harrison Ainsworth começou a escrever *Old Saint Paul's: A Tale of the Plague and the Fire* em 1841, sob a forma de folhetim e para ser divulgado em jornal, aos domingos. Em *The Last Man*, publicado em 1826, Mary Shelley projetou a peste — talvez a peste bubônica — emergindo das ruínas de Istambul para devastar a humanidade entre 2070 e 2100. Edgar Allan Poe narrou a peste num conto de terror, "A máscara da morte vermelha"; Somerset Maugham descreveu o cólera numa cidade da província de Hong Kong, quando esta era ainda uma colônia britânica, em *O véu pin-*

tado. Thomas Mann contou o desembarque de uma epidemia de cólera em *Morte em Veneza*; Antonin Artaud abriu seu livro mais importante, *O teatro e seu duplo*, com o ensaio "O teatro e a peste".

Aqui no Brasil, memorialistas deixaram relatos sobre o contexto epidêmico de 1918. Pedro Nava, Erico Verissimo, Brito Broca, Nelson Rodrigues, como vimos, foram alguns dos nomes que se dedicaram a narrar as experiências por eles vividas em suas próprias cidades quando da passagem da espanhola. Outros legaram registros em suas cartas, como Lima Barreto, já citado, mas também Monteiro Lobato, que numa missiva escreve sobre a gripe espanhola: "O que tem havido por aqui [São Paulo] e no Rio é um rosário de horrores e tragédias. Aquelas infernais pestes da Idade Média deviam ser assim. Um furacão inopinado. Rajadas de morte".

Mas impressiona quão escassos são esses relatos. Vários estudiosos têm chamado a atenção para o fato de que, diferentemente da peste de Atenas, da peste negra e das epidemias de cólera e de tuberculose, a espanhola não inspirou muitos romances, nem motivou biógrafos. Analistas arriscam dizer que o momento estava mais para o elogio da modernidade e do progresso do que para a derrota coletiva impingida pela gripe. Além do mais, vivia-se um período em que a ciência médica, impulsionada pelas descobertas de diversas doenças e dos micro-organismos, também se associava a tal representação triunfante de modernidade. A espanhola teria trincado tanta confiança, e por isso seria melhor esquecê-la.

Há quem afirme, ainda, que a Primeira Guerra transformou a epidemia de gripe espanhola numa espécie de desdobramento e anexo do conflito. Ou seja, alguns historiadores alegam que a vigência da doença foi breve, não deixando marcas profundas na lembrança da população, a qual saiu do flagelo sem ter real dimensão do perigo que ele representava.

Além da Grande Guerra, eventos históricos contemporâneos ou imediatamente posteriores — como a Revolução Russa de 1917 e a Segunda Guerra Mundial — teriam contribuído para diminuir o impacto da espanhola na memória coletiva. Difícil dizer ao certo o que ocorreu. E também no Brasil poucas obras de ficção se inspiraram na espanhola. Em geral, a epidemia só surge no entrecho de um livro para fazer alusão a um passado distante e já perdido no tempo. É o caso dos romances *O tempo e o vento* e *Incidente em Antares*, de Erico Verissimo. Outro exemplo está em Guimarães Rosa, que recorreu à gripe espanhola como índice temporal no conto "O cavalo que bebia cerveja", publicado em *Primeiras estórias*: "De minha mãe ouvi como, no ano da espanhola, ele chegou, acautelado e espantado, para adquirir aquele lugar de todo defendimento, e a morada, donde de qualquer janela alcançasse de vigiar a distância, mãos na espingarda; nesse tempo, não sendo ainda tão gordo, de fazer nojo".

A espanhola pode mostrar-se num romance como um acontecimento a mais na vida dos personagens; é o que ocorre no livro *Éramos seis*, de Maria José Dupré, que descreve o cotidiano de uma família paulista, entre os anos de 1910 e 1940. Ou surgir ainda para compor o panorama histórico e a ambientação de época numa das capitais brasileiras mais duramente atingidas pela doença, como acontece em *Neve na manhã de São Paulo*, de José Roberto Walker. Contudo, no Brasil existe uma exceção. A gripe espanhola é protagonista — e narradora — numa novela experimental, *O mez da grippe e outros livros*. Foi escrita por Valêncio Xavier, em 1976, sob a forma de uma narrativa feita com colagens: fotografias, recortes de notícias de jornais, anúncios, trechos de canções, documentos de relatórios do Serviço Sanitário, e, claro, com as intervenções textuais do autor. Xavier relata o impacto da chegada do vírus à cidade de Curitiba, contrapõe as vozes anônimas da população aos comunicados das autoridades estaduais e as reações da colônia alemã diante do fim da guerra.

De toda maneira, onde existe silêncio, sobram contradição e incompreensão. E esse há de ser o caso da falta de produções contemporâneas sobre tal episódio dramático da história da saúde no país. Também os livros de história tenderam a pular esse capítulo, sendo relativamente poucos os pesquisadores que se dedicaram a analisar a emergência e as consequências da gripe espanhola nos diferentes estados brasileiros; e a eles muito devemos. Depois da edição de alguns trabalhos médicos no calor da epidemia, como os livros de Carlos Seidl (1919), Carlos Luís Meyer e Joaquim Rabelo Teixeira (1920) e de Artur Moncorvo Filho (1924), o tema seguiu cercado de silêncio até a década de 1980, com a publicação do trabalho do historiador Cláudio Bertolli Filho (escrito em 1986, só ganhou formato de livro em 2003), que aborda a passagem da espanhola pela capital paulista.

Nos anos 1990 o cenário se alterou. Vários historiadores se destacaram produzindo artigos e livros com novas abordagens relevantes do assunto, como Nara Azevedo de Brito (1997), que trata da epidemia no Rio de Janeiro, e Janete Silveira Abrão (1998), que examina a gripe em Porto Alegre. Já nos anos 2000, outras publicações, teses e dissertações ampliaram — e muito — o escopo da pesquisa, surgiram informações inéditas e cresceu o conhecimento a respeito da passagem fulminante da doença por nossas terras: Adriana da Costa Goulart (2003), no Rio de Janeiro; Liane Maria Bertucci (2004), em São Paulo; Anny Jackeline Torres Silveira (2007), em Belo Horizonte; Eduardo Alexandre de Farias (2008) e Alexandre Caetano da Silva (2017), no Recife; Christiane Maria Cruz de Souza (2009), na Bahia; Leandro Carvalho Damacena Neto (2011), na cidade de Goiás. A doença em Manaus foi a tese de Rosineide de Melo Gama (2013), e a gripe em Belém, a tese de José Maria de Castro Abreu Júnior (2018). Essa lista poderia ser desdobrada, e se encontra incluída nesse livro. Mas, o importante é que já é possível dizer que temos uma bibliografia consolidada sobre a gripe de 1918 no Brasil, a qual cobre basicamente todas as regiões do país.

Segundo o filósofo Eduardo Jardim, que escreveu sobre a aids, "toda experiência, para ter seu acabamento precisa ser narrada". A narrativa produz esse acabamento porque permite ao leitor o retorno a possibilidades perdidas, isto é, resgata o significado dos acontecimentos. A gripe espanhola suscitou uma série de perguntas nas pessoas que viveram a epidemia, e essas questões dizem respeito também a nós, no tempo presente. A razão é simples: nelas existe uma escuta e um aprendizado. Diante do que parece inédito, nos dirigimos ao passado para chegar mais perto de indagações que precisam ser feitas hoje. A experiência da espanhola nos diz respeito porque exige reconsiderar o valor da vida. Permite refletir por qual motivo, tanto na pandemia de 1918 como na de agora, a de covid-19, ficaram escancaradas as nossas desigualdades, que atingiram e atingem de forma ainda mais brutal os povos indígenas, a população negra, a população pobre e as periferias. As mortes têm cor, classe, escolaridade e local de moradia, seja no Brasil dos tempos da espanhola, seja no país de 2020.

A experiência da gripe também traz um aprendizado sobre o funcionamento de nossa sociedade. Exige reconhecer que esta não funciona se cada um cuidar exclusivamente de si. Sem a identificação com o outro a sociedade se degrada, perde o sentimento de pertencimento, a noção de responsabilidade mútua, a consciência de que compartilhamos um destino único. Nós nos degradamos no egoísmo individualista, na indiferença diante do "tédio da morte", conforme escreveu Nelson Rodrigues. A experiência da espanhola responde ainda a outra indagação que deve ser formulada nos dias atuais: não se pode distorcer, maquiar ou manipular a realidade de uma epidemia, pois o preço é cobrado em perdas humanas.

É possível estabelecer, portanto, uma sucessão de paralelos com esses momentos que já fazem parte do nosso passado ou de uma história geral da doença. No entanto, como cientistas sociais e historiadores costumam fazer questões novas para eventos longínquos e revisitá-los com os temas do presente, vale a pena traçar semelhanças e diferenças entre as duas pandemias no Brasil: a de espanhola e a de covid-19. Não há apenas semelhança, coincidência ou mero acaso se compararmos, por exemplo, o uso do sal de quinino e do comprimido cloroquinino, vendido nas farmácias em 1918, e o uso da cloroquina em 2020. Não só a composição dos medicamentos é basicamente a mesma, como seu emprego, para debelar casos de malária, em regiões onde a doença é endêmica, repete um mesmo padrão. Além do mais, a prescrição do produto era autorizada pelos médicos, em 1918, apenas para malária e desautorizada pela comunidade científica em 2020 para o tratamento da covid-19, inclusive pelos riscos que pode acarretar ao paciente — mas, ainda assim, a cloroquina continuou (e continua) sendo comercializada e utilizada livremente pela população.

Existem também diferenças relevantes. Hoje em dia, a despeito da contraindicação médica, não há freio para remédios duvidosos. O próprio presidente do Brasil autoriza e estimula que se usem medicamentos sem comprovação científica, prometendo a cura e a prevenção imediatas da moléstia.

Crises da saúde que adquirem tais proporções sempre revelam as formas de governar, os arranjos políticos, as respostas e o silêncio das autoridades. O que também pode ser reconhecido, tanto em 1918 como atualmente, é o fato de que cada estado lidou (e lida) com o vírus à sua maneira, no interior e nas capitais. O aprendizado com a espanhola indica que nós poderíamos ter criado um plano de enfrentamento da covid-19 e talvez reduzido significativamente os danos causados pela epidemia. Em 1918 não foi criado um plano. Não existia um Ministério da Saúde ou um órgão equivalente ao Sistema Único de Saúde, capaz de exercer o papel de articulação e coordenação nacional; o SUS é obra da Constituição de 1988. Existiam apenas as Santas Casas de Misericórdia — instituições filantrópicas que, em geral, recebiam doações da sociedade e apoio financeiro dos governos estaduais —, os hospitais de isolamento e os hospitais militares. Foi preciso improvisar postos de atendimento e hospitais provisórios. Hoje, contudo, e apesar de o SUS garantir acesso integral e gratuito a toda a população do país, o governo federal não tem capacidade e, além disso, deliberadamente não quer exercer o papel agregador e a coordenação nacional do combate ao vírus, nem gerar políticas públicas e ações centralizadas para combater os efeitos da epidemia no curto, no médio e no longo prazo.

Em 1918 uma série de presidentes de estado (atuais governadores) sofreram com a explosão de casos. Boa parte deles, porém, apostou na ciência e se valeu dos préstimos, do conhecimento e das respostas construídas pelos sanitaristas e médicos da saúde pública para enfrentar e controlar a epidemia. Já em 2020, no momento mais duro da pandemia de covid-19, não existe ministro da Saúde. Um general da ativa, leigo, oficial de intendência — no Exército, o militar encarregado das tarefas administrativas ou logísticas — e sem nenhuma afinidade profissional com a área médica está na chefia interina da pasta. Como se pode notar, nesse aspecto retrocedemos: voltamos no tempo e usamos o mesmo produto que não funcionou há cem anos. Ademais, temos um chefe do Executivo que joga abertamente contra a ciência.

Também existem muitas semelhanças no que se refere aos procedimentos de combate às pandemias de 1918 e 2020. O uso de máscaras, a recomendação do isolamento, o fechamento de locais públicos e que geram aglomerações, a desinfecção das casas, a higiene pessoal, são todas medidas que nos aproximam daquela data. Chama atenção, igualmente, o fato de haver pouca originalidade nos procedimentos utilizados pelos vários estados da União, que anteciparam feriados, suspenderam eventos desportivos de grande impacto, recorreram a remédios caseiros, abriram hospitais de campanha e enterraram as vítimas em valas comuns. Agora, como naquela época, a peste pede atitudes fortes, que assaltam o cotidiano e acabam com qualquer esperança de normalidade.

A epidemia escancarou, igualmente, há um século e nos tempos de agora, a perversa desigualdade social brasileira. Como indicam os dados da saúde, o maior número de mortes está concentrado na população de baixa renda. A espanhola atacou ainda mais diretamente as pessoas negras, naquele contexto recém-saídas do sistema escravocrata. Também hoje, a covid-19 revelou as fraturas sociais, e acometeu aqueles que menos condições têm de recorrer a uma medicina preventiva — o vírus continua tendo classe social, cor, endereço e investindo, com especial dureza, sobre a população negra.

Temos poucas informações sobre o que aconteceu com os indígenas espalhados pelo Brasil em 1918. Encontramos apenas registros esparsos a respeito do que provavelmente ocorreu naquele ano: comunidades e grupos foram deixados de lado, desprotegidos, sem médicos nem remédios. Foram abandonados para morrer. Hoje sabemos que o horror é e não é diferente. Em agosto de 2020, a covid-19 tinha alcançado mais de 150 povos indígenas no país. No entanto, há notícias de lideranças que utilizam as informações provindas da internet, transmitem para os membros da sua comunidade, não saem do seu território e evitam, o quanto podem, o contágio das cidades próximas. A especificidade da situação atual, porém, é que o avanço do vírus está acontecendo junto com o projeto de destruição ambiental. E essa é uma forma especialmente dolorosa de morrer. A etnóloga Aparecida Vilaça escreveu que

> as vítimas preferenciais, os velhos, são, entre os indígenas, povos de tradição oral, os guardiães da memória ancestral, dos mitos, das histórias, das canções e, em diversos lugares, também da língua nativa. Essas mortes equivalem a incêndios em nossas bibliotecas, com a diferença de que os livros não poderão ser repostos e, com isso, a transmissão da memória aos jovens é interrompida.

Já dissemos, mas é bom repetir, que nunca se está preparado para uma pandemia, e tanto a da espanhola como a do coronavírus deixaram claras a precariedade e a desigualdade do atendimento médico-hospitalar no Brasil, as condições insalubres de higiene de boa parte da população, que vive em regiões desprovidas dos equipamentos urbanos necessários, como, por exemplo, água e esgoto. Embora desde 1988 tenhamos o Sistema Único de Saúde, seus hospitais e unidades de atendimento estão funcionando muitas vezes acima de sua capacidade, em condições de emergência e, em alguns momentos, tendo que enfrentar a falta de equipamentos, insumos ou mesmo de pessoal — até porque muitos profissionais foram contaminados. Não pararam de funcionar, mas a situação ficou dramática: morre-se muito mais de covid-19 nos hospitais públicos do que nos privados.

Existem ainda outros paralelos possíveis. Historicamente, epidemias difundem-se de maneira semelhante, causando muitos conflitos políticos, sociais, resistências ao intervencionismo e à medicalização, que delimitam, circunstancialmente, a liberdade de ir e vir dos cidadãos. A adoção de um "estado de emergência", o reconhecimento de um "estado doente", de um "estado anômalo", sempre se fia no equilíbrio frágil entre o que é legítimo e o que deve ser imposto. Há que se temer também pelo reforço de governos autoritários; aqueles que podem usar das franjas da legislação para interromper serviços públicos, paralisar órgãos ou instituições, buscar apoios incondicionais dentro da burocracia do Estado, obter instrumentos de controle social. Esses são problemas de outrora que reconhecemos no tempo presente.

No contexto de inícios do século XX, a doença bailarina, como a gripe espanhola era também chamada por conta da velocidade de suas mutações, cruzou os continentes, adernou lentamente de navio, mas agiu rápido. Mesmo assim, em alguns estados tentou-se diminuir a importância da crise sanitária, e não faltaram vozes que buscaram desmentir a urgência das medidas de isolamento. Fenômeno parecido ocorre também neste ano de 2020, em que países e governantes abusam das circunstâncias. É o que acontece, por exemplo, na Hungria de Viktor Orbán, o qual obteve poderes extraordinários para governar em estado de emergência, ou mesmo no Brasil, se tomarmos em conta as atitudes do presidente da República, que ficaram ainda mais escancaradas durante a pandemia.

A prática mais recorrente de Jair Bolsonaro (e que pode ser identificada também em 1918) é a negação da doença, sua minimização e a tentativa de manipulação dos dados da epidemia, que só não surtiu efeito em virtude da formação de um consórcio de veículos de imprensa para acompanhar os dados diretamente, junto às secretarias de Saúde estaduais. Mas, como em 1918, não sabemos de que maneira esses registros estão sendo produzidos nos estados, qual o tamanho e a extensão das subnotificações.

Outro aspecto, que até aparece na atuação de presidentes de estado em 1918 mas é muito forte hoje em dia: a estratégia de Jair Bolsonaro de fingir que o problema, se é que existe, não tem nada a ver nem com o chefe do Executivo nem com sua pessoa, em particular. Há um quesito, todavia, que só se acha na nossa contemporaneidade: a indiferença do governo federal perante as mortes — sendo que estamos escrevendo cientes de que mais de 125 mil brasileiros estão mortos. Uma triste marca. Ao lado da indiferença assustadora, outro sentimento é compartilhado entre o presidente da República e seus grupos de apoio na sociedade: a inclemência com que esses cidadãos boicotam iniciativas de proteção, fazem troça do vírus e desprezam as condições impostas pela contagiosidade da doença.

Nesse mesmo sentido, tem chamado bastante atenção o recurso recorrente à censura de dados, por parte das autoridades públicas, com a justificativa oficial de que é preciso evitar que o pânico se instaure na população. Em 1918, virou praxe tentar apagar o sol com a peneira, negando a evidência das mortes e o número elevado de contaminações. É mais um aprendizado para os dias de hoje. Tais atitudes trazem consequências dramáticas em termos de desrespeito aos familiares enlutados, e igualmente para os registros da história e o desenvolvimento da ciência, que aprendem com as experiências acumuladas. Se esses argumentos não forem suficientes, pode-se acrescentar que contar os mortos é também uma maneira de reverenciá-los. Significa dizer que cada vida conta, como se faz com o túmulo do soldado desconhecido, em situações de guerra.

"Vivemos um mundo que desaprendeu a lidar com o luto e a morte." Na opinião do historiador Philippe Ariès, foi no começo do século XX, mais particularmente após a Primeira Guerra Mundial (1914-18), que se deu "a morte da morte". Essa espécie de interdito da morte — essa recusa de lidar com ela — ficou mais patente nos Estados Unidos e na Europa industrial do Noroeste que paralelamente passaram a louvar apenas a vida na forma da longevidade e do não envelhecimento. Ao mesmo tempo, com a epidemia da gripe espanhola de 1918, criou-se toda uma engenharia médica e sanitária, visando contornar "acidentes cotidianos" da morte. Uma tecnologia adaptada e capaz de proteger as pessoas foi então implementada com o objetivo de preservar vidas, visando liberar os corpos para que seguissem em suas tarefas diárias, livres da morte que costumava espreitar as pessoas nas esquinas mais inesperadas.

O silenciamento da morte é assim coerente com a chegada da modernidade, que veio acompanhada pela urbanização, pela industrialização e por uma certa racionalidade científica disposta a driblar o perecimento humano. Três diferentes fenômenos sociais e médicos fizeram parte dessa rota. O primeiro deles foi quando se deu uma ocultação generalizada da morte, e a espetacularização de apenas algumas poucas perdas; aquelas de celebridades. Nesse processo, ocorre um tipo de superexposição de determinados falecimentos, por parte dos meios de comunicação e da população que compactua com a dor, e o silenciamento diante do grosso da população: a morte das pessoas comuns de uma forma geral, o perecimento dos mais idosos, a morte de jovens negros nas periferias brasileiras que continua a passar "em branco". Um segundo procedimento foi a transferência dos doentes para os hospitais, onde se combate a morte, por certo, mas onde ela também permanece escondida, longe da visão dos saudáveis. O terceiro passo representou uma espécie de extinção social do luto, sobretudo quando ele é coletivo: causado por guerras, acidentes ambientais, pandemias.

Hoje, o problema para quantificar o impacto da epidemia em uma localidade e no país é a subtestagem — sem uma política agressiva de realização de testes não há como construir estratégias com foco em proteger a população. Em 1918, faltavam estatísticas confiáveis. Os dados são imprecisos, mas giram entre 20 milhões e 50 milhões de pessoas mortas, em todo o mundo, pela gripe espanhola. No Brasil, os dados variam ainda mais: alguns analistas referem-se a 50 mil pessoas falecidas e outros chegam a afirmar que 300 mil pessoas teriam sucumbido por causa da doença. Uma variação como essa não é aceitável, e nos fazem falta registros mais aferíveis.

O número de casos relativos à gripe espanhola no Brasil também foi subinformado em razão da gravidade e rapidez da situação da epidemia e ao fato de muitos óbitos não terem sido notificados às autoridades sanitárias. Famílias inteiras desapareceram de bairros tradicionais e de onde os imigrantes chegavam de navios, populações negras criavam suas sociabilidades e indígenas suas nações. Não sobrou ninguém para contar história, e por isso os números de doentes e mortos são apenas estimados e de maneiras variadas. Mesmo com os esforços do serviço de Demografia Oficial, "a balbúrdia do pandemônio de 1918" não permitiu que se tivesse uma estatística confiável da mortalidade causada pela doença.

Não está disponível, também, uma explicação científica confiável acerca da mortalidade elevada da espanhola. Acredita-se, entretanto, que um rápido aumento do nível de citocinas — proteínas secretadas pelas células — nos pacientes contaminados por determinadas amostras de influenza ocasiona um grande acúmulo de fluidos nos pulmões, bloqueando suas funções em poucas horas. Isso explicaria a presença de expressivo número de jovens entre as vítimas, os quais responderiam de forma mais exacerbada, do ponto de vista imunológico, do que os grupos etários mais idosos.

Estudos recentes, nos quais se recuperaram fragmentos de amostras de vírus por técnicas moleculares, de corpos de pacientes que faleceram de influenza no Alasca durante a epidemia, têm procurado identificar a estrutura genética das amostras circulantes em 1918 como sendo um vírus influenza do tipo A, linhagem H1N1. Essa linhagem ainda circula no mundo nos dias de hoje, porém não apresenta a mesma virulência da amostra de 1918.

Após essa pandemia, aconteceram no mundo, ao longo do tempo, outras epidemias de gripe e surtos de menor gravidade, como, por exemplo, a epidemia de 1957-58, causada pela amostra H2N2 e denominada gripe asiática, embora com taxas de letalidade baixas. Ocorreram ainda as epidemias de 1968, amostra H3N2 (influenza Hong Kong), e a de 1976-77, novamente com a amostra H1N1, as quais repercutiram no Brasil em maior ou menor proporção, até o aparecimento da pandemia de 2009, que também nos atingiu. Em abril desse ano, uma cepa com a estrutura básica H1N1 surgiu, provavelmente por recombinações genéticas de amostras suínas, aviárias e humanas, no México e nos Estados Unidos, chegando com rapidez a outros países. Em 1º de junho de 2009, a epidemia havia alcançado 62 países, sendo confirmados 17410 casos com 115 mortes. No Brasil tinham sido confirmados até essa data apenas dezoito casos, e nenhum fatal. A Organização

Mundial da Saúde na ocasião classificou o episódio como nível 5, numa escala de 1 a 6, indicando fortemente a iminência da formação de uma pandemia de influenza por essa amostra, se bem que com uma letalidade inferior à do episódio de 1918-20.

Como fica fácil perceber, ainda estamos longe de ter qualquer certeza acerca do perfil epidêmico da espanhola de 1918, e o tema nos é particularmente espinhoso em tempos de pandemia de covid-19. Se o silêncio faz seu caminho nessas situações, o que dizer do trabalho do historiador, que prefere sempre tratar de processos completos e encerrados e lida mal com aqueles que não estão terminados?

Este livro é uma tentativa, por parte de duas historiadoras e cientistas sociais, de compilar narrativas do passado, de um século atrás, e inscrevê-las no tempo presente. Por certo não sabemos como acaba a história que hoje vivemos. Esta que aqui narramos, a de 1918, termina no ano de 1919, com o encerramento de um ciclo: os festejos de Carnaval foram animados, mas, enquanto as pessoas comemoravam a vida, havia também o receio de que o flagelo pudesse começar de novo, com a morte.

Toda crise interrompe muita coisa; mas abre, também, uma nesga de esperança. Por exemplo, foi por conta da gripe espanhola que pela primeira vez se pensou, no Brasil, na criação de um Ministério da Saúde, o qual nasceria apenas em 1930, como Ministério dos Negócios da Educação e Saúde Pública.

Tomara que a pandemia do coronavírus nos auxilie a pensar nos limites que ultrapassamos, faz tempo, com essa nossa propalada "civilização". Que nos ensine a aprimorar o SUS, pois defendê-lo é como lutar pelos direitos humanos, sobretudo em contextos pandêmicos. Que nos faça entender que países desiguais como o nosso são ainda mais particularmente afeitos a negacionismos e a tratamentos diversos na doença e na morte. Que nos possibilite reconsiderar o valor da vida e o reencontro da nossa sociedade com o sentimento de pertencimento social e com a noção de responsabilidade mútua.

Vivemos tempos definitivamente distópicos e tristes. Hora de achar esperança neste país que aprendeu tão pouco com os acertos e erros de 1918. Com os tempos tristes da peste: "os tempos da espanhola". Em nome dela, não se fizeram muitas odes, poemas ou canções, e as que surgiram eram, em geral, tristes. Quem sabe aquele não representava, mesmo, um período que inspirava criações.

Como mostrou Fernando Pessoa, a canção que é uma espécie de "poesia ajudada", "reflete o que a alma não tem". E completava o poeta: "Por isso a canção dos povos tristes é alegre e a canção dos povos alegres é triste".

Oscar José Luís de Morais, que entrou para a história da música popular com o sugestivo nome de Caninha, pois vendia pedaços de cana-de-açúcar na estação de trens Central do Brasil, emplacou seu primeiro sucesso em outubro de 1918 com o maxixe "Gripe espanhola", que dizia assim: "A espanhola está aí/ A espanhola está aí/ A coisa não está brincadeira/ Quem tiver medo de morrer/ Não venha mais à Penha". Ele, que frequentou as casas da Tia Dadá e da Tia Ciata, grandes mães de santo e figuras centrais para o surgimento do samba carioca, foi um dos poucos a fazer sucesso por conta da epidemia. Mas bem que alertou que o melhor era ficar bem longe dela. "De quem?", brincava ele. "Da espanhola..."

Belo Horizonte e São Paulo, 6 de setembro de 2020

Agradecimentos

Este livro foi feito durante a quarentena, por duas historiadoras e cientistas sociais que queriam entender melhor o que estava acontecendo nesse tempo sem tempo da pandemia de 2020. Fomos perguntar ao passado e ele nos respondeu com a história da gripe espanhola. *A bailarina da morte* não existiria sem o apoio de várias pessoas que nos ajudaram a colocar este livro "em pé". Gostaríamos de agradecer, e muito, a cada uma delas: Alberto da Costa e Silva, André Botelho, Carlos Jardim, Carlos Starling, Elisabete Avelino Antônio, Érica Fujito, Érico Melo, Ethel Mizrahy Cuperschmid, Evaldo Cabral de Mello, Gustavo Starling, José Amaro Siqueira (Zinho), José Murilo de Carvalho, Lucila Lombardi, Luiz Schwarcz, Márcia Copola, Newton Bignotto, Nísia Trindade, Otávio Marques da Costa, Rocksane de Carvalho Norton, Schneider Carpeggiani e Sheila Veloso.

Referências bibliográficas

INTRODUÇÃO: O MAL QUE VEIO DE LONGE

CARVALHO, José Murilo de. "O pecado original da República: Como a exclusão do povo marcou a vida política do país até os dias de hoje". In: ______. *O pecado original da República*. Rio de Janeiro: Bazar do Tempo, 2017. pp. 13-70.

EKSTEINS, Modris. *A sagração da primavera: A Grande Guerra e o nascimento da era moderna*. Rio de Janeiro: Rocco, 1991.

KOLATA, Gina. *Gripe: A história da pandemia de 1918*. Rio de Janeiro: Record, 2002.

LIMA, Nísia Trindade. *Um sertão chamado Brasil: Intelectuais e representação geográfica da identidade nacional*. São Paulo: Hucitec, 2013.

MELLO, Maria Tereza Chaves de. *A República consentida: Cultura democrática e científica do final do Império*. Rio de Janeiro: Editora FGV; Edur; Anpuh, 2007.

MONTEIRO, Marcelo. *U-93: A entrada do Brasil na Primeira Guerra Mundial*. Porto Alegre: Besouro Box, 2014.

NAVA, Pedro. *Chão de ferro*. São Paulo: Companhia das Letras, 2012.

PENNA, Belisário; NEIVA, Arthur. "Viagem científica pelo norte da Bahia, sudoeste de Pernambuco, sul do Piauí e norte a sul de Goiás". *Memórias do Instituto Oswaldo Cruz*, Rio de Janeiro, n. 8, pp. 73-224, 1916.

SILVEIRA, Anny Jackeline Torres. *A influenza espanhola e a cidade planejada: Belo Horizonte, 1918*. Belo Horizonte: Argvmentvm, 2007.

SONDHAUS, Lawrence. *A Primeira Guerra Mundial: História completa*. São Paulo: Contexto, 2013.

SOUZA, Christiane Maria Cruz de. *A gripe espanhola na Bahia: Saúde, política e medicina em tempos de epidemia*. Rio de Janeiro: Editora Fiocruz; Salvador: EDUFBA, 2009.

1. A GRIPE ESPANHOLA: UMA DOENÇA COM MUITOS NOMES

AUGÉ, Marc; HERZLICH, Claudine. *The Meaning of Illness*. Londres: Harwood Academic Publishers, 1995.

BARRY, John M. *The Great Influenza: The Story of the Deadliest Pandemic in History*. Londres: Penguin, 2005.

BENJAMIN, Walter. "Experiência e pobreza". In: ______. *Obras escolhidas I: Magia e técnica, arte e política*. 3. ed. São Paulo: Brasiliense, 1987. pp. 114-9.

CAMUS, Albert. *A peste*. Rio de Janeiro: Record, 2017.

CARIELLO, Rafael. "Enigmas das pandemias: O que sabemos — e o que ainda é mistério — sobre a gripe espanhola, o comportamento social em catástrofes e o papel do acaso na história". São Paulo, *piauí*, n. 164, maio 2020.

DELUMEAU, Jean. *História do medo no Ocidente, 1300-1800*. São Paulo: Companhia das Letras, 1989.

EKSTEINS, Modris. *A sagração da primavera: A Grande Guerra e o nascimento da era moderna*. Rio de Janeiro: Rocco, 1991.

JARDIM, Eduardo. *A doença e o tempo: Aids, uma história de todos nós*. Rio de Janeiro: Bazar do Tempo, 2019.

JOHNSON, Steven. *O mapa fantasma: Como a luta de dois homens contra o cólera mudou o destino de nossas metrópoles*. Rio de Janeiro: Zahar, 2008.

KOLATA, Gina. *Gripe: A história da pandemia de 1918*. Rio de Janeiro: Record, 2002.

MARTIN, Gilbert. A Primeira Guerra Mundial: Os 1590 dias que transformaram o mundo. Rio de Janeiro: Casa da Palavra, 1998.

RODRIGUES, Nelson. *A menina sem estrela: Memórias*. São Paulo: Companhia das Letras, 1993.

SOLNIT, Rebecca. *A Paradise Built in Hell: The Extraordinary Communities that Arise in Disaster*. Londres: Penguin, 2009.

SONDHAUS, Lawrence. *A Primeira Guerra Mundial: História completa*. São Paulo: Contexto, 2013.

UJVARI, Stefan Cunha. *A história da humanidade contada pelos vírus*. São Paulo: Contexto, 2008.

2. A ESPANHOLA CHEGA A BORDO DE UM NAVIO: SALVE-SE QUEM PUDER

ALONSO, Angela. "A República da degola (1889-1916)". In: ______; ESPADA, Heloisa. *Conflitos: Fotografia e violência política no Brasil 1889-1964*. São Paulo: IMS, 2017. pp. 25-145.

BORTZ, Jaime Elías. "1918: La grippe em Buenos Aires: La sociedad porteña en crisis". *Americanía: Revista de Estudios Latinoamericanos*, Sevilha, n. 6, pp. 230-61, jul.--dez. 2017.

CARVALHO, José Murilo de. *Forças armadas e política no Brasil*. São Paulo: Todavia, 2019.

CASTRO, Adler Homero Fonseca de. "O Brasil na Primeira Guerra Mundial e a

DNOG". *Revista Brasileira de História Militar*, Rio de Janeiro, ano 5, n. 14, pp. 167--80, ago. 2014.
CAVALCANTI, Pedro. *A Presidência Wenceslau Braz (1914-1918)*. Brasília: Editora UnB, 1981.
DARÓZ, Carlos. *O Brasil na Primeira Guerra Mundial: A longa travessia*. São Paulo: Contexto, 2016.
LAVENÈRE-WANDERLEY, Nelson Freire. *História da Força Aérea Brasileira*. Brasília: Ministério da Aeronáutica, 1967.
MARTINS, Helio Leôncio. *História naval brasileira*. Rio de Janeiro: Marinha do Brasil, 1997. v. 5, tomo 2.
MCCANN, Frank D. *Soldados da pátria: História do Exército Brasileiro 1889-1937*. São Paulo: Companhia das Letras, 2007.
MEYER, Carlos L.; TEIXEIRA, Joaquim R. *A gripe epidêmica no Brasil e especialmente em São Paulo*. São Paulo: Casa Duprat, 1920.
SCHWARCZ, Lilia M.; STARLING, Heloisa M. *Brasil: uma biografia*. São Paulo: Companhia das Letras, 2015.
SERRÓN, Victor. "Epidemia y perplejidades médicas: Uruguay, 1918-1919". *História, Ciências, Saúde: Manguinhos*, Rio de Janeiro, v. 18, n. 3, pp. 701-21, jul.-set. 2011.
SONDHAUS, Lawrence. *A Primeira Guerra Mundial: História completa*. São Paulo: Contexto, 2013.
WINCHESTER, Simon. *Atlântico: Grandes batalhas navais, descobrimentos heroicos, tempestades colossais e um vasto oceano com um milhão de histórias*. São Paulo: Companhia das Letras, 2010.

Jornais e revistas

Careta, Rio de Janeiro, 5 out. 1918.
Careta, Rio de Janeiro, 9 out. 1918.
Careta, Rio de Janeiro, 19 nov. 1918.
Fon-Fon, Rio de Janeiro, 19 out. 1918.

3. "TANATOMORBIA": A DOENÇA QUE MATA NO RECIFE

AROUCHA, Davi Costa. *A vara, a vela e o remo: Trabalho e trabalhadores nos rios e portos do Recife oitocentista*. Recife: UFPE, 2017. Tese (Mestrado em História).
CASTRO, Josué de. *Homens e caranguejos*. Rio de Janeiro: Civilização Brasileira, 2007.
CAVALCANTI, Marcelo Antunes. *Os sistemas logísticos de transporte e a estruturação do território pernambucano: Gênese e produção*. Recife: UFPE, 2015. Tese (Doutorado em Geografia).
FARIAS, Eduardo Alexandre de. *Jornalismo à espanhola: Um olhar sobre o noticiário recifense da epidemia de gripe de 1918*. Recife: UFPE, 2008. Tese (Mestrado em Comunicação).
LEVINE, Robert M. *A velha usina: Pernambuco na federação brasileira (1889-1937)*. Rio de Janeiro: Paz e Terra, 1980.
LIRA, José Tavares Correia de. "Freguesias morais e geometria do espaço urbano: O léxico das divisões e a história da cidade do Recife". In: BRESCIANI, Maria Stella Martins (Org.). *Palavras da cidade*. Porto Alegre: Editora da UFRGS, 2001. pp. 157-210.

MELLO, Evaldo Cabral de. *O Norte agrário e o Império, 1871-1889*. Rio de Janeiro: Nova Fronteira, 1984.

MORAIS, Fernando. *Chatô: O rei do Brasil*. São Paulo: Companhia das Letras, 2001.

NICOLAU, Jairo. *Eleições no Brasil: Do Império aos dias atuais*. Rio de Janeiro: Zahar, 2012.

SETTE, Mário. *Arruar: História pitoresca do Recife Antigo*. Recife: CEPE, 2018.

SILVA, Alexandre Caetano da. *Recife, uma cidade doente: A gripe espanhola no espaço urbano recifense (1918)*. Recife: UFPE, 2017. Tese (Mestrado em História).

VISCARDI, Cláudia Maria Ribeiro. *O teatro das oligarquias: Uma revisão da "política do café com leite"*. Belo Horizonte: C/Arte, 2001.

ZACARIAS, Audenice Alves dos Santos. *A República oligárquica de Pernambuco: Montagem e declínio do domínio de Francisco de Assis Rosa e Silva*. Recife: UFPE, 2017. Tese (Doutorado em História).

Jornais e revistas

A Ordem, Recife, 15 nov. 1918.
A Provincia, Recife, 26 set. 1918.
A Provincia, Recife, 12 out. 1918.
A Provincia, Recife, 13 out. 1918.
A Provincia, Recife, 14 out. 1918.
A Provincia, Recife, 15 out. 1918.
A Provincia, Recife, 24 out. 1918.
A Provincia, Recife, 25 out. 1918.
A Provincia, Recife, 26 out. 1918.
A Provincia, Recife, 27 out. 1918.
A Provincia, Recife, 28 out. 1918.
A Provincia, Recife, 29 out. 1918.
A Provincia, Recife, 7 nov. 1918.
Diario de Pernambuco, Recife, 30 set. 1918.
Diario de Pernambuco, Recife, 10 out. 1918.
Diario de Pernambuco, Recife, 12 out. 1918.
Diario de Pernambuco, Recife, 17 out. 1918.
Diario de Pernambuco, Recife, 19 out. 1918.
Diario de Pernambuco, Recife, 24 out. 1918.
Diario de Pernambuco, Recife, 25 out. 1918.
Diario de Pernambuco, Recife, 26 out. 1918.
Diario de Pernambuco, Recife, 2 nov. 1918.
Jornal do Recife, Recife, 10 set. 1918.
Jornal Pequeno, Recife, 19 set. 1918.

4. ESCALA EM SALVADOR DE TODOS OS SANTOS

ANDRADE JUNIOR, Nivaldo Vieira de. "A rede de ascensores urbanos de Salvador: Do Guindaste dos Padres aos dias de hoje". Disponível em: <http://portal.iphan.gov.br/uploads/ckfinder/arquivos/VI_coloquio_t5_rede_ascensores_urbanos.pdf>. Acesso em: 8 ago. 2020.

CASTELLUCCI, Aldrin Armstrong Silva. *Salvador dos operários: Uma história da greve geral de 1919 na Bahia*. Salvador: EdUFBA, 2001. Tese (Mestrado em História).

HANSKA, Jussi. *Strategies of Sanity and Survival: Religious Responses to Natural Disasters*. Helsinque: Finnish Literature Society, 2002.

MONTES, Maria Lucia. *As figuras do sagrado: Entre o público e o privado na religiosidade brasileira*. São Paulo: Claro Enigma, 2012.

NUNES NETO, Francisco Antonio. *A invenção de uma tradição: A Festa do Senhor do Bonfim em jornais baianos*. Salvador: EdUFBA, 2014. Tese (Doutorado em Cultura e Sociedade).

PANG, Eul-Soo. *Coronelismo e oligarquias 1889-1943: A Bahia na Primeira República*. Rio de Janeiro: Civilização Brasileira, 1979.

PARÉS, Luis Nicolau. *A formação do candomblé: História e ritual da nação jeje na Bahia*. Campinas: Editora da Unicamp, 2018.

PEREIRA, Flávia Lago de Jesus. *Modernizar as cidades, civilizar os costumes: Repressão a espíritas e candomblecistas na Bahia republicana (1920-1940)*. Salvador: EDUFBA, 2015. Tese (Mestrado em História).

REIS, João José. *Domingos Sodré: Um sacerdote africano*. São Paulo: Companhia das Letras, 2008.

RISÉRIO, Antônio. *Uma história da cidade da Bahia*. Rio de Janeiro: Versal, 2004.

SANTOS, Edmar Ferreira. *O poder dos candomblés: Perseguição e resistência no Recôncavo da Bahia*. Salvador: EDUFBA, 2009.

SANTUCCI, Jane. *Cidade rebelde: As revoltas populares no Rio de Janeiro no início do século XX*. Rio de Janeiro: Casa da Palavra, 2008.

SCHWARCZ, Lilia Moritz. *O espetáculo das raças: Cientistas, instituições e questão racial no Brasil, 1870-1930*. São Paulo: Companhia das Letras, 1993.

SILVA, Fabiano Moreira da. *Professorado municipal de Salvador: Queixas, crises e greves (1912-1918)*. Salvador: EDUFBA, 2017. Tese (Mestrado em História).

SIMÕES JUNIOR, José Geraldo; CAMPOS, Cândido Malta. "Permanências do urbanismo de colina como tradição luso-brasileira: Os casos de Salvador e de São Paulo". *Revista Brasileira de Gestão Urbana*, Curitiba, v. 5, n. 1, pp. 47-69, jan.-jun. 2013.

SOUZA, Christiane Maria Cruz de. *A gripe espanhola na Bahia: Saúde, política e medicina em tempos de epidemia*. Rio de Janeiro: Editora Fiocruz; Salvador: EDUFBA, 2009.

TAVARES, Luís Henrique Dias. *História da Bahia*. São Paulo: Editora Unesp; Salvador: EDUFBA, 2008.

WEBER, Max. "A psicologia social das religiões mundiais". In: ______. *Ensaios de sociologia*. Rio de Janeiro: Zahar, 1989. pp. 309-410.

Jornais e revistas

A Tarde, Salvador, 9 jul. 1918.
A Tarde, Salvador, 13 set. 1918.
A Tarde, Salvador, 21 set. 1918.
A Tarde, Salvador, 25 set. 1918.
A Tarde, Salvador, 1º out. 1918.
Diario da Bahia, Salvador, 5 out. 1918.
Diario da Bahia, Salvador, 24 out. 1918.
Diario de Noticias, Salvador, 30 set. 1918.
Diario de Noticias, Salvador, 26 out. 1918.
O Democrata, Salvador, 17 out. 1918.
O Democrata, Salvador, 23 out. 1918.
O Democrata, Salvador, 7 nov. 1918.
O Écho d'Além-Tumulo, Salvador, jul. 1869.
O Imparcial, Salvador, 6 set. 1918.
O Imparcial, Salvador, 22 set. 1918.
O Imparcial, Salvador, 24 set. 1918.
O Imparcial, Salvador, 15 out. 1918.
O Imparcial, Salvador, 20 out. 1918.
O Imparcial, Salvador, 24 out. 1918.

Documentos

ARAGÃO, Antonio Ferrão Moniz de. *Mensagem apresentada à Assembleia Geral Legislativa do Estado da Bahia na abertura da primeira sessão ordinária da 15ª legislatura*. Salvador: Imprensa Oficial do Estado, 1919.

5. A ESPANHOLA INVADIU A CAPITAL FEDERAL DO BRASIL

ARAGÃO, Henrique de Beaurepaire. "A propósito da gripe". *O Brazil-Medico*, ano 32, n. 45, pp. 354-6, 9 nov. 1918.

AZEVEDO, Altino de. *Do estudo clínico da gripe*. Rio de Janeiro: Casa Duprat, 1919. Tese (Doutorado em Medicina, Faculdade de Medicina do Rio de Janeiro).

BARROS, Dias. "As conquistas da medicina". *Anais da Biblioteca Nacional*. Rio de Janeiro, 1913. v. 35, pp. 153-62.

BASTOS, José Zeferino. *A epidemia de gripe no Rio de Janeiro em 1918*. Rio de Janeiro: Tipografia Leuzinger, 1919. Tese (Doutorado em Medicina).

BENCHIMOL, Jaime Larry. *Pereira Passos: Um Haussmann tropical — A renovação urbana da cidade do Rio de Janeiro no início do século XX*. Rio de Janeiro: Secretaria Municipal de Cultura, Turismo e Esporte; Departamento Geral de Documentação e Informação Cultural, 1992.

______. *Dos micróbios aos mosquitos: Febre amarela e a revolução pasteuriana no Brasil*. Rio de Janeiro: Editora Fiocruz; Editora UFRJ, 1999.

BRITO, Nara de Azevedo. "Saúde e nação: A campanha de saneamento rural pela imprensa do Rio de Janeiro (1918-1919)". *Estudos de História e Saúde*, Rio de Janeiro: Fundação Oswaldo Cruz, pp. 1-38, 1990.

______. "La dansarina: A gripe espanhola e o cotidiano da cidade do Rio de Janeiro". *História, Ciências, Saúde: Manguinhos*, Rio de Janeiro, v. 4, n. 1, pp. 11-30, 1991.

______. *Oswaldo Cruz: A construção de um mito na ciência brasileira*. Rio de Janeiro: Editora Fiocruz, 1995.

CARVALHO, Álvaro. *Anais da Câmara dos Deputados*, sessão de 28 de outubro de 1918, v. X.

CASTRO, Ruy. *Metrópole à beira-mar: O Rio moderno dos anos 20*. São Paulo: Companhia das Letras, 2019.

CHAGAS FILHO, Carlos. *Meu pai*. Rio de Janeiro: Casa de Oswaldo Cruz; Editora Fiocruz, 1993.

CHALHOUB, Sidney. *Cidade febril: Cortiços e epidemias na corte imperial*. São Paulo: Companhia das Letras, 1996.

COELHO, Edmundo Campos. *As profissões imperiais: Medicina, engenharia e advocacia no Rio de Janeiro (1822-1930)*. Rio de Janeiro: Record, 1999.

FONTENELLE, J. P. "Comentário médico-higiênico sobre a epidemia de influenza maligna". *Saúde*, Rio de Janeiro, v. 2, n. 3, p. 48, 1919.

GAMA, Arthur Oscar Saldanha da. *A Marinha do Brasil na Primeira Guerra Mundial*. Rio de Janeiro: Capemi, 1982.

GOMES, Angela de Castro. "A política brasileira em busca da modernidade: A fronteira entre o público e o privado". In: SCHWARCZ, Lilia Moritz (Org.). *História da vida privada 4: Contrastes da intimidade contemporânea*. São Paulo: Companhia das Letras, 1998. pp. 490-558.

GOULART, Adriana da Costa. *Um cenário mefistofélico: A gripe espanhola no Rio de Janeiro*. Niterói: UFF, 2003. Tese (Mestrado em História).

______. "Revisitando a espanhola: A gripe pandêmica de 1918 no Rio de Janeiro". *História, Ciências, Saúde: Manguinhos*, Rio de Janeiro, v. 12, n. 1, pp. 101-42, 2005.

HAGER, Thomas. *Dez drogas: As plantas, os pós e as pílulas que mudaram a história da medicina*. São Paulo: Todavia, 2020.

HOCHMAN, Gilberto. "Regulando os efeitos da interdependência: Sobre as relações entre saúde pública e construção do Estado (Brasil, 1910-1930)". *Estudos Históricos*, Rio de Janeiro, v. 6, n. 1, pp. 40-61, 1994.

______. *A era do saneamento: As bases da política de saúde pública no Brasil*. São Paulo: Hucitec; Anpocs, 1998.

______. "Condenados pela raça, absorvidos pela medicina: O Brasil descoberto pelo movimento sanitarista da Primeira República". In: MAIO, Marcos Chor; SANTOS, Ricardo Ventura (Orgs.). *Raça, ciência e sociedade*. Rio de Janeiro: Editora Fiocruz; Centro Cultural Banco do Brasil, 1996. pp. 23-40.

KOLATA, Gina. *Gripe: A história da pandemia de 1918*. Rio de Janeiro: Record, 2002.

LATOUR, Bruno. *A ciência em ação: Como seguir cientistas e engenheiros sociedade afora*. São Paulo: Editora Unesp, 2000.

MONCORVO FILHO, Arthur Ferreira. *O pandemônio de 1918: Subsídio ao histórico da epidemia de gripe que em 1918 assolou o território do Brasil*. Rio de Janeiro: Departamento Nacional da Criança, 1924.

MOREIRA, Juliano. "Distúrbios psíquicos no curso da influenza durante a última pandemia". *Archivos Brasileiros de Medicina*, Rio de Janeiro, ano 9, n. 5, pp. 283--305, 1919.

NASCIMENTO, Nicanor. *Anais da Câmara dos Deputados*, sessão de 28 de outubro de 1918, v. X.

PEREIRA NETO, André de Faria. *Ser médico no Brasil: O presente no passado*. Rio de Janeiro: Editora Fiocruz, 2001. (Coleção História e Saúde.)

PINTO, Octavio. "A epidemia de gripe no Rio de Janeiro: Seus pródromos e formas clínicas". *Archivos Brasileiros de Medicina*, Rio de Janeiro, ano 9, n. 5, pp. 331-40, 1919.

PIRES, Acácio. "A gripe e a terapêutica". *Saúde*, Rio de Janeiro, v. 2, n. 1, pp. 2-13, jan.-fev. 1919.

ROSENBERG, Charles E. *Explaining Epidemics and Other Studies in the History of Medicine*. Nova York: Cambridge University Press, 1992.

SAMPAIO, Gabriela dos Reis. *Nas trincheiras da cura: As diferentes medicinas no Rio de Janeiro imperial*. Campinas: Editora da Unicamp; Cecult; IFCH, 2001.

SANTOS, Luiz Antonio Castro. "Estado e saúde pública no Brasil (1889-1930)". *Dados*, Rio de Janeiro, v. 23, n. 2, pp. 237-50, 1980.

______. "O pensamento sanitarista na Primeira República: Uma ideologia de construção da nacionalidade". *Dados*, Rio de Janeiro, v. 2, n. 28, pp. 193-210, 1985.

SCHATZMAYR, Hermann G.; CABRAL, Maulori C. *A virologia no estado do Rio de Janeiro: Uma visão global*. 2. ed. Rio de Janeiro: Editora Fiocruz, 2012.

SCHWARCZ, Lilia Moritz. *O espetáculo das raças: Cientistas, instituições e questão racial no Brasil, 1870-1930*. São Paulo: Companhia das Letras, 1993.

SEIDL, Carlos. "A função governamental em matéria de higiene". *Anais da Biblioteca Nacional*. Rio de Janeiro, 1913. v. 35, pp. 175-90.

______. *Anais da Academia Nacional de Medicina*, sessão de 10 de outubro de 1918.

______. *A propósito da pandemia de gripe de 1918: Fatos e argumentos irrespondíveis*. Rio de Janeiro: Bernard Frères, 1919.

SEVCENKO, Nicolau. *A Revolta da Vacina: Mentes insanas em corpos rebeldes*. São Paulo: Brasiliense, 1984.

______. *Orfeu extático na metrópole: São Paulo, sociedade e cultura nos frementes anos 20*. São Paulo: Companhia das Letras, 1992.

SONTAG, Susan. *Doença como metáfora/ Aids e suas metáforas*. 3. ed. Rio de Janeiro: Graal, 2002.

STEPAN, Nancy. *Gênese e evolução da ciência brasileira: Oswaldo Cruz e a política de investigação científica e médica*. Rio de Janeiro: Arte Nova, 1976.

TEIXEIRA, Luiz Antonio. *Medo e morte: Sobre a epidemia de gripe espanhola de 1918*. Rio de Janeiro: UERJ; Instituto de Medicina Social, 1993. (Série Estudos de Saúde Coletiva, n. 59.)

TOGNOTTI, Eugenia. "Scientific Triumphalism and Learning from Facts: Bacteriology and the Spanish Flu Challenge of 1918". *Social History of Medicine*, Oxford, v. 16, n. 1, pp. 97-110, 2003.

VIANNA, Sampaio. *Anuário de estatística demógrafo-sanitária*. Rio de Janeiro: Diretoria-Geral de Saúde Pública, 1919.

Jornais e revistas

A Noite, Rio de Janeiro, 23 set. 1918.
A Noite, Rio de Janeiro, 11 out. 1918.
A Noite, Rio de Janeiro, 13 out. 1918.
A Noite, Rio de Janeiro, 15 out. 1918.
A Noite, Rio de Janeiro, 17 out. 1918.
A Noite, Rio de Janeiro, 19 out. 1918.
A Noite, Rio de Janeiro, 21 out. 1918.
A Noite, Rio de Janeiro, 24 out. 1918.
A Noite, Rio de Janeiro, 26 out. 1918.
A Noite, Rio de Janeiro, 3 nov. 1918.
A Noite, Rio de Janeiro, 11 nov. 1918.
A Noite, Rio de Janeiro, 2 dez. 1918.
Careta, Rio de Janeiro, out.-nov. 1918.
Gazeta de Noticias, Rio de Janeiro, 9 out. 1918.
Gazeta de Noticias, Rio de Janeiro, 13 out. 1918.
Gazeta de Noticias, Rio de Janeiro, 14 out. 1918.
Gazeta de Noticias, Rio de Janeiro, 15 out. 1918.
Gazeta de Noticias, Rio de Janeiro, 16 out. 1918.
Gazeta de Noticias, Rio de Janeiro, 19 out. 1918.
O Imparcial, Rio de Janeiro, 29 set. 1918.
O Paiz, Rio de Janeiro, 2 out. 1918.
O Paiz, Rio de Janeiro, 24 out. 1918.
O Paiz, Rio de Janeiro, 1 nov. 1918.
O Paiz, Rio de Janeiro, 5 nov. 1918.

6. SÃO PAULO "ESPANHOLADA"

BERTOLLI FILHO, Cláudio. *Epidemia e sociedade: A gripe espanhola no município de São Paulo*. São Paulo: USP, 1986. Tese (Mestrado em História Social).

______. "Os usos da enfermidade: A febre tifoide na República Velha". *Anais da V Reunião da Sociedade Brasileira de Pesquisa Histórica*. Curitiba: SBPH, 1986. pp. 245-52.

______. "A gripe espanhola em São Paulo". *Ciência Hoje*, São Paulo, v. 10, n. 58, pp. 31-41, 1989.

______. "A gripe espanhola no município de São Paulo". In: SPÍNOLA, Aracy Witt de Pinho et al. *Pesquisa social em saúde*. São Paulo: Cortez, 1992. pp. 280-91.

BERTOLLI FILHO, Cláudio. *A gripe espanhola em São Paulo, 1918: Epidemia e sociedade*. São Paulo: Paz e Terra, 2003.

BERTUCCI, Liane Maria. *Influenza, a medicina enferma: Ciência e práticas de cura na época da gripe espanhola em São Paulo*. Campinas: Editora da Unicamp, 2002. Tese (Doutorado em História).

______. "'Conselhos ao povo': Educação contra a influenza de 1918". *Cadernos Cedes*, Campinas, v. 23, n. 59, pp. 103-18, 2003.

______. "Remédios, charlatanices e curandeirices: Práticas de cura no período da gripe espanhola em São Paulo". In: CHALHOUB, Sidney et al. (Orgs.). *Artes e ofícios de curar no Brasil: Capítulos de história social*. Campinas: Editora da Unicamp, 2003.

______."Entre doutores e para leigos: Fragmentos do discurso médico na influenza de 1918". *História, Ciências, Saúde: Manguinhos*, Rio de Janeiro, v. 12, n. 1, pp. 143--57, 2005.

BOSI, Ecléa. *Memória e sociedade: Lembranças de velhos*. São Paulo: T. A. Queiroz; Edusp, 1987.

DAMACENA NETO, Leandro Carvalho. "A gripe espanhola de 1918 na cidade de São Paulo: Notas sobre o 'cotidiano epidêmico' na 'Metrópole do Café'". *Histórica*, São Paulo, n. 29, jan. 2008.

GAMA, Arthur Oscar Saldanha da. *A Marinha do Brasil na Primeira Guerra Mundial*. Rio de Janeiro: Capemi, 1982.

KLEIN, Herbert S. "A integração dos imigrantes italianos no Brasil, na Argentina e nos Estados Unidos". *Novos Estudos Cebrap*, São Paulo, n. 25, pp. 95-117, 1989.

MEYER, Carlos Luiz; TEIXEIRA, Joaquim Rabello. *A gripe epidêmica no Brasil e especialmente em São Paulo*. São Paulo: Casa Duprat, 1920.

"MISSÃO Médica Brasileira". *Revista de Medicina*, São Paulo, v. 2, n. 9-10, pp. 74-7, ago.-set. 1918.

MONCORVO FILHO, Arthur Ferreira. *O pandemônio de 1918: Subsídio ao histórico da epidemia de gripe que em 1918 assolou o território do Brasil*. Rio de Janeiro: Departamento Nacional da Criança, 1924.

SILVEIRA, Anny Jackeline Torres. "A medicina e a influenza espanhola de 1918". *Tempo*, Rio de Janeiro, v. 10, n. 19, pp. 91-105, 2005.

TOLEDO, Roberto Pompeu de. *A capital da vertigem: Uma história de São Paulo de 1900 a 1954*. Rio de Janeiro: Objetiva, 2015.

Documentos

CORRESPONDÊNCIA — Telegramas de Altino Arantes para o deputado Nabuco de Gouveia, em 24 de julho de 1918. Fundo Altino Arantes. Arquivo Público do Estado de São Paulo.

DIÁRIO íntimo de Altino Arantes. v. 9. 1918. Arquivo Privado Altino Arantes (Digitalizado). Arquivo Público do Estado de São Paulo.

RELATÓRIO apresentado ao exmo. snr. dr. Altino Arantes, presidente do estado, pelo secretário do Interior, Oscar Rodrigues Alves, ano 1918. Estado sanitário. Anos, população, óbitos, 1919. Fundo Arthur Neiva. CPDOC-FGV.

RELATÓRIO sobre a epidemia de gripe espanhola de 1918 no município de São Paulo: Ofício n. 477. Arquivo Privado Washington Luís. Arquivo Público do Estado de São Paulo.

Jornais e revistas

A Capital, São Paulo, 6 nov. 1918.
A Gazeta, São Paulo, 22 out. 1918.
A Vida Moderna, São Paulo, out.-nov. 1918.
Correio Paulistano, São Paulo, 22 out. 1918.
Correio Paulistano, São Paulo, 26 out. 1918.
Correio Paulistano, São Paulo, 1 dez. 1918.
Fon-Fon, Rio de Janeiro, 5 out. 1918.
Gazeta de Noticias, Rio de Janeiro, 29 set. 1918.
Jornal do Commercio, São Paulo, 8 nov. 1918.
O Combate, São Paulo, 16 out. 1918.
O Combate, São Paulo, 24 out. 1918.
O Combate, São Paulo, 2 nov. 1918.
O Combate, São Paulo, 4 nov. 1918.
O Combate, São Paulo, 13 nov. 1918.
O Combate, São Paulo, 16 nov. 1918.
O Combate, São Paulo, 21 nov. 1918.
O Combate, São Paulo, 23 nov. 1918.
O Estado de S. Paulo, São Paulo, 17 out. 1918.
O Estado de S. Paulo, São Paulo, 21 out. 1918.
O Estado de S. Paulo, São Paulo, 2 nov. 1918.

7. BELO HORIZONTE: A CIDADE QUE SE JULGAVA SALUBRE

ALMEIDA, Christobaldo Motta de. "Samuel Libânio". Academia Mineira de Medicina. Disponível em: <http://www.acadmedmg.org.br/ocupante/cadeira-41-patrono-samuel-libanio/>. Acesso em: 13 ago. 2020.

ANTUNES, Américo (Coord.). *Os governadores: História de Minas Gerais*. Belo Horizonte: Lastro, 2008.

BARRY, John M. *The Great Influenza: The Story of the Deadliest Pandemic in History*. Londres: Penguin, 2005.

CARSALADE, Flávio de Lemos. *Estação em movimento: A história da praça da Estação em Belo Horizonte*. Belo Horizonte: Elos, 2016.

CASTRO, Maria Céres Pimenta Spínola et al. *Folhas do tempo: Imprensa e cotidiano em Belo Horizonte 1895-1926*. Belo Horizonte: Editora UFMG; Associação Mineira de Imprensa; Prefeitura Municipal de Belo Horizonte, 1997.

CHAVES, Bráulio Silva. "Os primeiros tempos: A ciência e a cidade moderna". In: STARLING, Heloisa Maria Murgel; GERMANO, Lígia Beatriz de Paula; MARQUES, Rita de Cássia (Orgs.). *Fundação Ezequiel Dias: Um século de promoção e proteção à saúde*. Belo Horizonte: Editora UFMG, 2007. pp. 22-89.

GÓES, Luis. *Bairro Floresta: História e toponímia*. Belo Horizonte: Edição do Autor, 2008.

GOUVEIA, Maria de Lourdes Caldas. *O cemitério do Bonfim como símbolo da cidade*. Belo Horizonte: Akala, 2015.

JULIÃO, Letícia. *Belo Horizonte: Itinerários da cidade moderna (1891-1920)*. Belo Horizonte: UFMG, 1992. Tese (Mestrado em História).

MAGALHÃES, Beatriz de Almeida; ANDRADE, Rodrigo Ferreira. *Belo Horizonte: Um espaço para a República*. Belo Horizonte: Editora UFMG, 1989.

MARQUES, Rita de Cássia. "A pandemia gripal de 1918 em Minas Gerais". *Revista Médica de Minas Gerais*, Belo Horizonte, v. 7, n. 1, 1996.

______. "A Faculdade na cidade". In: ______; STARLING, Heloisa Maria Murgel; GERMANO, Lígia Beatriz de Paula (Orgs.). *Medicina: História em exame*. Belo Horizonte: Editora UFMG, 2011.

MEDEIROS, Regina (Org.). *Permanências e mudanças em Belo Horizonte*. Belo Horizonte: Autêntica, 2011.

MOURÃO, Paulo Krüger Corrêa. *História de Belo Horizonte de 1897 a 1930*. Belo Horizonte: Imprensa Oficial do Estado de Minas Gerais, 1970.

PENNA, Octavio. *Notas cronológicas de Belo Horizonte*. Belo Horizonte: Fundação João Pinheiro, 1997.

SALLES, Pedro. *Notas sobre a história da medicina em Belo Horizonte*. Belo Horizonte: Cutiara, 1997.

SANTUCCI, Jane. *Cidade rebelde: As revoltas populares no Rio de Janeiro no início do século XX*. Rio de Janeiro: Casa da Palavra, 2008.

SILVEIRA, Anny Jackeline Torres. *A influenza espanhola e a cidade planejada: Belo Horizonte, 1918*. Belo Horizonte: Argvmentvm, 2007.

STARLING, Heloisa Murgel. "O ano em que Belo Horizonte enfrentou a peste". Especial Minas 300 Anos. Portal G1, 2020. Disponível em: <https://g1.globo.com/mg/minas-gerais/minas-300-anos/noticia/2020/04/14/o-ano-em-que-belo-horizonte-enfrentou-a-peste.ghtml>. Acesso em: 20 ago. 2020.

WERNECK, Nísia Maria Duarte; SILVA, Luiz Henrique Horta. *Rua da Bahia*. Belo Horizonte: UFMG, 1996.

Documentos

ATA da 12ª Sessão da Congregação da Faculdade de Medicina de Belo Horizonte em 21 de outubro de 1918. Belo Horizonte, 3 jan. 1919.

RELATÓRIO apresentado ao exmo. sr. secretário do Interior pelo dr. Samuel Libânio, diretor-geral de Higiene no exercício de 1918. Belo Horizonte: Imprensa Oficial do Estado de Minas Gerais, 1919.

Jornais e revistas

A Nota, Belo Horizonte, 10 out. 1918.

Bahia Illustrada, Salvador, dez. 1918.

Diario de Minas, Belo Horizonte, 3 jan. 1919.

Minas Geraes, Belo Horizonte, 20 out. 1918.

Minas Geraes, Belo Horizonte, 28 out. 1918.

Minas Geraes, Belo Horizonte, 29 out. 1918.

Minas Geraes, Belo Horizonte, 2 nov. 1918.

Minas Geraes, Belo Horizonte, 3 nov. 1918.

Minas Geraes, Belo Horizonte, 4 nov. 1918.

Minas Geraes, Belo Horizonte, 5 nov. 1918.

Minas Geraes, Belo Horizonte, 7 nov. 1918.

Minas Geraes, Belo Horizonte, 9 nov. 1918.

Minas Geraes, Belo Horizonte, 10 nov. 1918.

Minas Geraes, Belo Horizonte, 11 nov. 1918.

Minas Geraes, Belo Horizonte, 12 nov. 1918.

Minas Geraes, Belo Horizonte, 13 nov. 1918.

Minas Geraes, Belo Horizonte, 13 dez. 1918.

8. ESPANHOLA NÃO COMBINA COM CHIMARRÃO

"A TRAJETÓRIA centenária da gripe espanhola". Simers, 26 out. 2018. Disponível em: <http://www.simers.org.br/noticia/a-trajetoria-centenaria-da-gripe-espanhola>. Acesso em: 17 ago. 2020.

ABRÃO, Janete Silveira. *A espanhola em Porto Alegre em 1918*. Porto Alegre: PUCRS, 1995. Tese (Mestrado em História).

______. *Banalização da morte na cidade calada: A hespanhola em Porto Alegre, 1918*. Porto Alegre: EdiPUCRS, 1998.

______."A história de uma epidemia: A 'hespanhola' em Porto Alegre, 1918". *Boletim da Saúde*, Porto Alegre, v. 23, n. 1, pp. 93-9, 2009.

ALVES, Protásio. *Relatório apresentado ao exmo. sr. dr. A. A. Borges de Medeiros, presidente do estado do Rio Grande do Sul, em 30 de agosto de 1919*. Porto Alegre: Oficinas Gráficas d'A Federação, 1919. v. 1.

BARBOSA, Fidélis Dalcin. *Nova história de Lagoa Vermelha*. Porto Alegre: EST, 1981.

BRUM, Maurício. "Porto Alegre com gripe espanhola: Ruas vazias, enterros sem velório e canja de galinha". *Matinal*, 14 fev. 2020. Disponível em <https://matinal.news/porto-alegre-com-gripe-espanhola-ruas-vazias-enterros-sem-velorio-e-canja-de-galinha/>. Acesso em: 17 ago. 2020.

COSTA, Rovílio; DE BONI, Luís Alberto. *Os capuchinhos do Rio Grande do Sul*. Porto Alegre; Caxias do Sul: EST, 1996.

CUNHA, Camila Rosângela da Silva; LIMA, Gláucia Giovana Lixinski de. "A espanhola de exemplo: Relatos de uma pandemia em Porto Alegre através do periódico *O Exemplo*". *Sillogés*, Porto Alegre, v. 1, n. 2, pp. 73-88, 2018.

DAMIN, Cláudio Junior. "A gripe espanhola de 1918 em Lagoa Vermelha". Projeto Lagoa Vermelha Histórica, 15 abr. 2020. Disponível em: <https://www.lagoahistorica.com.br/post/a-gripe-espanhola-de-1918-em-lagoa-vermelha>. Acesso em: 17 ago. 2020.

FERREIRA, Renata Brauner. "A gripe espanhola em Pelotas". *História em Revista*, Pelotas, v. 3, pp. 137-50, 1997.

FLORES, Moacyr. "Notas sobre a gripe espanhola". Instituto Histórico e Geográfico do Rio Grande do Sul, 4 set. 2009. Disponível em: <http://ihgrgs.org.br/artigos/membros/Moacyr%20Flores%20-%20Gripe_Espanhola.pdf>. Acesso em: 17 ago. 2020.

FRANCO, Sérgio da Costa. *Porto Alegre: Guia histórico*. Porto Alegre: Editora da UFRGS, 2006.

GOMES, Arilson dos Santos. "Luciano Raul Panatieri e Veridiano Farias: A trajetória de dois médicos negros sul-rio-grandenses". In: QUEVEDO, Éverton Reis; POMATTI, Angela Beatriz (Orgs.). *Museu de História da Medicina, MUHM: Um acervo vivo que faz ponte entre ontem e o hoje*. Porto Alegre: Evangraf, 2016.

IZIDRO, Chico. "Surto da gripe espanhola completa 100 anos". *Correio do Povo*, Porto Alegre, 14 set. 2018.

KARNOPP, David. *Luteranos em Lagoa Vermelha: Um século de esperanças*. Passo Fundo: Souzagraf, 2018.

KERVALT, Marcelo. "Saiba como foi a reclusão em Porto Alegre nos tempos de gripe espanhola". GaúchaZH, 26 mar. 2020. Disponível em: <https://gauchazh.clicrbs.

com.br/saude/vida/noticia/2020/03/saiba-como-foi-a-reclusao-em-porto-alegre-nos-tempos-da-gripe-espanhola-ck890pciu085801pqudc43h6c.html>. Acesso em: 17 ago. 2020.

KOLATA, Gina. *Gripe: A história da pandemia de 1918.* Rio de Janeiro: Record, 2002.

KÜHN, Fábio. *Breve história do Rio Grande do Sul.* Porto Alegre: Leitura XXI, 2007.

LOPES, Rodrigo. "Caxias em 1918: As medidas públicas para conter a gripe espanhola". *Pioneiro*, Caxias do Sul, 4 abr. 2020.

LOVE, Joseph L. *O regionalismo gaúcho e as origens da Revolução de 1930.* São Paulo: Perspectiva, 1975.

MINAS, Vitor. "Gripe espanhola: Porto Alegre, cidade fantasma". Conselheiro X, 9 ago. 2008. Disponível em: <http://conselheirox.blogspot.com/2008/08/gripe-espanhola-porto-alegre-cidade.html>. Acesso em: 17 ago. 2020.

______. "A gripe espanhola em Porto Alegre, RS". Aqui É Outra História.Com, 18 ago. 2009. Disponível em: <http://aquieoutrahistoria.blogspot.com/2009/08/gripe-espanhola-em-porto-alegre-rs.html>. Acesso em: 17 ago. 2020.

MIRCO, Carmen Helena Braz. *Textos para o estudo da história do município do Rio Grande, XVI-XVIII.* Rio Grande: Edgraf, 1987.

MOREIRA, Paulo Roberto Staudt; CARVALHO, Daniela Vallandro de; VARGAS, Jonas Moreira; SANTOS, Sherol dos. "Entre irmandades e Palácios: A trajetória de um negro devoto e burocrata (o caso Aurélio Veríssimo de Bittencourt — 1848-1919)". *Anais da V Mostra de Pesquisa APERS: Produzindo história a partir de fontes primárias.* Porto Alegre: Corag, 2007. pp. 169-80.

MOREYRA, Álvaro. *As amargas, não...: Lembranças.* Rio de Janeiro: Lux, 1954.

MULLER, Liane Susan. *As contas do meu rosário são balas de artilharia.* Porto Alegre: Pragmatha, 2013.

NASCIMENTO, Rodrigo. "História: Como Santa Cruz enfrentou a gripe espanhola". *Gazeta do Sul*, Santa Cruz do Sul, 23 mar. 2020.

OLINTO, Beatriz Anselmo. *Uma cidade em tempo de epidemia: Rio Grande e a gripe espanhola (RS, 1918).* Florianópolis: Editora da UFSC, 1995. Tese (Mestrado em História).

OLIVEIRA, Ângela Pereira. "A imprensa negra do Rio Grande do Sul e alguns de seus homens". *Espacialidades*, Natal, v. 12, n. 1, pp. 1-125, 2018.

PESAVENTO, Sandra Jatahy. *República Velha gaúcha: Charqueadas, frigoríficos, criadores.* Porto Alegre: L&PM, 1986.

______. *A burguesia gaúcha: Dominação do capital e disciplina do trabalho (RS 1889-1930).* Porto Alegre: Mercado Aberto, 1988.

______. *História do Rio Grande do Sul.* 5. ed. Porto Alegre: Mercado Aberto, 1990.

PESAVENTO, Sandra Jatahy. *O imaginário da cidade: Visões literárias do urbano: Paris, Rio de Janeiro, Porto Alegre.* Porto Alegre: Editora da UFRGS, 1999.

QUEIROZ, Maria Luiza Bertuline. *A Vila do Rio Grande de São Pedro (1737-1822).* Rio Grande: Furg, 1987.

RODRIGUES, Sued de Oliveira. *Casa do Rio Grande: A saga da misericórdia.* Rio Grande: FURG, 1985.

SCLIAR, Moacyr. *Cenas médicas: Pequena introdução à história da medicina.* Porto Alegre: Editora da UFRGS, 1987.

TORRES, Luiz Henrique. "O vírus da gripe espanhola desembarca na cidade: A visão do *Echo do Sul*". *Biblos*, Rio Grande, v. 23, n. 1, pp. 91-9, 2009.
TRINDADE, Hélgio. "República positivista de Júlio de Castilhos". In: SCHWARCZ, Lilia Moritz; STARLING, Heloisa Murgel (Orgs.). *Dicionário da República: 51 textos críticos*. São Paulo: Companhia das Letras, 2019. pp. 329-35.
VERISSIMO, Erico. *O retrato*. Porto Alegre: Globo, 1961. v. 1.
______. *Incidente em Antares*. Porto Alegre: Globo, 1971.
WEIMER, Günter et al. *Urbanismo no Rio Grande do Sul*. Porto Alegre: Editora da UFRGS, 1992.

Documentos

ACERVO do Museu de História da Medicina do Rio Grande do Sul.

Jornais e revistas

A Federação, Porto Alegre, 24 out. 1918.
A Federação, Porto Alegre, 28 out. 1918.
A Federação, Porto Alegre, 1 nov. 1918.
A Federação, Porto Alegre, 11 nov. 1918.
A Federação, Porto Alegre, 13 nov. 1918.
A Federação, Porto Alegre, 27 nov. 1918.
A Federação, Porto Alegre, 23 dez. 1918.
"A GRIPE espanhola de 1918 em Lagoa Vermelha". *A Federação*, Porto Alegre, 23 dez. 1918.
Correio do Povo, Porto Alegre, set.-dez. 1918.
Diario da Tarde, Porto Alegre, 20 nov. 1918.
Gazeta Popular, Lagoa Vermelha, 17 out. 1987.
Mascara, Porto Alegre, 19 out. 1918.
Mascara, Porto Alegre, 26 out. 1918.
Mascara, Porto Alegre, 23 nov. 1918.
Mensageiro Lutherano, Porto Alegre, 1 fev. 1919.
MORAES, Demétrio Dias de. "Os intendentes". *O Exemplo*, Porto Alegre, 1918-19.
"ROLHA, — A bem da saúde pública". *A.B.C.*, Rio de Janeiro, ano 4, n. 191, 2 nov. 1918.
Staffetta Rio-Grandense, Garibaldi, 5 dez. 1918.
Staffetta Rio-Grandense, Garibaldi, 9 jan. 1919.

9. A ESPANHOLA NA TERRA DA BORRACHA

ABREU JR., José Maria de Castro. *O vírus e a cidade: Rastros da gripe espanhola no cotidiano da cidade de Belém (1918)*. Belém: UFPA, 2018. Tese (Doutorado em História).
______; MIRANDA, Aristoteles Gulliod. "Hospital de Isolamento Domingos Freire". *Anais do III Encontro da Associação Nacional de Pesquisa em Pós-Graduação em Arquitetura e Urbanismo*. São Paulo: Universidade Presbiteriana Mackenzie, 2014.
ALVES, Isidoro Maria da Silva. *O carnaval devoto: Um estudo sobre a festa de Nazaré, em Belém*. Petrópolis: Vozes, 1980.
BAZE, Abrahim. *125 anos de história (1873-1998): Real e Benemérita Sociedade Beneficente do Amazonas*. Manaus: Editora Valer, 1998.
BECKMANN, Clodoaldo. "A medicina no Pará no início do século XX e a instituição do ensino médico". *Revista de Cultura do Pará*, Belém, v. 14, n. 2, pp. 129-264, jul. 2003.

BELTRÃO, Jane Felipe. *Cólera, o flagelo da Belém do Grão-Pará*. Campinas: Editora da Unicamp, 1999. Tese (Doutorado em História).

BITTENCOURT, Agnello. *Dicionário amazonense de biografias: Vultos do passado*. Rio de Janeiro: Conquista, 1973.

BORGES, Ricardo. *Vultos notáveis do Pará*. 2. ed. Belém: Cejup, 1986.

BUENO, Jerônimo Carvalho. *História da medicina em Goiás*. Goiânia: Edição do Autor, 1979.

CABRAL, Adriana Brito Barata. *De lazareto a leprosário: Políticas de combate à lepra em Manaus (1921-1942)*. Manaus: Ufam, 2010. Tese (Mestrado em História).

CANCELA, Cristina Donza. "A presença portuguesa em Belém: Percepções, circulação e experiência (1850-1920)". In: SARGES, Maria de Nazaré; LACERDA, Franciane Gama (Orgs.). *Belém do Pará: História, cultura e cidade. Para além dos 400 anos*. 2. ed. Belém: Ed. Açaí, 2016. pp. 100-18.

CARVALHO, João Batista Penna. "Evolução da medicina no Pará". *Pará-Medico*, v. 8, n. 10, pp. 205-28, 1922.

COELHO, Márcio Oliveira de Castro. *Terena e Guarani na reserva indígena de Araribá: Um estudo etnográfico da aldeia tereguá*. São Carlos: UFSCar, 2016. Tese (Mestrado em Antropologia Social).

COSTA, Cybele Morais da. *Socorros públicos: As bases da saúde pública na província do Amazonas (1852-1880)*. Manaus: Ufam, 2008. Tese (Mestrado em História).

COSTA, Éden Moraes da. *Médico de ontem e de hoje: Ciência, fé e santidade no culto a Camilo Salgado (1874-1938) em Belém do Pará*. Belém: UFPA, 2004. Tese (Mestrado em História).

COSTA, Francisca Deusa Sena da. *Quando viver ameaça a ordem urbana: Trabalhadores urbanos em Manaus 1890-1915*. São Paulo: PUCSP, 1997. Tese (Mestrado em História).

COSTA, Hideraldo Lima da. *Questões à margem do "Encontro" do Velho com o Novo Mundo: Saúde e doença no país das amazonas (1850-1889)*. São Paulo: PUCSP, 2002. Tese (Doutorado em História).

CRUZ, Ernesto. *História do Pará*. Belém: Governo do Estado do Pará, 1973. v. 2.

DAOU, Ana Maria. *A belle époque amazônica*. 3. ed. Rio de Janeiro: Zahar, 2004.

DEAN, Warren. *A luta pela borracha no Brasil: Um estudo de história ecológica*. São Paulo: Nobel, 1989.

DIAS, Edinea Mascarenhas. *A ilusão do fausto: Manaus, 1890-1920*. 2. ed. Manaus: Editora Valer, 2007.

DIAS, Leônidas Braga. "O *Pará-Medico*". In: BORDALO, Alípio Augusto Barbosa; BICHARA, Carlos David Araújo; PANDOLFO, Sérgio Martins (Orgs.). *A Sociedade Médico-Cirúrgica e a medicina no Pará*. Belém: Sociedade Médico-Cirúrgica do Pará, 2002.

FEITOSA, J. A. Dantas. *A educação no Pará: Documentário*. Belém: Seduc, 1987.

FERREIRA, Sylvio Mário Puga. *Federalismo, economia exportadora e representação política: O Amazonas na República Velha: 1889-1914*. Manaus: Editora da Ufam, 2007.

FIGUEIREDO, Aldrin Moura de. "Anfiteatro da cura: Pajelança e medicina na Amazônia no limiar do século XX". In: CHALHOUB, Sidney et al.(Orgs.). *Artes e ofícios de curar no Brasil*. Campinas: Editora da Unicamp, 2003. pp. 273-304.

FIGUEIREDO, Aldrin Moura de. "Esculápios bélicos: A Sociedade Médico-Cirúrgica do Pará e as efemérides cívicas da nação brasileira, 1914-1922". *Documentos Culturais*, Belém, v. 7, n. 1, pp. 41-50, 2006.

GALVÃO, Manoel Dias. *A história da medicina em Manaus*. Manaus: Editora Valer, 2003.

GAMA, Rosineide de Melo. *Dias mefistofélicos: A gripe espanhola nos jornais de Manaus (1918-1919)*. Manaus: Ufam, 2013. Tese (Mestrado em História).

GORDON JÚNIOR, César C. *Aspectos da organização social jê: De Nimuendajú à década de 90*. Rio de Janeiro: Museu Nacional, 1996. Tese (Mestrado em Antropologia).

"HOSPITAL Dom Luiz I". In: *Belém da saudade: A memória da Belém do início do século em cartões-postais*. Belém: Secult, 1996. p. 174.

LACERDA, Franciane Gama. "Cidade viva: Belém do Pará na virada do século XIX para o XX". In: ______; SARGES, Maria de Nazaré (Orgs.). *Belém do Pará: História, cultura e cidade. Para além dos 400 anos*. Belém: Ed. Açaí, 2016. pp. 93-112.

LE GOFF, Jacques. "As plantas que curam". In: ______ (Org.). *As doenças têm história*. Lisboa: Terramar, 1997. pp. 329-42.

LEAL, Davi Avelino. *Entre barracões, varadouros e tapiris: Os seringueiros e as relações de poder nos seringais do rio Madeira (1880-1930)*. Manaus: Ufam, 2007. Tese (Mestrado em História).

LEAL, Oscar. *Viagens às terras goyanas (Brazil Central)*. Goiânia: Editora UFG, 1980.

LIMA, Regina Márcia de Jesus. *A província do Amazonas e o sistema político do Segundo Reinado*. Niterói: UFF, 1978. Tese (Mestrado em História).

LOUREIRO, Antonio José Souto. *A grande crise (1908-1916)*. Manaus: Edição do Autor, 1986.

______. *Tempos de esperança: Amazonas, 1917-1945*. Manaus: Sergio Cardoso, 1994.

______. *História da medicina e das doenças no Amazonas*. Manaus: Gráfica Lorena, 2004.

MARTINS, Maria José Moraes. "*Bacillus influenzai* ou *Micrococcus catarrhalis*? Controvérsias médicas durante a epidemia de gripe espanhola em Belém, 1918". *Revista Estudos Amazônicos*, Belém, v. 11, n. 2, pp. 183-207, 2015.

______. *A gripe espanhola em Belém, 1918: Cidade, cotidiano e medicina*. Belém: UFPA, 2016. Tese (Mestrado).

MATTA, Alfredo Augusto da. *Paludismo, varíola, tuberculose em Manaus: Ligeiro estudo precedido de algumas palavras sobre Manaus*. São Paulo: Typographia Brazil-Rothschild, 1909.

MESQUITA, Otoni Moreira de. *Manaus: História e arquitetura — 1852-1910*. Manaus: Editora da Ufam, 1997.

______. *La Belle Vitrine: Manaus entre dois tempos (1890-1900)*. Manaus: Fapeam, 2009.

MIRANDA, Aristoteles Guilliod. *A epidemiologia das doenças infecciosas no início do século XX e a criação da Faculdade de Medicina e Cirurgia do Pará*. Belém: UFPA, 2013. Tese (Doutorado em Biologia de Agentes Infecciosos e Parasitários).

______; ABREU JR., José Maria de Castro. "As primeiras sociedades médicas do estado do Pará, Brasil". *Revista Pan-Amazônica de Saúde*, Ananindeua, v. 4, n. 2, pp. 11-7, 2013.

MIRANDA, Victorino Coutinho Chermont de. *A família Chermont: Memória histórica e genealógica*. 2. ed. Rio de Janeiro: Edição do Autor, 2016.

MOREIRA, Eidorfe. "Visão geossocial do Círio" (1971). In: *Obras reunidas de Eidorfe Moreira*. Belém: Cejup, 1989. v. IV, pp. 79-112.

NASCIMENTO, Hannah Fernandes; MORAES, Renata Maria Valente; CAMPELO, Marilu Márcia. "Prática e ritual da pajelança cabocla no meio urbano, em Belém/Pará". *Anais da 57ª Reunião Anual da Sociedade Brasileira para o Progresso da Ciência (SBPC)*. Fortaleza, 2005.

"NOTICIÁRIO". *Pará-Medico*, Belém, ano 24, v. 7, n. 16, p. 31, 1938.

PINHEIRO, Luiza Ugarte. *A cidade sobre os ombros: Trabalho e conflito no porto de Manaus (1899-1925)*. 2. ed. Manaus: EDUA, 2000.

PINHO, Fernando Augusto Souza. "Paris, Rio de Janeiro, Belém: Circulação de ideias e práticas na modernização das cidades brasileiras na virada do século XX". *Anais da XVI Semana de Planejamento Urbano e Regional*. Rio de Janeiro: UFRJ, 2010.

RIBEIRO, Darcy. *Os índios e a civilização: A integração das populações indígenas no Brasil moderno*. São Paulo: Companhia das Letras, 1996.

RITZMANN, Iracy de Almeida Gallo. *Belém: Cidade miasmática (1878-1900)*. São Paulo: PUCSP, 1997. Tese (Mestrado em História).

SAMPAIO, Patrícia Melo (Org.). *O fim do silêncio: Presença negra na Amazônia*. Belém: Ed. Açaí; CNPq, 2011.

"A SANTA Casa de Misericórdia do Pará". *Pará-Medico*, Belém, ano 8, v. 2, n. 10, set. 1922.

SANTOS, Fernando Dumas dos; MUAZE, Mariana de Aguiar Ferreira. *Tradições em movimento: Uma etno-história da saúde e da doença nos vales dos rios Acre e Purus*. Brasília: Paralelo 15, 2002.

SANTOS, Roberto. *História econômica da Amazônia (1800-1920)*. São Paulo: T. A. Queiroz, 1980.

SANTOS JÚNIOR, Paulo Marreiro dos. "Pobreza e prostituição na belle époque manauara: 1890-1917". *Revista de História Regional*, Ponta Grossa, v. 10, n. 2, pp. 87-108, 2005.

SARGES, Maria de Nazaré. *Memórias do velho intendente Antonio Lemos (1869-1973)*. Belém: Paka-Tatu, 2004.

SCHWEICKARDT, Júlio. *Ciência, nação e região: As doenças tropicais e o saneamento no estado do Amazonas (1890-1930)*. Manaus: Editora Fiocruz; Casa de Oswaldo Cruz, 2009.

______; LIMA, Nísia Trindade. "Os cientistas brasileiros visitam a Amazônia: As viagens científicas de Oswaldo Cruz e Carlos Chagas (1910-1913)". *História, Ciências, Saúde: Manguinhos*, Rio de Janeiro, v. 14, pp. 15-50, 2007.

______. "Do 'inferno florido' à esperança do saneamento: Ciência, natureza e saúde no estado do Amazonas durante a Primeira República (1890-1930)". *Boletim do Museu Paraense Emílio Goeldi — Ciências Humanas*, Belém, v. 5, n. 2, pp. 399-416, 2010.

SILVA, Júlio Santos da. *Adoecendo na cidade da borracha: Manaus (1877-1920)*. Manaus: Ufam, 2012. Tese (Mestrado em História).

SOUZA, Lorena; FONSECA, Regina Vitoria (Orgs.). *Marcas do tempo: Registro das marcas comerciais do Pará — 1895 a 1922*. Belém: Secult; Jucepa, 2015.

WEINSTEIN, Barbara. *A borracha na Amazônia: Expansão e decadência, 1850-1920*. São Paulo: Hucitec; Edusp, 1993.

Documentos

ACERVO Spi\Inspetoria-Regional-1_Ir1\999_Vários-Postos\Caixa 56\Planilha 394. Cód.: TRB10034.9999. Rótulo: MI_Arquivis. Museu do Índio — Acervo Arquivístico.

ACERVO Spi\Inspetoria-Regional-4_Ir4\999_Vários-Postos\Caixa 195 (1)\Planilha 001 (2)(1). Cód.: TRB10034.9999. Rótulo: MI_Arquivis. Museu do Índio — Acervo Arquivístico.

ACERVO Spi\Inspetoria-Regional-4_Ir4\999_Vários-Postos\Caixa 195\Planilha 001 (1). Cód.: TRB10034.9999. Rótulo: MI_Arquivis. Museu do Índio — Acervo Arquivístico.

ACERVO Spi\Inspetoria-Regional-5_Ir5\666_Sede-Da-Inspetoria\Caixa 30\Planilha 296 (1). Cód.: TRB10034.9999. Rótulo: MI_Arquivos. Museu do Índio — Acervo Arquivístico.

COMISSÃO Rondon. Marechal Boanerges Lopes de Sousa. Do rio Negro ao Orenoco. Publicação 111. Cód.: TRB01646.0046. Rótulo: MI_Biblio. Museu do Índio — Acervo Bibliográfico.

Jornais e revistas

Boletim Comissão Pró-Índio de São Paulo, São Paulo, n. 9, 1982.

Porantim, Brasília, n. 14, 1979.

Revista de Antropologia, São Paulo, n. 14, 1966.

Revista de Atualidade Indígena, Brasília, n. 19, 1979.

Revista de Estudos e Pesquisas (Funai), Brasília, n. 1, 2004.

Série Antropologia (UnB), Brasília, n. 338, 2003.

Tellus, Campo Grande, n. 24, 2013.

Belém

A Noite, Rio de Janeiro, 30 ago. 1918.

A Palavra, Belém, 14 nov. 1918.

A Província do Pará, Belém, 13 maio 1972.

A Semana, Belém, 2 nov. 1918.

A Semana, Belém, 7 maio 1921.

A Semana, Belém, 17 set. 1921.

A Semana, Belém, 21 jan. 1922.

A Semana, Belém, 27 maio 1922.

A Semana, Belém, 21 abr. 1923.

A Semana, Belém, 11 out. 1924.

A Semana, Belém, 6 jan. 1926.

Careta, Rio de Janeiro, 7 fev. 1920.

Diario de São Paulo, 13 out. 1934.

Folha do Norte, Belém, out.-nov. 1918.

Fon-Fon, Rio de Janeiro, 14 set. 1918.

Fon-Fon, Rio de Janeiro, 9 nov. 1918.

O Dia, Florianópolis, 4 set. 1918.

O Estado do Pará, Belém, out.-nov. 1918.

O Paiz, Rio de Janeiro, 30 ago. 1918.

Pará Illustrado, Belém, 20 jun. 1942.

Manaus

A Capital, Manaus, out.-nov. 1918.
A Imprensa, Manaus, 1912, 1913, nov.-dez. 1918.
A Lanceta, Manaus, 1912-14.
A Marreta, Manaus, maio-jun., out.-dez. 1918.
A Marreta, Manaus, fev. 1919.
A União, Manaus, 1914.
Correio de Serpa, Itacoatiara, 1912-13.
Correio Oficial, Cidade de Goiás, out.-nov. 1918.
Correio Oficial, Cidade de Goiás, jan.-fev. 1919.
El Hispano Amazonense, Manaus, 30 nov. 1918.
Folha do Amazonas, Manaus, 21 set. 1910.
Fon-Fon, Rio de Janeiro, ago.-set. 1918.
Gazeta da Tarde, Manaus, set.-out. 1918.
Gazeta da Tarde, Manaus, fev. 1919.
Imparcial, Manaus, mar.-maio, out.-dez. 1918.
Imparcial, Manaus, fev.-mar. 1919.
Jornal do Commercio, Manaus, ago., nov.-dez. 1918.
Jornal do Commercio, Manaus, fev.-mar. 1919.
KCT, Rio de Janeiro, 31 out. 1918.
KCT, Rio de Janeiro, 30 nov. 1918.
O Chicote, Manaus, 1913.
O Conservador, Manaus, 1912-16.
O Minuto, Manaus, nov. 1918.
O Popular, Goiânia, 31 out. 1977.
Rio Madeira, Manicoré, 22 dez. 1918.

10. QUEM MATOU RODRIGUES ALVES?

BARBOSA, Francisco de Assis. *Retratos de família*. Rio de Janeiro: José Olympio, 1954.
BLOCH, Marc. *Réflexions d'un historien sur les fausses nouvelles de la guerre*. Paris: Allia, 1999.
______. *Os reis taumaturgos*. São Paulo: Companhia das Letras, 2005.
CARVALHO, José Murilo de. *A formação das almas: O imaginário da República no Brasil*. São Paulo: Companhia das Letras, 1990.
CASTRO, Ruy. *Metrópole à beira-mar: O Rio moderno dos anos 20*. São Paulo: Companhia das Letras, 2019.
FRANCO, Afonso Arinos de Melo. *Rodrigues Alves: Apogeu e declínio do presidencialismo*. Brasília: Senado Federal, 2001. 2 v.
GONÇALVES, João Felipe. "Enterrando Rui Barbosa: Um estudo de caso da construção de heróis nacionais na Primeira República". *Estudos Históricos*, Rio de Janeiro, v. 14, n. 25, pp. 135-61, 2000.
KAPFERER, Jean-Nöel. *Rumors: Uses, Interpretation, and Images*. Londres: Routledge, 2017.
LEVIN, Jack; ARLUKE, Arnold. *Gossip: The Inside Scoop*. Nova York: Da Capo Press, 1987.
LOVE, Joseph L. *O regionalismo gaúcho e as origens da Revolução de 1930*. São Paulo: Perspectiva, 1975.
______. *A locomotiva: São Paulo na federação brasileira 1889-1937*. Rio de Janeiro: Paz e Terra, 1982.
LUSTOSA, Isabel. *Histórias de presidentes: A República no Catete 1897-1960*. Rio de Janeiro: Agir, 2008.

MARCELINO, Douglas Attila. *O corpo da Nova República: Funerais presidenciais, representação histórica e imaginário político*. Rio de Janeiro: Editora FGV, 2015.

NORA, Pierre. "Entre a memória e a história: A problemática dos lugares". *Projeto História*, São Paulo, n. 10, pp. 7-28, 1993.

SCHWARCZ, Lilia Moritz. *As barbas do imperador: D. Pedro II, um monarca nos trópicos*. São Paulo: Companhia das Letras, 1998.

SILVA, Hélio; CARNEIRO, Maria Cecília Ribas. *História da República Brasileira: Entre paz e guerra, 1915-1919*. São Paulo: Editora Três, 1975.

SIMAS, Luiz Antônio. *O evangelho segundo os jacobinos: Floriano Peixoto e o mito de salvador da República brasileira*. Rio de Janeiro: UFRJ, 1994. Tese (Mestrado em História Social).

VISCARDI, Cláudia Maria Ribeiro. *O teatro das oligarquias: Uma revisão da "política do café com leite"*. Belo Horizonte: C/Arte, 2001.

WESTIN, Ricardo. "Em 1918, gripe espanhola espalha morte e pânico, faz escolas aprovarem todos os alunos e leva à criação da caipirinha". Arquivo S, Agência Senado, 3 set. 2018. Disponível em: <https://www12.senado.leg.br/noticias/infograficos/2018/09/epidemia-de-gripe-espanhola-no-brasil-mata-presidente-faz-escolas-aprovarem-todos-os-alunos-e-leva-a-criacao-da-caipirinha>.

Jornais e revistas

A.B.C., Rio de Janeiro, 11 jan. 1919.

A.B.C., Rio de Janeiro, 28 jan. 1919.

A Noite, Rio de Janeiro, 5 out. 1918.

Careta, Rio de Janeiro, 23 nov. 1918.

Careta, Rio de Janeiro, 21 dez. 1918.

Folha de S.Paulo, São Paulo, 18 mar. 2020.

Folha de S.Paulo, São Paulo, 20 mar. 2020.

Folha de S.Paulo, São Paulo, 17 abr. 2020.

Fon-Fon, Rio de Janeiro, 16 nov. 1918.

Fon-Fon, Rio de Janeiro, 19 jan. 1919.

Gazeta de Noticias, Rio de Janeiro, 17 jan. 1919.

O Estado de S. Paulo, São Paulo, 6 out. 1918.

O Malho, Rio de Janeiro, 25 jan. 1919.

O Paiz, Rio de Janeiro, 16 jan. 1919.

CONCLUSÃO: NO TEMPO DA ESPANHOLA

ARIÈS, Philippe. *História da morte no Ocidente: Da Idade Média aos nossos dias*. Rio de Janeiro: Francisco Alves, 1977.

BARRY, John M. *The Great Influenza: The Story of the Deadliest Pandemic in History*. Londres: Penguin, 2005.

BOCCACCIO, Giovanni. *Decameron*. Porto Alegre: L&PM, 2013.

CAMUS, Albert. *A peste*. Rio de Janeiro: Record, 2017.

CARIELLO, Rafael. "Enigmas das pandemias: O que sabemos — e o que ainda é mistério — sobre a gripe espanhola, o comportamento social em catástrofes e o papel do acaso na história". São Paulo, *piauí*, n. 164, maio 2020.

COELHO, Cecília Pecego. *A Escola de Enfermagem Anna Nery: Sua história — nossas memórias*. Rio de Janeiro: Cultura Médica, 1997.

CROSBY, Alfred W. *America's Forgotten Pandemic: The Influenza of 1918*. Cambridge: Cambridge University Press, 1989.

DEFOE, Daniel. *Um diário do ano da peste*. Porto Alegre: L&PM, 1987.
JARDIM, Eduardo. *A doença e o tempo: Aids, uma história de todos nós*. Rio de Janeiro: Bazar do Tempo, 2019.
KOLATA, Gina. *Gripe: A história da pandemia de 1918*. Rio de Janeiro: Record, 2002.
LOBATO, Monteiro. *A barca de Gleyre*. In: ______. *Obras completas de Monteiro Lobato*. São Paulo: Brasiliense, 1961. Tomo 2.
MÁRQUEZ, Gabriel García. *O amor nos tempos do cólera*. Rio de Janeiro: Record, 1998.
NOBRE, Marcos. *Ponto-final: A guerra de Bolsonaro contra a democracia*. São Paulo: Todavia, 2020.
PESSOA, Fernando. *Sobre Portugal: Introdução ao problema nacional*. Lisboa: Ática, 1979.
PORTER, Roy. *The Greatest Benefit to Mankind: A Medical History of Humanity*. Londres: Norton, 1997.
ROSA, João Guimarães. "O cavalo que bebia cerveja". In: ______. *Primeiras estórias*. Rio de Janeiro: Nova Fronteira, 1995.
ROSENBERG, Charles E. *Explaining Epidemics and Other Studies in the History of Medicine*. Nova York: Cambridge University Press, 1992.
SANTOS, Ricardo Augusto. "O Carnaval, a peste e a 'espanhola'". *História, Ciências, Saúde: Manguinhos*, Rio de Janeiro, v. 13, n. 1, pp. 129-58, 2006.
SARAMAGO, José. *Ensaio sobre a cegueira*. São Paulo: Companhia das Letras, 1995.
SILVA, Fernando de Barros e. "Dentro do pesadelo: O governo Bolsonaro e a calamidade brasileira". São Paulo, *piauí*, n. 164, maio 2020.
SONTAG, Susan. *Doença como metáfora/ Aids e suas metáforas*. 3. ed. Rio de Janeiro: Graal, 2002.
TEIXEIRA, Luiz Antonio. *Medo e morte: Sobre a epidemia de gripe espanhola de 1918*. Rio de Janeiro: UERJ; Instituto de Medicina Social, 1993. (Série Estudos de Saúde Coletiva, n. 59.)
VILAÇA, Aparecida. *Morte na floresta*. São Paulo: Todavia, 2020.
XAVIER, Valêncio. *O mez da grippe*. Curitiba: Arte & Letra, 2020.

Créditos das imagens

pp. 14, 65, 70, 76, 98, 100, 105, 121, 124, 127, 130, 131, 132, 133, 135, 139, 140, 142, 151, 155, 172, 175, 177, 180, 183, 190, 219, 231, 236, 239, 278, 293, 300, 302, 303 e 308: Acervo Fundação Biblioteca Nacional — Brasil

p. 36: Everett Historical/ Shutterstock

p. 38: Otis Historical Archives/ National Museum of Health and Medicine

p. 42: Topical Press Agency/ Getty Images

p. 46: U.S. Army/ Wikimedia Commons

p. 47: U.S. Naval History and Heritage Command Photograph

p. 53: Centro de Memória da Medicina da UFMG

p. 78: F. Du Bocage/ Coleção Benício Dias/ Fundação Joaquim Nabuco — Ministério da Educação

p. 177: Acervo Club Athletico Paulistano

pp. 194 e 195: Arquivo Público Mineiro

p. 203: Herculano de Sousa. Coleção Otávio Dias Filho/ Museu Histórico Abílio Barreto

p. 248: Fundo Correio da Manhã/ Arquivo Nacional

p. 266: Instituto Histórico e Geográfico do Pará

pp. 319 e 321: Fundação Oswaldo Cruz

Índice remissivo

Números de páginas em *itálico* referem-se a imagens.

ESTA OBRA FOI COMPOSTA POR OSMANE GARCIA FILHO EM MINION
E IMPRESSA PELA LIS GRÁFICA EM OFSETE SOBRE PAPEL PÓLEN SOFT
DA SUZANO S.A. PARA A EDITORA SCHWARCZ EM OUTUBRO DE 2020

A marca FSC® é a garantia de que a madeira utilizada na fabricação do papel deste livro provém de florestas que foram gerenciadas de maneira ambientalmente correta, socialmente justa e economicamente viável, além de outras fontes de origem controlada.